RÉPONSES/SANTÉ
Collection dirigée par Joëlle de Gravelaine

DU MÊME AUTEUR

chez le même éditeur

MARY DE TRÉ...ET MILIEU DE L'ÂGE

Dr ROLAND SANANÉS

**Directeur d'enseignement
à la Société médicale de biothérapie,
directeur des études à l'A.L.E. Montpellier**

HOMÉOPATHIE
ET
LANGAGE DU CORPS

ROBERT LAFFONT

Nous méritons toutes nos rencontres. Elles sont accordées à notre destinée et ont une signification qu'il appartient à chacun de découvrir.

Saint-Exupéry.

A ceux qui font passer l'amour du malade au-dessus des spéculations intellectuelles...

PREMIÈRE PARTIE

HOMÉOPATHIE
ET LANGAGE DU CORPS

Parler de l'homéopathie est un privilège qui confère honneur et humilité. Assurer l'information sur l'art élevé du jugement d'un homme qui en observe un autre en lutte avec la maladie et qui mobilise l'énergie de ses fonctions pour déchiffrer le message de cette lutte, c'est définir un devoir : celui de communiquer des courants d'idées à une société qui ne sait plus recevoir ces présents. C'est offrir l'héritage d'un homme de science, Samuel Hahnemann, que l'obscurantisme, la vile opposition n'ont jamais écarté de sa voie. Ceux qui en reçoivent les enseignements ressentent dans leur lutte quotidienne les harmoniques d'un récital qui ne s'achèvera jamais.

Première médecine par sa profondeur a'action, ı noméopathie permet d'approcher les règles d'une certaine harmonie universelle ; doctrine humaine, psychosomatique avancée ? Peut-être, mais surtout code de compréhension de l'homme en lutte avec ses microbes (en partie), avec son milieu (souvent), avec lui-même (toujours), et qui aboutit inéluctablement à un geste de thérapeutique écologique, lequel donne au miracle de la vie la simplicité du fait divers.

La matière médicale homéopathique est lourde, difficile, pleine d'embûches, dans notre temps qui exige d'apprendre et de convertir les connaissances en faits pratiques, utilisables. Les études médicales sont déjà difficiles, celles complémentaires du neuropsychiatre ou du spécialiste ne le sont pas moins. L'homéopathie demande plus que toutes autres de ne pas adhérer sans comprendre, car cette voie élève le médecin au-dessus des pesantes contingences en l'initiant à un art dépouillé de l'observation qui lui permet de percevoir le langage intérieur de la maladie. L'homéopathie est la rencontre singulière, qualitative, du remède et du génie de la maladie qui tendent à se rejoindre dans un langage original, dans une équation vivante en quête d'un but : la santé.

Or, percevoir les racines du réel, c'est se vouer à la solitude. Pourtant, sentir dans sa vie quotidienne les bienfaits d'une doctrine qui apporte plus de bien-être à l'individu que les promesses socio-économiques rend nécessaires les devoirs de l'information que l'on s'obstine en haut lieu à ne pas devoir assurer. Sans secours matériel, sans appui officiel, une large transmission de connaissance commence à s'établir auprès des médecins pour satisfaire à l'exigence du public.

Chaque jour grandit le besoin. Plus les moyens sont grands, plus les gens s'inquiètent de leur santé. Rares sont les grands médecins qui accèdent à la claire lucidité du langage de la maladie à travers celui qui la subit. Il faut bien que l'information se fasse pour ne pas donner cette impression de cercle fermé ou de langage codé : la merveilleuse pratique de l'infiniment petit dans un monde infiniment stressé, enlaidi et sans espoir mérite l'adhésion des hommes de l'Art et d'ouvrir les portes de la compréhension à un plus grand nombre...

Le problème des médecines différentes

L'ensemble du corps médical se rattache à Hippocrate, mais le père de la médecine ressemble à ce serviteur que l'on congédie tout en reconnaissant ses mérites. Habile médecin, philosophe de surcroît, il n'a jamais séparé l'étude de l'homme de celle de l'univers. Il a réalisé l'union continue de la science empirique et de la philosophie spéculative. Cet aspect métaphysique a projeté une grande ombre jusqu'à Descartes. Aux religions dogmatiques on opposa le matérialisme et, plus tard, l'homme de science se dut d'abandonner à la porte du laboratoire toute religion pour affronter les vérités cliniques, biologiques, celles extraites de la matière, et non plus les stricts paramètres philosophiques. Laennec fut curieusement le dernier auteur d'une thèse sur Hippocrate. La science médicale chassait la pensée hippocratique. Le caractère rigoureux de l'auscultation, confronté avec l'étude anatomique des organes, inaugurait les premières valeurs objectives de la science médicale.

Ère expérimentale

Apparaissent ensuite les grands noms de la médecine : de Vitchow à Claude Bernard, jusqu'à Pasteur, fondateur de la microbiologie et authentique pionnier de la médecine scientifique. A l'esprit de synthèse s'est substitué l'esprit d'analyse comme outil indispensable de la recherche moderne.

L'ère pasteurienne avec l'identification des germes et des agressions microbiennes a ouvert cette période triomphale de la méthode analytique et expérimentale, cherchant à percer les mécanismes encore obscurs de la pathologie. La discussion au lit du malade fut complétée par l'auscultation, par l'apport des rayons X, par la précision du laboratoire, en même temps que se dégradait l'esprit de synthèse, rejeté par le pouvoir du microscope et les méthodes physico-chimiques d'investigation de la matière.

Avant Laennec dominaient l'esprit d'observation, l'hypothèse ; l'étonnement pour les philosophes grecs reste à l'origine de la science : le défaut d'expérimentation bloquait le principe de causalité. L'induction restait solitaire. Après Laennec, Pasteur et Claude Bernard, le dynamisme de la recherche à partir de vérités expérimentales a libéré des effets ou des causes suffisantes ce « comment » des phénomènes sans que le « pourquoi » ait pu être abordé : la rapidité du progrès a cloisonné la recherche, précipité le rythme des investigations à la poursuite de concrétisations thérapeutiques à effet purement immédiat. La médecine est devenue somatique et l'on assiste au découpage minutieux de la matière ; on pénètre tous les secrets des organes, au travers des dosages, biopsies, ponctions, endoscopies, et la finalité s'est dirigée exclusivement vers l'organe et la maladie, en oubliant l'homme.

L'extinction des grands fléaux n'a pas simplifié la pathologie ; la ruée vers les sciences expérimentales a permis une pénétration valable dans le mystère de nos organes, mais n'a pas empêché le développement d'une pathologie qui échappe aux lois des matières fondamentales, enseignées à la faculté.

Après quelques années d'exercice, le praticien ne se sent maître de ses connaissances médicales qu'auprès d'un tiers de ses malades (Dunbar, 1950) ; pour le reste, il doit se débattre avec des affections qu'il ne comprend ni ne domine suffisamment. A la somatisation forcée de la maladie, une réaction de bas en haut s'est produite. Avec Freud, on a compris le rôle des désordres de l'esprit, des maladies sans frontières qui pouvaient être guéries en dehors des secours spécifiques donnés au corps. « Ni la famine, ni les tremblements, ni les microbes ne représentent pour l'homme un danger aussi grand que l'homme lui-même » (Jung). La médecine psychosomatique a pris naissance comme une forte réaction du sommet spirituel, systématiquement mis à l'écart.

Cependant, l'unité de la médecine cherche à se faire. Il lui faut relier les vérités éparses et les aspirations intellectuelles autour d'un humanisme de synthèse qui est la vocation de la médecine. Le docteur Leriche, de sa chaire du Collège de France, a ranimé l'esprit hippocratique : « Ivre d'analyse et de nouveauté, la médecine aspire à une minute de synthèse, elle voudrait reprendre haleine sous le platane de Cos. »

Ainsi, les médecines différentes sont-elles baptisées hétérodoxes, alors que le temple de la médecine humaine est assez vaste pour y abriter toutes les disciplines et leur offrir des possibilités d'échange dans leur réussite particulière. Leur seul étalon, leur dénominateur commun est l'étude de l'homme total. Hahnemann, père de l'homéopathie, l'avait compris en acceptant de rompre avec le chaos médical de l'époque : « C'est le propre de l'homme, écrivait le professeur Chaves de Buenos Aires, de se croire l'unique possesseur de la vérité. Seuls ceux qui pensent comme lui pensent juste. C'est ainsi que se font les vérités établies. Il craint de s'éloigner de ces vérités pour ne pas être contredit par les Maîtres dont les enseignements grandioses dans

14

le passé deviennent minuscules dans l'avenir. Et comme l'esprit dominant de l'époque est pragmatique, il ne les abandonne point de peur de s'égarer. Lorsqu'un contemporain ose contester une de ces vérités, il est un irrévérencieux, un révolté, un hérétique. »

Cependant, la vérité est un dialogue, la thèse en est une vérité, l'antithèse en est une autre : la synthèse renferme à son tour une vérité conciliatrice. Les instruments peuvent s'échanger, les pensées s'enrichir, les divergences se combler, car le malade reste notre seul juge. Dans son esprit, si la science est devenue toute-puissante, pourquoi est-elle si inopérante dans son cas à lui, le seul qui lui importe ? Pourquoi ses bienfaits projetés sur l'image et les ondes ne l'atteignent-ils plus dans son besoin immédiat ?

Relation médecin-malade

Le public, conscient de la remarquable évolution scientifique, sent son admiration se mêler de crainte. La médecine devient une entité merveilleuse et le médecin un redoutable homme de science. Au travers d'éblouissantes productions, jamais la santé n'a offert un tableau aussi oscillant et aléatoire de la productivité humaine dans la trajectoire du progrès scientifique. Aussi le public se tourne-t-il alors vers les médecines différentes qui ont sauvegardé cette notion de l'esprit de synthèse et, à l'homme divisé, préfère-t-on l'homme total :

— à la recherche de la spécificité de la maladie, il est préféré l'individualisation ;

— à la classification, la valeur des nuances ;

— à la primauté de l'organisme, celle du fonctionnel ;

— au rejet de l'enseignement des anciens, l'attachement à la tradition ;

— à la soumission intégrale à la matière, le consentement au rapport de l'énergie et de la matière.

Energie vitale et autodéfense se confondent avec la notion du terrain que les vérités biologiques ne peuvent couvrir entièrement. Cependant, l'adhésion au progrès technique est indispensable : découvrir la matière dans ses secrets les plus intimes constitue le plus sûr moyen de respecter et de préserver ses

15

mécanismes les plus délicats. Tout médecin serait injuste de se réclamer d'une doctrine différente lorsqu'il bénéficie des médications héroïques engendrées par le progrès technique. Notre maître Pequinot l'a bien souligné : « Il est injuste, disait-il, pour les médecins qui profitent chaque jour dans leur chair des conséquences heureuses d'une révolution, d'en médire. »

Si l'exploration du malade est une exploration d'organe, elle est aussi celle d'un mystère dominé par l'inquiétude. Un être atteint dans sa santé, inquiet pour sa vie, avide de secours, se tourne vers un de ses semblables qui a reçu mission et autorité contre le mal physique, mais se refuse toutefois à devenir un animal de laboratoire. Il espère la délivrance d'une angoisse qui s'est saisie de lui. Il faut bien dire que les exigences immédiates du malade se heurtent à la complexité de la connaissance pratique et technologique dont le médecin est investi. Dans la relation médecin-malade, il s'est créé ainsi une multiplicité d'écrans. Le déclenchement des investigations multiples entraîne l'interrogation humaine dans une épreuve morale de fragmentation infinie qui alarme le patient et l'éloigne de l'idée simple de guérison qu'il demande au médecin.

Ainsi se dessine cette exigence complexe vers une discipline qui répond à la dimension des besoins profonds, scientifiques mais qualitatifs, et surtout dénués d'agressivité pharmacologique.

Une médecine à l'exigence de notre temps

La médecine a fait une foudroyante entrée dans la société de consommation : mais l'information publique ne porte que sur la démarche rationnelle et apaisante de la science sans informer sur les effets d'une invasion pharmaceutique qui menace de surcroît les possibilités budgétaires d'une nation. On a offert au public, durant les cinquante dernières années, d'éblouissantes victoires sur la maladie. Certaines sont incontestables, d'autres ont été élevées au rang de victoire médicale, mais sont le fait d'un niveau social amélioré, d'une hygiène mieux répandue.

Les effets secondaires

Malheureusement, le recul des maladies infectieuses, de certaines affections incurables ou dangereuses a cédé la place au développement des maladies chroniques dégénératives et surtout mentales. La morbidité s'est transformée et la longévité, l'espérance de vie sont en stagnation depuis 1965. La médecine moderne n'a pas trente ans, et l'espérance de vie d'une personne de soixante ans n'a pas augmenté de plus de deux ans de 1900 à nos jours. L'espérance de vie masculine stagne autour de soixante-huit depuis 1965[1]. Le progrès scientifique s'est assorti de si fâcheux effets secondaires qu'un malade sur cinq est hospitalisé pour « effet secondaire » de thérapeutique. Dans les services cardiovasculaires sont aménagés des espaces destinés, d'une part, aux thérapeutiques anticoagulantes et, d'autre part, aux méfaits de ces mêmes thérapeutiques. Le traitement des causes et des effets n'est séparé que de quelques mètres.

Si la médecine n'a jamais été autant remise en question, elle le doit à la toxicité progressive de ses instruments. Economistes et hommes de science sont d'accord : pour le professeur Mathé, 90 % des médicaments sont inactifs, et la valeur éphémère d'un produit (moins de cinq ans) est davantage affaire de marketing et de conditionnement que de valeur intrinsèque. Heureusement, le comportement du public commence à évoluer vers une prise de conscience qui aboutira au développement d'une médecine à l'image de l'écologie.

Ainsi à Varna, en Bulgarie, sous l'égide de l'Unesco, une confrontation a rassemblé du 24 au 27 juin 1975 médecins, biologistes, chercheurs, théologiens et philosophes sur les progrès de la biologie moderne et la responsabilité des biologistes à l'égard de l'individu et de la société. Il est ressorti, à l'évidence, que les applications pratiques des découvertes biologiques ne doivent pas se poursuivre de manière anarchique, mais doivent

---

1. Cité par Dupuy et Karsenty, d'après G. Calot et A. Lery, « La baisse de la mortalité se ralentit depuis dix ans », *Économie et statistique*, n° 39, novembre 1972.

être soumises de manière systématique à une critique d'ordre éthique autant que scientifique.

En plus du danger contre l'espèce, la surconsommation pharmaceutique dans une société d'interrogation et d'angoisse est devenue fait banal et inévitable lorsque le praticien s'obstine dans un diagnostic matériel d'une vérité humaine qui concerne d'autres valeurs.

Une médecine humaniste

L'asservissement aux éléments d'informations biologiques ou radiologiques (muets sept fois sur dix) a surtout provoqué le désintérêt du *dialogue* entre le médecin et la nature complexe du malade (et non de sa maladie). La connaissance scientifique se trouve encadrée par des exigences précises :

— une thérapeutique non agressive ;

— spécifique de l'homme ;

— concernant la totalité de sa demande.

Cet appel à une « médecine générale de l'homme » commence à se manifester dans les couches profondes du corps médical. La louable démarche d'information sur la valeur réelle du remède (docteur Pradal) participe des mêmes aspirations. A travers toutes les polémiques qui se déchaînent autour du mythe médical, les économistes, les psychosociologues sont plus à l'aise que les médecins. Brûler ses instruments, c'est nier sa profession. Pour les uns, l'antimédecine naît du malentendu autour du problème posé, et la psychosomatique est davantage justifiée par l'époque ; pour les autres, une meilleure information autour des instruments permettra au médecin de répondre aux plus justes besoins de son malade. Dans cette aspiration à un rapport qualitatif entre la science et l'homme, une discipline est systématiquement mise à l'écart des pouvoirs officiels alors que sa doctrine, son mode de pensée correspondent exactement aux exigences actuelles : l'HOMÉOPATHIE.

Dans cette société où le souci majeur est de renouveler modèles et produits, l'homéopathie se maintient singulièrement au travers de préjugés qui l'ont accompagnée depuis sa naissance. Elle bénéficie de l'appui du public qui sait mesurer derrière les mots les menaces qui pèsent autant sur la santé réelle de l'homme que sur son environnement.

Dans une statistique récente, 17 % des malades refusent en bloc la médecine actuelle et aspirent à une médecine néo-hippocratique non agressive. Les écoles vétérinaires passant au-dessus des préjugés l'ont incorporée au programme officiel de leur enseignement, bien que de singuliers barrages psychologiques l'écartent de l'enseignement officiel. L'*Encyclopédie* la reçoit en son sein médico-chirurgical et le *Journal officiel* du 12 décembre 1965 signale un arrêté de commission pour étudier l'admission de l'homéopathie comme thérapeutique dans les hôpitaux publics et son entrée officielle dans l'enseignement des facultés avec règlement de son exercice en tant que spécialité médicale à « part entière ».

Son introduction dans tous les pays (Amérique du Nord et surtout Amérique latine, Allemagne, Angleterre, Italie, Suisse, Belgique) a donné naissance à de nombreux instituts, collèges et cliniques médicaux ; sociétés et publications se sont multipliées. L'opposition des pays socialistes est dialectique et doctrinale : si avantageuse qu'elle soit pour le budget des pays en voie de développement et soucieux des deniers publics, cette médecine est contestée en raison de l' « immatérialité » de l'action pharmacologique, alors qu'un point de vue plus pragmatique permet à des pays comme le Pakistan, pourtant mal équipé sur le plan de l'hygiène naturelle, de bénéficier d'une médecine efficace et peu coûteuse. Dans tous ces pays éloignés, elle est pratiquée par ces « médecins aux pieds nus » qui ont accédé avec les représentants officiels de la médecine à l'art supérieur de la « médecine de la personne ».

La thérapeutique de l'homéopathie est, nous le verrons, *infinitésimale :* cette notion, qui a bouleversé les rapports de Hahnemann avec ses contemporains, ne trouble plus aucun esprit. Dans une époque où se rétrécissent toutes les dimensions et où l'énergie sort à profusion d'un substrat infinitésimal, l'infiniment petit est devenu porteur d'un sens thérapeutique nouveau, et le grand mérite d'Hahnemann a été de découvrir *la loi d'inversion d'action suivant les doses* et d'être entré dans le problème de la concentration de la matière. Ainsi, l'adrénaline hypertensive à doses normales se révèle hypotensive à doses infinitésimales. La médecine qui manipule l'aconitine et la digitaline au dixième de milligramme commence à découvrir les pouvoirs énergétiques de la médecine moléculaire. Les oligo-éléments, les catalyseurs accélèrent à doses infinitésimales de puissantes réactions biologiques. L'acétylcholine, l'atropine agissent à des concentrations basses insoupçonnées (10^{-20}).

Par son approche *expérimentale humaine,* Hahnemann a superposé le phénomène infinitésimal à un mode de compréhen sion de la complexité de l'être humain et de sa diversité. De l'analyse, il passe constamment à la synthèse, du métabolisme, il s'élance vers le psychisme : quelle doctrine réellement psychosomatique pourrait se refuser d'aborder sous cet angle la connaissance de l'homme ?

Enfin, le cadre de l'homme fait apparaître la notion obscure et puissante du « terrain » où s'inscrivent passé, présent et devenir de l'homme malade. Cet aspect prophylactique devrait retenir l'attention critique du XXe siècle sur la pensée révolutionnaire et la doctrine d'Hahnemann.

Pour pénétrer dans l'homéopathie, il faut devenir sensible à un certain degré qualitatif. Il est toujours possible, dans le monde de la quantité, de déchiffrer et de superposer les quantités : la médecine moderne accumule à sa manière les découvertes sans pour autant résoudre le problème de la souffrance et du déséquilibre humains.

Déjà en son temps, Hahnemann écrivait : « C'était un supplice pour moi de marcher toujours dans l'obscurité avec nos livres lorsque j'avais à traiter des malades. Je me faisais un cas de conscience à traiter les états morbides inconnus de mes frères souffrants par des remèdes inconnus puisqu'on n'a point encore examiné leurs effets propres et qui peuvent si facilement faire passer de la vie à la mort ou produire des affections nouvelles et des maux chroniques souvent plus difficiles à éloigner que ne l'était la maladie primitive » (lettre au professeur Huffeland). Bel exemple de conscience chez un homme qui accepte le repli professionnel et l'exil plutôt que de nuire. Compatir à la souffrance de l'autre est le secret de la détermination.

Ainsi le devoir naturel de la profession prend-il une singulière dimension en homéopathie. L'art élaboré de l'information permet à deux êtres de se rejoindre en un vrai dialogue sensible. Entre le malade chargé de sa pathologie, et le médecin riche de sa formation expérimentale humaine, les mots vont se charger de sens, et les premiers termes d'une phrase prononcée par l'un appellent dans l'esprit de l'autre le complément du discours.

Un novateur pourchassé et inflexible

« Les idées de génie ont souvent pour vêtement la folie ou la candeur. Elles traînent çà et là, comme des livres ou des feuilles mortes. Jusqu'au jour où quelqu'un qui cherche se baisse, les saisit, les ramasse, les exhibe, participe pour toujours aux souffrances et aux persécutions dont elles sont l'objet » (Gumpert).

Hahnemann, né le 10 avril 1755, est mort à Paris le 2 juillet 1843. Jamais ce missionnaire de la médecine n'a cessé de consacrer sa vie, au travers de rebondissements incessants, à la défense et à l'expression d'une vérité. Son père, décorateur de manufacture, lui apporte la délicatesse de l'artiste et l'élan de la sensibilité ; sa modeste condition ne l'écarte pas d'un vif intérêt pour l'éducation de son fils, spécialement pour les humanités gréco-latines, fleuron de l'esprit de finesse. A douze ans, Hahnemann était capable de remplacer le professeur de grec dans ses leçons. Il est à supposer que déjà une rencontre s'était faite avec les grands philosophes Hippocrate, Pythagore, Socrate et Platon. Le père tenait à donner chaque jour à son fils ce qu'il appelait sa « leçon de penser » d'une demi-heure, où l'union de l'intelligence et de l'effort mental aboutit si heureusement à la concentration. La connaissance de plusieurs langues : allemand, latin, français, italien, espagnol, grec, témoigne de la diversité et de la fertilité de son intelligence. De plus, Samuel Hahnemann était capable de lire et d'interpréter des ouvrages d'hébreu, d'arabe, de syriaque et même de chaldéen. Ses affinités linguistiques ne le rendaient pas indifférent aux appels de la souffrance : il savait aider affectueusement ses camarades et s'empresser pour panser toute blessure.

Dans le sillage de l'artisan peintre, le jeune Samuel dirigeait son observation dans le monde des couleurs : il remarquait déjà que les sels de plomb utilisés à la fabrication des couleurs donnaient toujours aux ouvriers la même forme d'indisposition intestinale. Les travaux de chimie de son père, à la recherche des émaux, l'avaient prédisposé aux études de chimie et de physique et c'est dans les bibliothèques de Leipzig que, en dévorant toutes les sciences, il approche celle qui fait la dimension de la profession médicale : la thérapeutique. Dans cette démarche vers la recherche, il apporte la Foi, héritage de sa mère. Si Dieu a fait de l'homme un petit univers semblable au grand macrocosme, s'il est vrai que la maladie existe, il doit se trouver dans la nature la réponse au mal, à la faiblesse, pour remettre l'homme en harmonie avec la Nature. « Oh ! non, écrivait Hahnemann en 1805 *(Esculape dans la balance)*, l'Etre infiniment bon, lorsqu'il permit aux maladies de blesser ses enfants, savait bien qu'il avait déposé quelque part un art et des moyens propres à leur porter secours ; comme s'il n'était point pour eux la source éternelle d'une bonté sans bornes ; à l'égard de laquelle l'amour maternel le plus tendre n'apparaît que comme une ombre à côté de l'éclat du soleil. »

Ses études de médecine l'amènent de Leipzig à Vienne. La fréquentation hospitalière le remplit d'inquiétude sur la science de ce temps. Derrière le pansement, la saignée, on tâtonne, on emploie au hasard des produits sans les connaître et les patients paient cette incurie de leurs souffrances. Pour lui, le vrai médecin, c'est autre chose ; c'est l'homme qui poursuit la maladie sans relâche, qui la débusque, qui lutte désespérément contre elle en la recherchant, en s'installant à chaque chevet. Le spectacle des hôpitaux psychiatriques l'éprouvait ; c'était le domaine des cages grillagées emplies de cris d'effroi, où les gardiens armés de baguettes de fer distribuaient la « thérapeutique ». Il y avait même la « chaise tournante » qui venait à bout des plus récalcitrants, à coups de manche de fouet sur un patient bâillonné serré pour assourdir ses hurlements. Et pourtant, Hahnemann savait déjà distinguer la réaction des malades : certains se déprimaient et mouraient, d'autres offraient une résistance extrême à la maladie et guérissaient. Il en avait déduit que les puissances vitales n'étaient point semblables chez tous les hommes.

Le 10 août 1779, il reçoit son diplôme de docteur en médecine et bénéficie d'une insignifiante nomination d'officier de santé.

C'est à Dessau, en 1781, que se situe une partie de son destin médical et social : à Dessau, à la pharmacie Hasseler où dans l'arrière-boutique, dans le monde des cornues et des bols de porcelaine, Hahnemann cherche à connaître l'exacte composition des substances. Il les réduit en corps simples afin de mieux ordonner le mélange. Mais à proximité de la pharmacopée, il y a aussi... la fille du pharmacien... Henriette. Et M. Hasseler, en accueillant le médecin déjà réputé, flaire la bonne affaire : les liens du cœur, de la pharmacie et de la médecine. Le 17 novembre 1782, Hahnemann épouse Henriette. Pourtant, dès lors, commence à se creuser le fossé inexorable qui séparera sa vie durant Hahnemann des pharmaciens. A l'arrière de l'officine, les matières premières passaient sans différence d'un bocal à un autre. L'aloès se retrouvait avec la noix vomique, et, plus encore, la prescription écrite du médecin était complétée par l'inspiration thérapeutique personnelle du pharmacien. Et Hahnemann, avide de science, de progression, de recherche précise, découvre le monde de la complaisance coupable. Alors, sur sa route point de compromission ; si tous ses séjours dans les différentes villes de Saxe lui aliènent le monde des apothicaires, en aucun instant sa détermination ne sera ébranlée. En raison de l'absence de contrôle rigoureux sur l'identité des matières premières, il ne se sentira responsable que des seuls remèdes qu'il aura préparés. On peut mesurer la solitude et l'hostilité auxquelles il devra faire face de par cette courageuse décision.

La médecine au temps de Hahnemann

De nos jours, la pensée de Hahnemann, loin de se fossiliser, a trouvé une validation totale. Sa place s'est actualisée dans notre ère scientifique mais il paraît utile d'évoquer la médecine du XIXe siècle, soumise à la seule spéculation philosophique où « les théories sont aussi profondes qu'inintelligibles ». Paracelse a fermé la pharmacopée de Galien avec sa thériaque composée de soixante-dix éléments dont la chair de vipère et de crapaud. Il projette l'ombre de l'alchimie et de l'occultisme sur le monde médical. Le corps médical, dans une grande confusion, apparaît divisé. D'une part, les docteurs en titre, sachant le latin mais manquant de pratique réelle ; d'autre part, les barbiers apprenant dans les armées, soignant les dents, vendant les médicaments et surtout pratiquant les saignées : la saignée, remède absurde, universel, qui précipita le destin de l'humanité. On tuait plus par des saignées que par les guerres. Les fanatiques de la saignée connurent leur apogée avec le grand médecin français Broussais. Cette pratique porta à son comble la confusion entre thérapeutique et anéantissement naturel. A la bourse des sangsues, des millions de ces animaux étaient vendus et l'Allemagne tirait grand profit de ce commerce d'exportation.

Les médecins étaient alors divisés en matérialistes ou mécanistes, spiritualistes ou vitalistes, entre l' « âme pensante qui dirige des mouvements anormaux vers le corps » et la théorie circulatoire « où les éléments figurés du sang pouvaient s'altérer, devenir anguleux, entraînant l'acuité des humeurs et la coagulation du sang dans la veine porte ». On peut donc comprendre le découragement de Hahnemann devant toutes ces théories non fondées sur l'observation et l'expérimentation. « Les physiologistes et les pathologistes mettent leur orgueil à tout expliquer, même l'impossible... C'est cette malheureuse croyance qui depuis Galien jusqu'à nous a fait de la médecine un théâtre d'hypothèses baroques et souvent contradictoires, d'explications, de démonstrations, de conjectures, de dogmes et de synthèses. dont les funestes effets sont incalculables » (Hahnemann)

Le grand moment d'une pensée médicale nouvelle apparaît avec le passage de Lavoisier à la ville de Dresde en 1874. L'illustre chimiste va stimuler sa fièvre intellectuelle et porter un coup fatal à son vieux maître Stahl qui rendait « la matière passive devant l'esprit, seul principe de maladie et de guérison ». La nouvelle divinité, c'est la découverte de l'oxygène, de l'hydrogène, la composition des corps simples, la loi de conservation de la matière : « Rien ne se perd, rien ne se crée », la découverte des propriétés de chaleur et des corps à l'état gazeux. Pour la médecine de cette époque, aucun progrès sérieux n'est réalisé, et Hahnemann le révolté renonce à la médecine, plutôt que de devenir « le meurtrier de ses frères ». Il renvoie tous ses malades et se plonge avec sa famille dans la plus grande pauvreté. C'est le dénuement, douloureusement ressenti par Henriette et une jeune et nombreuse famille. Tout vient à manquer, et dans cette détresse survient la maladie, la mort d'enfants dans des maisons sans feu. Aux reproches de la fille du pharmacien, il répète : « Je ne sais pas guérir. » « Qu'importe de guérir, contente-toi de faire comme les autres docteurs », répond-elle.

La condition médiocre de traducteur, qui met sa famille aux abois, n'altère pas la curiosité d'Hahnemann, et c'est au travers des heures sombres qu'apparaît l'éclair de génie : la découverte de la *loi de similitude*. En 1790, il était en train de traduire un livre de Cullen sur le quinquina du Pérou quand la grande loi recherchée d'équilibre, de logique et d'harmonie universelle se présente à lui. Cette substance était connue pour guérir la fièvre des marais, le paludisme, et Cullen supposait que l'action de la quinine sur la fièvre s'expliquait par des vertus stimulantes sur l'estomac. « Pour connaître ce qu'un médicament peut produire sur un malade, sachons d'abord ce qu'il peut déterminer sur un individu en bonne santé », écrit Hahnemann. Loin de stimuler son estomac, l'absorption de hautes doses de poudre de quinquina lui donne... la fièvre des marais ! Nous reverrons l'impact de ce grand principe évoqué déjà par Hippocrate (« les semblables sont guéris par les semblables ») qui aboutit à la proposition d'étudier « la maladie artificielle qu'une substance peut provoquer ordinairement dans l'organisme sain afin de l'adapter alors à un état pathologique très analogue qu'il importe d'écarter ». Dix-sept ans avant la naissance de Claude Bernard, Hahnemann fonde la médecine expérimentale humaine et étend de façon illimitée la loi thérapeutique d'analogie connue depuis Hippocrate.

Malgré l'indifférence du cercle familial, Hahnemann va poursuivre cette œuvre expérimentale pendant quarante-sept ans. Une dizaine de jeunes disciples se groupèrent autour de lui et participèrent aux expériences pathogénétiques qu'il avait éprouvées sur lui-même et, pour sauvegarder la valeur expérimentale de sa doctrine, il se montrait intraitable dans la rigueur de la recherche et la qualité de ses produits. Il envoyait ses enfants cueillir dans les champs le sumac, la jusquiame, les baies de belladone. Il incisait au printemps l'écorce des jeunes branches quand la sève commençait à monter, la résine à couler : il cueillait les feuilles après le lever du soleil, les boutons avant qu'ils ne s'épanouissent, les fleurs d'arbres après la rosée, les fruits au moment de leur pleine maturité : tout s'effectuait sous ses yeux ou par ses propres mains pour comprendre et sauver les trésors de l'alchimie de la nature. Les vingt-sept premières substances sont pour la plupart végétales : l'aconit, la belladone, l'arnica, la camomille, le quinquina, la fève de Saint-Ignace, la noix vomique, la pulsatille, l'opium.

En 1810, paraît l'exposé fondamental de la doctrine homéopathique : *L'Organon de l'art de guérir.* Les six volumes de *La Matière médicale pure* furent édités à Dresde de 1811 à 1821, et enfin, en 1828, parut le *Traité des maladies chroniques.* La méthode se répandit rapidement en Allemagne et le fidèle Stappf fonda, en 1822, la première revue homéopathique allemande. Cette nouvelle forme de dialogue avec l'homme et la maladie connut un développement foudroyant en Europe. Les écoles traditionalistes, éclectiques ou différentes se multiplièrent suivant l'usage que l'on voulait bien faire du principe de similitude.

Depuis 1810, date de la première édition de *L'Organon de l'art de guérir,* six éditions allemandes se succédèrent. *L'Organon* va faire le tour du monde et connaître plus d'une centaine d'éditions dans dix-huit pays différents d'Amérique et d'Asie. Sa traduction en seize langues témoigne d'un outil de connaissance que cent soixante-dix-sept ans d'usage n'ont pas altéré, malgré les attaques de la médecine conventionnelle. C'est la traduction française de la quatrième édition allemande qui connut à Paris chez Baillère en 1832 la plus large diffusion. La dernière édition fut traduite en français en 1952 par le docteur Pierre Schmidt, témoignage de son inépuisable actualité.

La France : terre de consécration (1835)

L'hommage rendu par la France à un médecin étranger est le fait d'une femme, Mélanie d'Hervilly, et on ne saura trop souligner l'influence féminine dans l'insertion active des idées et les grandes réalisations. L'exploration des qualités décisives de Mélanie d'Hervilly échappe à tout subtil inventaire. Reconnaissance d'une phtisique ressuscitée ? Peut-être, mais surtout capacité de détection des idées forces, des obstacles en présence

26

et art féminin de négocier le scepticisme. Mélanie d'Hervilly va saisir le destin d'un Hahnemann, vieillard blanchi (sa femme est morte à l'âge de soixante-dix-sept ans, quelques années auparavant) qui, après la diffusion de son message, contemple l'hiver de sa vie à travers les flocons de neige qu'il voit tomber devant ses fenêtres. Elle va saisir son destin et lui assurer la consécration internationale de chef d'école. A l'homme de l'infinitésimalité, elle va distribuer l'énergie, ajouter à sa vie des années. Elle sera l'infatigable catalyseur de cette étonnante fin de vie. Tour à tour passionnée d'art, de littérature et de peinture, c'est pour la médecine qu'elle donnera toute sa mesure. Après avoir lancé un peintre, célèbre élève de David, elle épouse un poète de soixante-dix ans qu'elle entoure de sa chaleur jusqu'aux derniers jours. Enfin, elle s'unit à Hahnemann, âgé de quatre-vingts ans. Près de cinquante ans les séparent. Atteinte de maladie pulmonaire incurable, elle a été chercher sa guérison auprès de l'ermite de Koethen, et, par elle, la nouvelle doctrine va s'étendre dans la culture française. Elle avait forcé la porte du maître en retraite et reçut, à travers la guérison, la chaleur indomptable d'une mission : élever Hahnemann au faîte en portant ses idées à Paris, centre intellectuel du monde. Mélanie l'accompagnait dans tous ses déplacements auprès des malades. « Elle joignait à la pieuse ardeur d'une sœur de charité toute la délicatesse ingénieuse d'une femme du monde » (Legouve). Les célébrités défilent, les guérisons se succèdent..., une forte hostilité se manifeste. L'Académie de médecine présente une demande d'exclusion au ministre Guizot, qui répond : « Hahnemann est un savant de grand mérite. La science doit être pour tous. Si l'homéopathie est une chimère ou un système sans valeur, elle tombera d'elle-même. Si au contraire elle est un progrès, elle se répandra malgré toutes vos mesures de proscriptions. L'Académie doit le souhaiter, elle qui a pour mission de faire avancer la science et d'encourager les découvertes. »

Après la rue des Saints-Pères et la rue Madame, Hahnemann finira ses jours dans un superbe hôtel particulier au 1, rue de Milan. Ses forces déclinent : « Mon enveloppe mortelle est usée... » Un matin d'été, il se réveille moins bien disposé qu'à l'ordinaire ; un catarrhe pulmonaire l'emporte doucement. Il se prescrit un médicament et dit à sa femme : « Si ce remède ne réussit pas, ce sera grave. » Il s'éteint à l'âge de quatre-vingt-huit ans (1843), avec sérénité et sans la souffrance que bien des malades connaissent. Mélanie le gardera pendant neuf jours dans le secret auprès d'elle, sans faire d'annonce officielle de décès. En 1898, ses restes furent transférés avec ceux de Mélanie au cimetière du Père-Lachaise, dans un cercueil unique. Leurs cendres étaient réunies comme la foi et l'amour les unissaient vivants. Par lui, le sillon d'un art thérapeutique nouveau était creusé.

LA LOI DE SIMILITUDE

Incontestablement, l'homéopathie a mobilisé la curiosité générale par le canal de la dose infinitésimale, notion qui inaugure la
connaissance d'une médecine moléculaire. On découvre en
biologie l'infiniment petit : des puissances thérapeutiques de
l'ordre du nanogramme agissent au niveau de l'action homéopathique (les prostaglandines). Mais il faut affirmer que l'intérêt
pour cette passionnante découverte de l'instrument infinitésimal
ne saurait se substituer à la proposition fondamentale que
représente la « loi de similitude » : on peut tout exploiter, tout
diluer en médecine, sous réserve de se plier à la loi de
similitude ; le remède devient homéopathique non par sa division,
son aspect infinitésimal, mais parce qu'il obéit à la loi de
similitude.

« Ce qui provoque la maladie chez le sujet sain peut guérir à
dose infinitésimale un état morbide semblable. »

Les remèdes traitent les symptômes qu'ils peuvent provoquer
chez le sujet sain.

Les symptômes que le remède efface sont ceux qu'il provoque.

Si nos symptômes sont les signatures de processus de défense,
seul le remède semblable, analogique, pourra les éteindre.

L'histoire, le progrès, l'actualité de l'homéopathie dépendent
de la loi de similitude, et l'on peut s'interroger sur le fait que le
XXe siècle n'a pas déconsidéré ce postulat pharmacologique,
véritable schisme dans la pensée médicale. Au contraire, notre
époque ne fait qu'assurer la promotion de cette affirmation.

L'expérience de Cullen, la naissance de symptômes fébriles à partir du quinquina infinitésimal, a été, en 1790, l'illumination de ce temps médical ; il est le trait de génie d'un expérimentateur déchiré, qui va acquérir l'étoffe d'un homme de science.

La loi de similitude est l'application d'un rapport de ressemblance, d'une équation analogique entre un modèle expérimental, le sujet sain, sous l'influence d'une substance, et un modèle pathologique : le malade à traiter.

La loi de similitude va assurer la validation d'une méthode thérapeutique, d'une doctrine, d'une pharmacopée. Il ne s'agit pas d'une proposition intellectuelle mais d'une loi contrôlable et reproductible, qui inaugure une médecine expérimentale humaine.

L'effet Cullen est le point de départ, la rénovation d'un principe pragmatique évoqué par Hippocrate : les maladies peuvent céder aux agents qui déterminent une affection *semblable* *(Similia similibus)* alors que l'allopathie cherche à les neutraliser par des remèdes contraires ou opposés. Hahnemann exhumera ce principe de la dialectique pour le placer sous l'autorité irréfutable de la preuve expérimentale.

Toutes les observations, d'Hippocrate à Paracelse, se réduiront à des constats empiriques ou a des subtilités rhétoriques. Certes, l'usage populaire a consacré la loi de similitude : sur des membres récemment gelés, on applique de la glace ; le sage moissonneur, échauffé par les chaleurs de l'été, se gardera bien des boissons glacées, la brûlure cutanée voit la douleur et l'inflammation s'étendre lorsqu'on lui oppose les applications froides. Hippocrate avait évoqué le *choléra morbus* guéri par l'hellébore blanc qui peut cependant le provoquer. L'*euphrasia* guérit l'inflammation des yeux parce qu'elle produit elle-même cette manifestation oculaire. La douce-amère (*dulcamara*) guérit les violents refroidissements qu'elle produit. Le pétrole, le soufre guérissent en doses infinitésimales les manifestations cutanées qu'ils provoquent chez tous ceux qui sont en contact continu avec ces éléments. Le tabac infinitésimal est un bon remède des vertiges et des palpitations, chez ceux qui en sont affligés par abus.

L'intoxication par le plomb provoque une paralysie intestinale : la constipation atonique est guérie par des doses infinitésimales de plomb.

L'acide nitrique, l'acide sulfurique guérissent à doses infinitésimales les agressions, les érosions, les ulcérations des muqueuses digestives qu'ils provoquent par intoxication accidentelle. Le poivre de Cayenne (*capsicum*) guérit les brûlures digestives qu'il provoque par absorption en excès.

L'expérimentation a provoqué des symptômes réactionnels ou significatifs que l'on compare aux symptômes du sujet spontanément malade.

La réaction s'étend à la thérapeutique, puisque la similitude permet d'éteindre les réactions du malade : *Apis* (la piqûre d'abeille) provoque chez le sujet sain une inflammation analogue à la fluxion rhumatismale. C'est un excellent remède antiinflammatoire. La piqûre de *Formica rufa* (la fourmi rouge) provoque des réactions inflammatoires articulaires. C'est un excellent remède du rhumatisme des petites articulations (doigts et pieds) — ainsi que le rapporta un fermier piqué aux chevilles par des fourmis rouges et qui passa un excellent hiver sans ses habituelles attaques rhumatismales.

Ainsi apparaissent les vocations thérapeutiques :

Pour *l'allopathie :* la *loi des contraires*, l'extinction des symptômes par antagonisme et opposition.

Pour *l'homéopathie :* la *loi des semblables*, l'incitation à la défense par la recherche d'un stimulant infinitésimal semblable.

Hahnemann, conscient d'avoir à repenser les valeurs médicales de son temps, noyées dans l'obscurantisme, s'appliquera à analyser les attitudes à opposer à la maladie.

La première attitude consiste à en écarter la cause : démarche rationnelle qui anime toute la médecine, dans les conflits aigus. Mais la cause déclenchante ne représente pas la totalité de la maladie : l'amalgame avec le patient lui confère un aspect original ; l'agent agresseur se moule dans le terrain qui l'accueille. La maladie n'est pas l'image des premiers instants et son déroulement n'est plus conforme au plan initial. Dans la maladie chronique, la recherche de la cause est encore plus illusoire ; elle peut offrir une certaine ligne d'induction pour la réflexion médicale ; la stratégie thérapeutique doit s'organiser sans elle.

La deuxième attitude consiste à supprimer les symptômes par des effets spécifiques opposés, c'est la *loi des contraires ;* c'est le triomphe de l'allopathie et son instrument le plus significatif est

31

la *cortisone*, qui suspend l'inflammation sans spécificité de cause. Mais le choix du symptôme à combattre ne risque-t-il pas de s'imposer au médecin d'une façon arbitraire ? Faut-il abandonner d'autres symptômes, témoins de la maladie ? Combattre l'aspect le plus fâcheux n'est peut-être pas la revendication d'un corps affaibli. Certes la loi des contraires offre une grande promptitude d'action et a fait la fortune de maintes thérapeutiques : c'est opposer les calmants à la douleur, les toniques aux affaiblissements extrêmes, les antithermiques à la fièvre, les laxatifs à la constipation, les diurétiques aux rétentions hydriques ; mais si l'affection n'est pas immédiatement jugulée, l'effet contraire devient lourdement palliatif, c'est l'encouragement à la répétition, à la majoration des doses quand l'effet s'épuise, aux situations désespérées, aux confins de la dépendance toxique pharmacologique.

La troisième manière cherchera les remèdes propres à s'attaquer à la racine de la maladie, c'est la thérapeutique par les spécifiques, en explorant les vertus médicinales et en les soumettant à l'expérimentation sur l'être humain ; le tableau expérimental du remède (infinitésimal) servira de guide à l'approche du malade à traiter. Si un patient souffre de brûlures d'estomac par hyperacidité, la loi des contraires l'amènera à utiliser des poudres alcalines pour s'opposer à la douleur ; ce même patient pourra obtenir un effet égal en utilisant suivant la loi de similitude une dilution infinitésimale d'acide sulfurique. La méthode antagoniste induit des attitudes suspensives dangereuses à long terme : anti-inflammatoires, antithermiques ; anti-migraineux, antidépresseurs : le malade en reçoit de plus en plus et, malgré la mithridatisation, il peut devenir un invalide ou un désespéré. Cette « loi des contraires », qui tend à installer une béquille à une fonction ralentie, va étouffer toute réaction individuelle. Le nerveux devient abruti au réveil par majoration de somnifères ; il devra ensuite être euphorisé pour ses tâches quotidiennes. Que penser d'un véhicule où frein et accélération sont sollicités au même instant ?

Avec la loi des semblables, le sens de la réaction du malade est interprété ; on va dans le sillon de la maladie en introduisant le remède qui a été capable de provoquer une réaction semblable chez le sujet sain. L'organisme malade réagit contre la maladie exactement comme il le ferait s'il était intoxiqué par ce corps chimique : le mercure est un poison, il provoque des réactions de défense immédiate chez le sujet intoxiqué qui tente de le rejeter au niveau de ses muqueuses : on assiste à de graves lésions ulcéro-membraneuses de la bouche chez le sujet sain ; le mercure infinitésimal guérit les angines graves, à fausses membranes.

Hippocrate avait entrevu cette loi quatre cents ans avant J.-C., et Hahnemann est resté très respectueux de ce génie qui savait si bien conduire l'art de l'observation autour de l'unité du malade et de son environnement. Il avait prôné les règles de non-nuisances (*natura medicatrix*) et découvert par l'approche philosophique puis clinique la loi des semblables. « C'est par les semblables que le malade revient de la maladie à la santé ; la fièvre est supprimée par ce qui la produit et produite par ce qui la supprime. » Gallien, au contraire, se préoccupe du découpage des maladies et assez peu du pouvoir réel de la thérapeutique. La cristallisation de la loi de similitude se fait autour de Paracelse — qui remettra en honneur les rapports analogiques entre l'univers et l'homme (macrocosme et microcosme), évoquera l'infinitésimal et la relation qualitative thérapeutique suivant la dose employée. (« Une drogue devient remède, un remède devient une drogue ! ») La médecine doit s'attacher à l'individualisation du malade et rechercher les vertus cachées de la matière dans le monde végétal et minéral. Paracelse pousse très loin la relation analogique mais il tombe dans l'occultisme, dans la théorie des signatures et des correspondances. Il flirte avec l'alchimie et découvre la chimie ; la vertu des eaux thermales souterraines lui révèle les influences telluriques. L'homme, point culminant de la création, réunit en lui les éléments constitutifs du monde qui l'entoure, les minéraux, les plantes, les animaux.

Mais ce principe d'observation ne saurait écarter l'unité de l'homme et le sens de sa construction. « La totalité des symptômes doit être pour le médecin la préoccupation principale, l'objet unique de toute son attention afin de transformer la maladie en état de santé » (Hahnemann).

La synthèse ne saurait pas davantage éloigner le médecin d'une précision de ses gestes. « Pour les extrêmes maladies, l'extrême exactitude du traitement est ce qu'il y a de plus puissant » (Hippocrate, *Aphorismes*).

33

Hahnemann eut le mérite de dégager cette loi du halo moyenâgeux qui tendait à la confondre avec la doctrine des signatures (correspondance de la forme du végétal et de l'organe à soigner : le berbéris qui fleurit en baies ovales, oblongues est un remède de vésicule et de rein. La grande chélidoine soigne le foie : elle présente un suc jaune analogue à la bile).

Le génie de Hahnemann ne veut connaître qu'une loi : l'expérimentation. Dans l'expérience inaugurale sur le quinquina, il avait été frappé par la sensation de malaise avec refroidissement des mains, somnolence, palpitations et pouls rapide, rougeur des joues et soif, si caractéristiques de la fièvre des marais. Pour s'assurer de l'objectivité de sa démarche, il vérifia si d'autres substances médicamenteuses provoquaient chez l'homme sain des troubles semblables à ceux qu'elles guérissaient. Il s'est rendu compte que dans les annales cliniques de l'ancienne école, lorsqu'un seul médicament a guéri promptement et rapidement un malade, le rapport de similitude a existé et que les remèdes les plus efficaces sont ceux qui peuvent causer le mal et le guérir. Le mercure pour la syphilis, l'arsenic et le cuivre pour le choléra asiatique. En 1796, Jenner avait découvert avec la vaccine le procédé d'immunité contre la variole : est-il possible que la vaccine garantisse de la petite vérole autrement que d'une manière homéopathique ? Elle provoque une maladie fort analogue à la variole et le corps humain se trouve désormais à l'abri de toute contagion semblable. Mais Hahnemann n'a jamais été partisan d'une médication identique dont la généralisation aboutirait à une méthode sans âme : c'est le principe de similitude qu'il objectivait.

Les conséquences de la loi de similitude : l'inversion d'action suivant la dose, la découverte de la réaction individuelle

Hahnemann est le premier expérimentateur d'une physiologie humaine. « Quelle aberration d'introduire dans le corps des remèdes qui ont été mis au contact de l'animal seul ? Le premier devoir est d'observer la manière dont les médicaments agissent sur le corps de l'homme quand il se trouve dans l'assiette tranquille de la santé. »

Dans *L'Organon* (chapitre 74), Hahnemann précise que chaque médicament produit un changement de santé que l'on peut qualifier de *primitif*. Notre organisme s'efforce toujours d'opposer à cette influence un état que l'on peut qualifier de *réactif*, car notre corps n'est pas une masse inerte ; il n'est pas passif et sa réaction s'oppose aux influences introduites. Le café provoque une stimulation, une vivacité de nos sens qui est suivie d'une phase de torpeur. Le suc de pavot, extrait d'opium présent dans l'élixir parégorique, neutralise les douleurs d'une violente diarrhée, engourdit les sens en facilitant le sommeil, puis diarrhée et insomnie reprennent, nécessitant de plus fortes doses. L'extrait thyroïdien (effet primitif) augmente les combustions. L'arrêt de celui-ci (combien coupable en pratique quotidienne) entraîne une reprise de poids plus grande que l'état initial. La cortisone est une thérapeutique anti-inflammatoire non spécifique : à long terme, elle laisse le sujet sans défense face aux germes banals. L'organisme ne reste jamais étranger aux posologies lourdes et répétitives ; il s'affaiblit, n'obéit plus, ou parfois inverse sa réponse.

L'authenticité d'une réponse individuelle met Hahnemann en face de la réactivité humaine, et c'est par l'atténuation progressive des doses introduites qu'il découvrira l'inversion de la dose... A partir d'une certaine infinitésimalité, la réponse n'est plus semblable à celle de la dose pondérale, elle est inversée. Le sulfate de soude qui lutte contre la constipation (en allopathie) est un important remède de la diarrhée (en quinzième centésimale). Les poudres de colchique ou de quinine entraînent la diarrhée, elles la combattent en doses infinitésimales. En dose pondérale, l'opium a le pouvoir de déclencher la rêverie et le nirvâna idéatoire (action toxicologique bien connue) ; en doses infinitésimales, il combat la somnolence et la torpeur intellectuelle. Ainsi, cette loi de similitude, charpente doctrinale, code de référence de toute l'école homéopathique, aura non seulement défini une thérapie infinitésimale, mais élaboré une physiologie du comportement humain. « Ce secours des gens bien portants, écrira Joanon, a quelque chose d'admirable : quelle entraide et quelle prévoyance. » « Le thérapeute qui n'appuie pas sa pratique sur un modèle anthropologique, écrira le docteur Bertha, est un aveugle qui se promène avec une torche à la main. » L'apport de la loi de similitude est la voie d'accès la plus riche à une physiologie humaine. L'expérimentation infinitésimale va révéler un certain nombre de plans de connaissance qui seront le dépassement des grossières affinités tissulaires pour devenir l'approche d'un vivant qui s'offre à une totalité d'observation. La loi de similitude est un code de physiologie qui n'inclut pas seulement la séquence d'une réponse cellulaire, elle définit le contenu authentique d'un vécu humain intense, accessible à plusieurs niveaux. Elle nous ouvre le livre de vie expérimentale à la dimension de notre temps et de l'individu en souffrance. C'est une source de recherche et d'enrichissement d'une pensée médicale à larges horizons. Elle se détourne d'une technique de santé qui s'appuierait sur la seule connaissance des organes.

Un exemple de la loi de similitude : Natrum muriaticum

Les règles de l'infinitésimal démontrent à un esprit attentif que plus un remède devient infinitésimal, plus sa force devient grande ; son pouvoir diffère de l'aspect grossier lié à sa représentation pondérale.

C'est le cas de Natrum muriaticum (nom latin du sel marin). On peut en consommer à doses pondérales plusieurs grammes par jour, la salière s'offre à vos penchants : elle ne vous apportera jamais le bénéfice de la dose infinitésimale : c'est le remède des déminéralisés, profondément déprimés, intériorisés, « révulsés de l'intérieur », qui s'enferment dans une mélancolie, rétractés. Le médecin contemporain ne découvre qu'un rôle physiologique au sel marin dans l'équilibre de nos cellules et du sang. L'expérimentation faite par Hahnemann hisse ce remède au premier plan de la psychopharmacologie. Le dépistage clinique de ce remède assure une thérapeutique en profondeur et un redressement de la personnalité que psychiatres ou psychanalystes mériteraient de découvrir.

NATRUM MURIATICUM

Similitude partielle

1. Amaigrissement malgré persistance de l'appétit.
2. Désir de sel et soif intense.
3. Aggravation le matin vers 10 heures et par le soleil.
4. Peau luisante et malsaine.
5. Rhinopharyngite à répétition chez un déminéralisé.

Similitude étendue
mêmes symptômes avec :

6. Dépression morale avec tristesse découragée. Difficultés de communication.
7. Aggravation par la consolation.
8. Tristesse et dépression avant les règles.
9. Aggravation au bord de la mer (insomnies).
10. Maux de tête avant les règles.
11. Douleurs lombaires améliorées sur un plan dur (le malade se couche sur le sol). Dépression morale des adolescents ou des sujets jeunes.

La similitude étendue (totalité des symptômes) justifie la prescription du remède unique qui corrigera en profondeur le dérèglement global, physique et psychique du patient.

C'est au sujet de Natrum muriaticum que la Société homéopathique de Vienne accorda pleine validation à l'expérimentation d'Hahnemann, s'interrogeant sur la richesse des sensations ressenties chez des êtres humains. Elle réexpérimenta sur trente médecins une très haute dilution d'une substance non connue des expérimentateurs : les protocoles de réexpérimentation recueillis après plusieurs jours d'essais confirmèrent l'expérimentation initiale et la vocation du remède.

Voilà un sujet amaigri qui présente des paradoxes :

— d'être à la fois amaigri, déshydraté, émacié même, et d'être toujours affamé ;

— d'avoir grand appétit et être toujours souffreteux ;

— d'être frileux et épuisé par la chaleur de l'été, surtout du soleil ;

— de se plaindre réellement de maux de tête qu'il est parfois délicat d'interpréter à l'âge scolaire ;

— de larmoyer souvent en solitaire, d'afficher une tristesse que la consolation aggrave et d'entrer parfois dans des colères violentes ou dans un silence vindicatif, aggravé quand on l'approche.

Natrum muriaticum est un sujet irritable, déprimé, misanthrope et vindicatif : c'est l'huître qui se referme à la moindre approche. Sa fatigue profonde l'enferme dans une tour d'ivoire. L'enfant Natrum muriaticum est un déminéralisé réel, boutonneux, qui reçoit mal ses insuffisances structurales : il s'assombrit à cause de ses déficiences perçues, qui le conduisent à l'intériorisation rétractée et silencieuse ; sa dépression augmente avec la constipation et souvent la mélancolie pubertaire est le point de départ de grandes difficultés relationnelles. A l'adolescence, où l'énergie jaillit dans ses puissantes manifestations, Natrum muriaticum se sent aggravé par le travail mental, l'effort physique, la chaleur, le soleil au bord de la mer (surtout les climats iodés), où il dormira mal. A la période des règles, on se sentira triste et d'une lassitude qui ôte tout courage avec des migraines tenaces de circonstance. L'affaiblissement physique s'accompagne d'un découragement psychique : toutes les facettes de l'insécurité l'envahissent (peurs et rêves de voleurs). La soif, le désir de sel sont les signes de déshydratation, de rétraction de l'intérieur cellulaire, d'un contenu psychique qui s'achemine vers une psychasthénie réversible par des doses infinitésimales de sel marin !

L'homéopathie est une méthode d'information à double niveau : elle concerne les facettes logiques de la personnalité : psyché et soma. Les signes physiques justifient les attitudes mentales, et des signes subjectifs du comportement, apparemment isolés, peuvent éclairer des souffrances ultérieures du corps.

LE REMÈDE HOMÉOPATHIQUE

Objet de débat historique sur la divisibilité de la matière, le remède homéopathique est le trait d'union personnalisé entre la maladie et l'horizon de santé recherché par l'homme en souffrance ; si la maladie est désorganisation, dérèglement, altération, le remède homéopathique est l'instrument qualifié qui participe au plan de redressement. La pharmacologie homéopathique est une manière nouvelle d'interroger, d'explorer la matière, et le remède est qualifié par son infinitésimalité et sa référence expérimentale à l'homme. Son mode d'action, sa vocation sont différents de l'influence isolée sur un organe ou un tissu habituellement contrôlée sur l'animal de laboratoire.

Le stimulant de la réaction globale défaillante

Le remède homéopathique surprend par son originalité et le caractère étonnant de son actualité. Son exploration a créé un langage nouveau, une véritable anticipation scientifique en inaugurant en 1790 une médecine de l'infiniment petit, authentiquement moléculaire !

Le remède homéopathique ouvre la voie à une médecine de l'énergie qui interrogera différemment la nature et ses ressources. C'est la recherche d'un mode nouveau en thérapeutique qui s'éloignera des données primitives de la matière pour explorer le monde subtil des énergies et le rôle de l'infiniment petit dans l'équilibre de la cellule. « La vie, écrira H. Laborit, solde ses échanges à la menue monnaie de l'électron. »

Par le remède infinitésimal, la médecine homéopathique déploie depuis deux cents ans son interrogation sur le monde scientifique, et depuis sa création les débats passionnés n'ont pas épuisé cette vocation. Plus un remède devient infinitésimal, *plus il devient grand par l'originalité de son action;* la spécificité du remède homéopathique dépasse largement la notion d'organe.

Elle se tourne vers la connaissance réactionnelle d'un homme, les remous de sa vie, de sa physiologie.

A travers une apparente multiplicité d'action, on va se rendre à l'évidence que le remède homéopathique ne répond pas à une définition économique d'un besoin de masse mais qu'il est l'instrument d'un homme malade, hautement individualisé, exploré dans son identité la plus intime et répondant à l'exigence d'unité du corps et de l'esprit, de la matière et de son psychisme ; c'est une clef de serrure personnalisée, parfois unique, et non le passe-partout de besoins grossiers.

Lorsque l'exigence du malade prend un caractère original, particulier ou unique, le remède homéopathique doit répondre à cette définition. Il est à la fois l'interprète et le correcteur ordonné d'une réaction de défense et il appartient au lecteur de s'attacher à cette définition exigente du remède. Contrairement à l'allopathie, il ne représente pas une médication passagère, momentanée, à action ponctuelle d'organe. Il s'écarte de la seule notion technique pour s'élever à la conception d'un homme dans son débat avec la maladie, et, par une certaine liberté de langage, on relèvera constamment que le nom du remède épouse l'identité du patient, réalisant son propre reflet dans la maladie, son « double thérapeutique », l'image panoramique de son désordre, la haute spécificité de son vécu ; on dira couramment que tel patient sera concerné par la prescription spécifique de *Sulfur, Sepia, Lachesis.* A son état civil s'attacheront pour un temps la qualification, les attributs de son remède. Il deviendra la silhouette vivante animée de M. ou Mme Sulfur, Sepia, Lachesis.

En allopathie, les médications se qualifient par leur spécificité pharmacologique. Les analgésiques, antibiotiques, somnifères, anti-inflammatoires sont valorisés par leur structure moléculaire et leur mode d'action au niveau des sites cellulaires. On peut modifier leur prescription, suivant le cours de la maladie, préférer subjectivemen* tel instrument, valorisé par une publicité

40

active. En homéopathie, il n'y a pas de compétition instrumentale, il y a la recherche d'une cible : *l'accord du malade et de son remède*, et l'on comprend l'exigence de cet art médical.

L'innocuité du remède n'autorise pas tous les essais, toutes les associations ou automédications qui porteraient atteinte au subtil langage de l'infinitésimal.

Origine et histoire

En soumettant toute substance à une rigoureuse expérimentation sur le sujet sain, Hahnemann déclenchait une réforme traumatisante pour les esprits de son temps. En s'opposant à la maladie des organes, il démontrait à ses contemporains, par le principe de similitude, que la médecine travaillait sur un modèle incomplet ; en évoquant la défense individuelle, les réactions personnalisées, il s'opposait à une fragmentation banalisée de la maladie ; son seul outil expérimental était l'homme lui-même : de quoi s'aliéner bien des esprits ! La plus audacieuse pratique, la dose infinitésimale, procède de la même démarche expérimentale.

Flacons de 100 gouttes

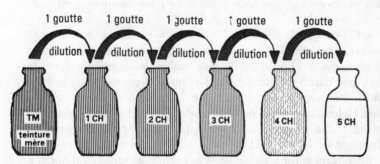

Le sens des flèches précise le mode de préparation du remède homéopathique : à partir de la substance de base (TM = teinture mère), on arrive aux dilutions de 1 CH, 2 CH, 3 CH, 4 CH, 5 CH, etc. Une goutte du flacon précédent est diluée dans 100 gouttes d'alcool (principe de dilution au 1/100).

41

Il s'était rendu compte que certains médicaments même bénéfiques agissent « avec plus d'intensité qu'il est nécessaire pour obtenir la guérison ». Aussi, il entreprit de les *atténuer*, et d'atteindre les doses les plus minimes qui paraissent « suffisantes pour exercer une action salutaire sans agir avec une violence capable de retarder la guérison ». Louable disposition qui consiste à interroger le seuil le plus bas de la réactivité pharmacologique. Elle s'éloigne bien entendu des intentions d'exploitation de l'industrie pharmaceutique.

Le remède infinitésimal a le mérite d'explorer la réactivité humaine responsable de la *réaction secondaire* entrevue par Hahnemann. Si l'effet réactif primaire d'une drogue peut être bien connu, la réponse humaine n'est pas homogène : elle tend à s'opposer à l'activité médicamenteuse et parfois à l'éloigner de son objectif pharmacologique initial.

Lorsqu'on atteint la plus extrême division de la matière, la plus fine infinitésimalité, le nombre des signes recueillis augmente encore, spécialement dans les réponses mentales hautement individualisées (angoisses, phobies, peur de la mort). Les ricanements s'élèvent : « Les vertus d'un millionième de grain ? Il n'y a plus de substance active. » A quoi Hahnemann répond . « L'expérience repose sur les faits seuls. Elle est sans appel. Et elle parle encore journellement à tous les hommes sans préjugés. »

« Est-ce que la division d'une substance, aussi loin qu'on la pousse, peut produire autre chose que des parties du tout ? Est-ce qu'en divisant à l'infini, il ne reste pas toujours quelque chose de réel, une partie du tout si petite qu'on la suppose ? Quel homme pourrait répondre non ? » La force de la méthode expérimentale chez Hahnemann est la prescience de la médecine moléculaire où le relai des physiciens est indispensable après l'exploration chimique de la matière !

En faisant subir à chacune de ces dilutions un certain nombre de secousses, « de succussions », il allait permettre aux formes latentes et inactives de la simple dilution de manifester leur puissance active. La présence matérielle s'estompe, le pouvoir curatif augmente. Au-delà de la neuvième dilution, le compteur de Geiger ne trouve plus la présence de la substance, mais le principe actif spécifique est toujours présent et la richesse des symptômes augmente avec la dynamisation. De la toxicologie immédiate et objective, Hahnemann s'élève vers les pouvoirs insoupçonnés de la matière. Si un homme prend accidentellement de l'arsenic, en une heure apparaissent des phénomènes toxiques graves et dramatiques avec la mort en échéance, sans que les signes d'autodéfense réactionnels aient le temps de se manifester. Si l'on prend à des doses répétées des granules d'une trentième dilution de ce même arsenic, on voit apparaître les mêmes phénomènes mais répartis sur des temps plus longs sans aboutir à la mort, avec la possibilité de nuances réactionnelles qui sont riches en enseignement sur la physiologie d'un être en état de défense.

Hahnemann, en expérimentant sur lui-même et son entourage cent une substances (dont la noix vomique, la jusquiame, la pulsatille, etc.), a inauguré une physiologie expérimentale humaine digne de Claude Bernard, avec une certaine priorité donnée à l'étude de la personne.

Claude Bernard (né en 1813) fait paraître sa première publication en 1843, l'année de la mort d'Hahnemann à Paris. Pour ces deux hommes, le médecin doit s'habituer à considérer physiologie et pathologie comme les branches d'un seul et même tronc. Interroger l'expérience est la seule méthode qui puisse servir la médecine. L'homme sain, l'homme malade doivent être étudiés dans l'individualité de leurs réactions et de leur sensibilité.

Il faut partir de la certitude de toute donnée expérimentale, vérifier de façon positive les critères des faits avec la conviction que, derrière l'analyse, l'esprit peut atteindre *les relations et les lois*. La démarche de l'expérimentation humaine chez Hahnemann a sa correspondance dans l'expérimentation animale chez Claude Bernard, le père de la physiologie moderne, mais la route choisie par Claude Bernard fut *le laboratoire*. La recherche de la cause efficiente constante et déterminée, c'est-à-dire unique, est loin de représenter toute la médecine et l'art de guérir. Les constantes biologiques de l'animal et de l'homme ne sont pas superposables. (Dans la malheureuse affaire de la thalidomide, qui a été responsable de la naissance de bébés malformés, les expérimentations sur la souris, le rat, le cobaye n'avaient pas mis d'anomalies en évidence. C'est en appliquant la thalidomide au lapin de Nouvelle-Zélande qu'on a pu reproduire ce type de malformation connu maintenant chez l'homme.)

L'angoisse qui naît chez la souris en la soumettant à une natation forcée pendant vingt-trois heures n'est pas identique à l'angoisse humaine. L'homme souffrant, conscient et pensant n'est pas une simple somme de constantes biologiques et Hahnemann, *après avoir expérimenté sur lui-même soixante remèdes, entraîna ses élèves à des expérimentations sur eux à doses subtoxiques.* L'intransigeance qu'il apporta à l'extraction des corps simples et à la recherche de leur vertu se transforma en une méthodologie rigoureuse de l'expérimentation humaine : l'enregistrement précis de la totalité des symptômes, ceux du corps, de la sensibilité et du psychisme.

Législation du remède homéopathique

A la suite des démarches du Syndicat national des pharmaciens et des Laboratoires homéopathiques français, grâce à l'action de M. H. Boiron, du docteur P. E. Vannier, et de Mlle Lise Wurmser, membre de l'Académie de pharmacie, le remède homéopathique possède un statut légal dans le *Codex* français (*Pharmacopée française*, 8e édition, 1965); il fait l'objet de remboursements de la Sécurité sociale.

« La France officialise l'homéopathie en l'introduisant dans sa pharmacopée. La faveur persistante en laquelle sont tenues les doctrines d'Hahnemann nécessitait cette inscription » (extrait de la préface de M. G. Valette, doyen de la faculté de pharmacie de Paris).

Ainsi l' « infinitésimal », l'enfant terrible de la thérapeutique, fait sa première apparition en public bien longtemps après sa validation auprès des malades, et certainement sous la pression de ceux-ci.

Il existe actuellement près de deux mille remèdes qui ont été soumis à l'expérimentation humaine volontaire : quatre cents sont entrés dans la pratique quotidienne par la valeur scientifique et la concrétisation clinique (dont cent un de la matière médicale de Hahnemann n'ont jamais subi l'usure du temps). Comme l'a écrit le docteur P. Schmidt de Genève : « L'homéopathie est la seule thérapeutique qui a survécu depuis un siècle et demi et dont les remèdes sont restés fidèles et actifs dans des mains expérimentées. En médecine classique, il est bien rare de nos jours qu'un remède soit utilisé plus de cinq ans. En allopathie, tout est toujours en train de changer : c'est le progrès. Pour l'homéopathie, les lois n'ont pas changé. La belladone dilate la pupille, elle le fera toujours ; c'est une vérité qui ne se modifie pas. »

Le remède homéopathique se prépare à partir d'un principe actif d'origine *végétale, animale, minérale* ou *organique.* Les substances sont diluées, dynamisées, incorporées à des substances neutres (saccharose, lactose, glycérine, alcool). On dilue ce qui est soluble, on triture ce qui est insoluble en le mélangeant à du lactose au mortier ; on dynamise par le principe de succussion et d'agitation (un médecin de campagne américain qui effectuait ses visites à cheval au siècle dernier s'était rendu compte que l'activité des tubes « transportés » durant les visites était plus importante que les dilutions équivalentes séjournant dans son cabinet).

Le principe de la dilution (x) définira des présentations (le tube de granules à posologie quotidienne, le tube-dose à usage unique ou espacé), une échelle d'activité suivant les différentes dilutions : la quatrième dilution centésimale hahnemanienne, la 4 CH, s'adresse aux maladies locales aiguës, aux lésions apparentes d'organes ; la posologie sera répétée, quotidienne ; la 7 CH ouvre le champ de l'équilibre fonctionnel, de la régulation neurovégétative, la 15 CH et la 30 CH ont une plus grande profondeur d'action, elles s'adressent aux signes les plus élevés de l'individualisation, les signes mentaux, les signes neurologiques, ceux qui sont le plus conformes à l'exigence de prescription qu'est la similitude, ceux qui imposent au médecin une grande expérience !

Nux vomica 4 CH s'adresse à la dyspepsie passagère d'un repas lourd ; *Nux vomica 7 CH* corrige la céphalée ou l'insomnie d'un sujet irritable, hyperactif ; *Nux vomica 15 CH* ou *30 CH* apaisera les impatients agressifs, colériques, intolérants à la moindre contradiction.

Les substances végétales (60 % de la pharmacopée) : elles se préparent par macération alcoolique à partir de la plante récoltée dans son lieu naturel ; cette macération porte le nom de teinture mère : elle concerne la totalité de la plante (racine, tige, feuilles, bourgeons, fleurs et fruits) ; elle est composée d'essences, d'huiles, de sels minéraux et d'alcaloïdes complexes dont l'action originale est mieux exploitée que l'alcaloïde, principe actif ou la molécule synthétique d'un remède allopathique. L'action des végétaux est courte, leur innocuité est totale ; le remède peut être fréquemment répété pendant la journée (*Belladona 4 CH, Aconit 4 CH* toutes les heures dans une affection fébrile aiguë).

Les substances animales : les teintures mères sont obtenues par macération dans l'alcool d'animaux, insectes, ou de sécrétions (venins de serpents : *Bothrops, Crotalus, Naja, Lachesis, Vipera*), mollusques : *Murex, Sepia* (la seiche), insectes à l'état frais ou à l'état sec : *Apis* (l'abeille), *Cantharis* (mouche d'Espagne ou de Milan), *Coccus cacti* (la cochenille), *Formica rufa* (la fourmi rouge), *Aranea diadema* (l'araignée à croix papale).

Les substances chimiques : ce sont des corps simples ou composés d'origine minérale ou organique. Il peut s'agir de complexes d'origine naturelle, *Natrum mur* (sel marin), *Calcarea carb* (minéral de la coquille d'huîtres. Il n'existe pas de teinture mère de produit minéral ; on peut prescrire à partir de la quatrième centésimale toute substance toxique. C'est le privilège de l'homéopathie de transformer les poisons lourds en thérapeutiques douces (le phosphore, le mercure, l'arsenic, la ciguë).

Les substances organo-thérapiques : il s'agit d'hormones, d'extraits organiques autorisant, à l'échelon infinitésimal, innocuité et souplesse d'action : folliculine, extrait de thyroïde, surrénales, ovaires, muqueuse utérine, extrait hépatique. Les dilutions sont établies à partir de l'organe ou de la glande desséché, utilisé comme souche. Les expériences faites sur plus de deux mille animaux au laboratoire de maternité de l'hôpital Lariboisière (service du docteur Devraigne) ont démontré que des dilutions homéopathiques de folliculine provoquaient des effets pharmacologiques contrôlables ; que les doses faibles (4 CH) ou fortes (15 CH) ont des effets différents et antagonistes et que l'action d'une 30 CH pouvait se contrôler sur l'animal.

Les nosodes ou biothérapiques, isothérapiques : ce sont des préparations homéopathiques obtenues à partir de cultures microbiennes, de virus, de sécrétions ou d'excrétions pathologiques. Il peut s'agir de sérums, vaccins, toxines, anatoxines, inscrits à la pharmacopée (*Colibacillinum, Parathyphoidum B, Diphterotoxinum,* BCG). Il s'agit ici d'un principe *d'identité* et de la mutation infinitésimale d'un agent pathologique en agent thérapeutique. Cette application suit en quelque sorte le sillon de la maladie pour en modifier le terrain, c'est une stratégie efficace dans la maladie chronique, lorsque le sujet manque de réactivité à un remède de fond, ou que sa sensibilité a été émoussée par l'épreuve d'une maladie de longue durée.

Présentations et précautions d'emploi : en France ne sont utilisées que les dilutions hahnemaniennes, et le législateur a limité à la 30 CH la dilution autorisée en officine française. Les dilutions les plus courantes sont la 4 CH, 7 CH, 9 CH, 15 CH et 30 CH. Les granules sont conditionnés en tubes de quatre-vingts, pesant quatre à cinq grammes. Cette forme permet la prise répétée, quotidienne du remède. La *dose globule* de deux cents globules pesant un gramme environ est destinée à des prises uniques ou espacées, et représentant la forme thérapeutique la plus réactive sur une maladie chronique, mentale ou une évolution résistante. Elle est souvent la pièce maîtresse, le remède de toile de fond des prescripteurs expérimentés lorsqu'ils s'attachent à une haute personnalisation d'action (sur le type morphologique, la route héréditaire, le tempérament, les acquis pathologiques, les résistances et les récidives).

Le mode d'administration est la voie perlinguale, mais le principe actif déposé à la périphérie du globule ne peut rejoindre cette voie qu'en *évitant le contact* des doigts. Le remède homéopathique doit être utilisé avant les repas (ou loin de ceux-ci). Il est recommandé au cours du traitement homéopathique de s'abstenir de mets épicés, d'excès de tabac ou de café, d'écarter la menthe, le camphre, la camomille, substances à utilisation homéopathique. Mais les interdits et les antagonismes doivent être formulés, de nos jours, avec plus de souplesse. Les remèdes allopathiques, exploitant des vocations différentes, ne gênent pas le remède homéopathique dont la définition demeure : *le stimulant spécifique qualitatif infinitésimal de la sensibilité, de la réactivité individuelle.*

Mode d'action du remède homéopathique :
un accord entre le malade et « son » remède

En abordant l'infinitésimalité, on découvre des effets originaux, inattendus qui se dégagent des zones les plus réduites de la
réactivité pharmacologique. La réponse de la cellule, la qualité
de sa réaction semblent fondamentalement différentes suivant
l'intensité forte ou faible de l'excitation : « Les petites excitations
stimulent l'activité vitale ; les excitations fortes la jugulent, les
excitations exagérées l'abolissent » (professeur Arndt). « Dans
un médicament, il y a plusieurs médicaments suivant la dose
employée » (professeur Huchard).

Toute substance semble traduire deux expressions pharmacolo-
giques :

1) *Action quantitative :* par action mesurée sur les récepteurs
de la cellule : la posologie a toute sa valeur, et la dose
thérapeutique évaluée ne doit pas s'écarter des limites de la
toxicité.

2) *Action qualitative :* différente de la première : c'est le
remède homéopathique, dont l'action spécifique et sensible est
indépendante de la quantité utilisée.

L'opium, à dose forte, est un toxique bien connu : excitation
cérébrale (recherchée par les toxicomanes), puis somnolence et
torpeur. En dose infinitésimale, c'est un remède merveilleux
contre la dépression, la somnolence, la paresse, le manque de
réaction vitale. C'est un remède inestimable du ralentissement
chez le sujet âgé après intervention chirurgicale : on le voit
perdre le sens de l'espace, mal évaluer les distances, être accablé
de défaillances de mémoire, qui se justifient par la fixation des
anesthésiques au niveau du cerveau. L'aloès et le sulfate de
soude, en doses fortes, combattent la constipation ; en doses
infinitésimales, ils sont d'excellents remèdes de débâcle intestinale.

L'allergologie moderne apporte de façon incontestable la
réalité d'action de la dose infinitésimale. La désensibilisation
s'applique à administrer au malade, pour le guérir, une dose
diluée infinitésimale de l'élément nocif auquel il est sensibilisé.
Mais la procédure d'action du plus dilué vers le moins dilué est

48

longue et pénible et ne se passe pas sans heurt. Elle ne fait appel qu'à l'élément extérieur, sans se soucier de la structure allergique du patient. La procédure homéopathique, par paliers progressifs, est douce. Elle se fait par voie perlinguale et évite les réactions vives de la désensibilisation par piqûre. Elle fait appel (par l'isothérapie) aux souches allergiques prélevées au lieu même du malade (poussière, poils de chat, plumes, moisissures), plus efficaces que les souches standard fournies par l'Institut Pasteur. Dilutions fournies par l'Institut Pasteur :

Poussières de maison : 1/500 ; 1/5 000 ; 1/5 000 000.

Plumes : 1/500 ; 1/5 000 ; 1/5 000 000.

Moisissures : 1/1 000.

Pollen de graminées : 1/1 000 ; 1/10 000 ; 1/100 000 ; 1/1 000 000.

Candidine : 1/1 000 ; 1/10 000 ; 1/10 000 000.

On pourra se rendre compte du langage commun de l'homéopathie et de la désensibilisation, car les hautes dilutions ne sont pas éloignées d'une 5 CH.

Redoutables sont les allergies aux poussières de maison qui se multiplient par les mauvaises conditions de chauffage (air conditionné, chauffage par le sol) ; elles se manifestent par des toux ou éternuements avec obstruction nasale, aggravées à l'intérieur et améliorées au-dehors ; un isothérapique aux poussières de maison en 9 CH, associé à *Poumon histamine*, donne de remarquables résultats.

De Hahnemann à nos jours

Après les expériences de Hahnemann, des générations de médecins homéopathes ont élargi le champ des découvertes infinitésimales en expérimentant sur les étudiants et sur eux-mêmes. Les techniques de simple et de double aveugle entrées dans l'exigence pharmacologique moderne ont été découvertes et mises au point par les chercheurs homéopathes qui ont éliminé les causes d'erreurs en cachant aux expérimentateurs le nom du produit étudié. La matière médicale de Hahnemann comprend quatre volumes et l'étude de cent un médicaments. Elle comporte les résultats de l'action expérimentale sur l'homme sain. C'est le code de référence de la science expérimentale humaine permettant de comprendre les symptômes d'un malade à traiter. « Que tout ce qui est hypothèse spéculative, assertion gratuite ou fiction soit sévèrement exclu de cette matière médicale. On n'y doit trouver que le langage pur de la nature interrogée avec soin et bonne foi » (*Organon*, 1810).

Cet héritage est inamovible pour certains qui en font une vérité intangible ; pour d'autres, elle est ouverte à une perfectibilité et des progrès continus.

Léon Simon, père et fils, ont ajouté aux pathogénésies quarante-sept remèdes de la Doctrine des maladies chroniques.

Les conditions d'expérimentation pour la qualification du remède homéopathique sont codifiées. Il convient d'expérimenter les remèdes à plusieurs dilutions à différents moments de l'année pour apprécier l'influence des saisons (hiver, automne, été, temps sec, temps humide). Les symptômes sont notés au cours de l'expérimentation auprès de sujets d'âges différents avec l'ensemble des symptômes concomitants escortant la réaction, les modalités d'amélioration et d'aggravation. « Lorsque j'ai mal à la tête, mon visage est rouge et chaud, mes pieds deviennent froids (*Menyanthes*) ; ma migraine m'oblige à tenir la tête haute (*Arsenicum album*) ; en arrière (*Glonoin*) ; ma migraine est précédée d'une sensation de faim et elle s'améliore à l'air froid (*Phosphorus*). Elle s'aggrave à l'air froid et s'améliore dans l'immobilité, les yeux fermés (*Belladona*).

A l'Hôpital royal homéopathique de Londres, les pathogénésies ont été refaites suivant la méthode du triple aveugle ; l'observateur ignore la présence d'un contrôleur et la substance étudiée est ignorée par les deux sujets, pour éliminer toute possibilité de suggestion.

La théorie enzymatique

Certains auteurs développent la théorie d'une stimulation par le remède homéopathique des enzymes affaiblis par la maladie. Les expériences réalisées par Lachaume, Boiron et Mlle Wurmser ont montré que les doses infinitésimales d'un remède accéléraient les enzymes du métabolisme. A propos de *cantharis*, Hui Ben-hoa a montré aussi qu'il s'agissait d'une action enzymatique et que le remède serait un transporteur d'hydrogène. Mais l'ultime réponse est réservée aux physiciens, dans les deux médecines, totalisante et énergétique, que sont l'homéopathie et l'acupuncture. Les forces actives sont de l'ordre des radiations, mobilisant les champs énergétiques de notre corps. Au fur et à mesure qu'on descend dans l'infiniment petit, de la cellule à l'atome, en passant par la molécule, les champs électriques augmentent en puissance. On ne sait plus très bien si le niveau de l'électron représente encore la matière ou s'il s'agit d'une probabilité définie par l'existence de champs électriques. Pour le docteur Fumouze, « l'extrême dilution obtenue par des opérations successives doit désagréger les atomes et mettre en liberté les électrons qui deviennent ainsi subitement les guérisseurs auxquels on n'avait pas songé ».

Des phénomènes semblables doivent se produire dans les eaux minérales, où les électrons désagrégés au moment où la source jaillit reprennent probablement en bouteille leur rôle de satellites, tournant autour du noyau. Cette explication pose le problème immense de l'expérience de Hahnemann qui a vu apparaître dans ses protocoles expérimentaux, à la 30e CH, c'est-à-dire la haute division de la matière, les états d'âme purs comme angoisse, jalousie, pensée de mort et phobies.

Relation entre la dose et l'effet

En homéopathie, il y a une contradiction apparente entre la dose absorbée et l'effet produit (bien qu'il soit possible avec une concentration 1/10 000 000 de toxine de déclencher une vraie fièvre de cheval à un animal de près de six cents kilogrammes). Cet effet ne peut s'expliquer sans faire appel à la notion de système, formé de composants distincts, reliés entre eux par un certain nombre de relations, mais qui possède un degré de complexité plus grand que ses parties. L'être vivant, en se définissant comme l'avait fait Claude Bernard, comme un système écologique interne, deviendrait un immense échangeur d'information : les remèdes homéopathiques ne seraient pas directement actifs, mais déclencheraient une réorganisation du système en provoquant une autopharmacologie. Homéopathie et acupuncture agiraient sur le psychisme par cet effet de réorganisation, sans monter les phénomènes à la surface, comme en psychanalyse. C'est l'effet « gâchette » et le détonateur n'a pas besoin d'être gros.

Tout récemment, le professeur Bacques écrit dans son *Introduction à la médecine moléculaire* (Maloine, 1972) : « Le signal faible agit à l'inverse du signal fort de même type. Un des principes de la thérapeutique, à l'échelle moléculaire, sera donc, le signal perturbateur étant connu, de l'utiliser à dose infinitésimale, pour en effacer l'espace déformant sur l'espace biologique. »

Au sujet de la haute dilution, des physiciens ont prouvé par la spectroscopie Raman que les molécules du principe actif excitaient celles du solvant en les portant à un niveau d'énergie élevé. C'est le solvant qui deviendrait actif (la dynamisation aurait cet effet gâchette sur le solvant). Cette notion de « système » établit toute la différence entre l'homéopathie et la médecine classique.

Pour la médecine allopathique, le remède est spécifique de l'organe cible concerné par son action (le foie par exemple). Il introduira un effet direct, d'assistance ou de substitution.

Pour la médecine homéopathique, le remède se réfère à la réactivité globale du système, puisque, nous le verrons, le remède concerne parfois un véritable profil humain. L'action n'est jamais limitée au seul organe (foie); elle entraîne une réorganisation thérapeutique de l'ensemble. Cette réalité est confirmée par l'existence de *polychrestes,* à actions multiples, véritables *remèdes de fond* de la personne, soutenant leur destin, quel que soit le tissu agressé. Au nombre d'une centaine sur quatre cents remèdes d'usage courant, ils possèdent dans leur échelle d'action de hautes caractéristiques mentales ou caractérologiques...

L'argument biologique ne fait pas défaut, loin de là ! En homéopathie, malgré la faiblesse de leurs moyens d'investigation, les chercheurs se sont efforcés de vérifier biologiquement la loi de similitude, convaincus de la solidité doctrinale qui s'exprime tant au niveau du mystère de la cellule, de la biochimie de la matière qu'au psychisme.

Étude d'élimination de l'arsenic
(professeur Lapp, L. Wurmser, J. Ney)

Le sort de l'arsenic dans l'organisme est bien connu. Après une administration d'une dose pondérable d'arsenic, on observe une élimination urinaire rapide d'environ quinze pour cent de l'arsenic pendant les trente-cinq heures qui suivent l'injection. Au bout de quelque temps, aucune trace d'arsenic n'est dosable dans les urines ! L'arsenic s'est fixé dans le foie, les phanères (ongles, cheveux, mode de dépistage médico-légal)... Après trois semaines ou sept semaines de repos, sous l'action des dilutions 4 CH, 5 CH, 7 CH (soit 10^{-8}, 10^{-10}, 10^{-14}), le métal mis en réserve réapparaît dans l'urine et la quantité ainsi éliminée peut atteindre trente-cinq pour cent du métal fixé, prouvant la pharmacologie des doses infinitésimales.

Baranger et Filer ont démontré l'efficacité de 15 CH de Geraniol dans la protection et la guérison de poulets infectés par des virus responsables de leucose aviaire : les témoins traités sans Geraniol meurent tous dans un délai de treize à quatorze jours.

Boiron et Marin ont démontré comme fait reproductible l'action d'une 15 CH de sulfate de cuivre sur un végétal, la *Chlorella vulgaris*, que l'on a soumis à une intoxication préalable par la même substance. On observe la correction de son métabolisme et la reprise de sa croissance et de sa respiration sous l'influence d'une 15 CH.

L'Alloxane a une action diabétogène par dégénérescence rapide des cellules B des îlots de Langerhans, responsables de l'insuline. L'injection de glucose chez la souris ou le lapin entraîne une hyperglycémie à deux grammes, qui est modérée lorsqu'une dose d'Alloxane est introduite dans le circuit. De même, un animal sain soumis à l'action préventive de doses d'Alloxane 9 H résiste à l'action d'autres substances diabétogènes (Cier, Boiron, Vingert, Braise).

La preuve expérimentale de la loi de similitude a de nombreuses fois été apportée. Au laboratoire de pharmacologie de Bordeaux du professeur Quilicini, Aubin, Demarque et leurs collaborateurs ont démontré la similitude anatomopathologique et thérapeutique du tétrachlorure de carbone et de *Phosphorus*. L'hépatite toxique provoquée par le tétrachlorure de carbone est semblable à celle provoquée par le phosphore. Après avoir provoqué la maladie par la première substance, on la traite par diverses dilutions de *Phosphorus* et on peut suivre à quelques jours d'intervalle le taux de décroissance de certaines enzymes (SGOT, SGPT), qui témoigne du degré d'altération cellulaire. Dans les courbes ci-jointes, il est possible de se rendre compte que *Phosphorus 15 CH* s'est montré moins efficace que *Phosphorus 7 CH* dans la réparation biologique enzymatique. Par contre, dans la réparation histologique tissulaire, c'est *Phosphorus 15 H* qui s'est montré le plus efficace dans le retour à la normale.

Les laboratoires homéopathiques ont effectué les probations pharmacologiques indispensables pour l'esprit critique rationnel. Il serait fastidieux de multiplier la bibliographie scientifique, d'autant qu'au départ l'homéopathie avait établi de façon critique une différence fondamentale entre l'expérimentation animale et humaine. Déjà l'Alloxane a besoin d'autres preuves expérimentales pour établir sa fiabilité sur le diabète, qui est nosologiquement distincte et séparée de l'être humain qui le supporte. C'est soigner les entités avec un esprit allopathique, et le professeur Widal exprimait que la donnée du laboratoire était l'adjuvant mais non le remplaçant de la clinique, qu'il voulait souveraine. Son élève Pasteur Vallery-Radot l'exprimait dans les *Mémoires d'un non-conformiste*[1] : « Jongler avec les ions et milli-équivalents, c'est la mode, mais derrière eux, voyez l'Homme et non le robot. »

Le choix d'un remède suivant la méthode hahnemannienne se fait à partir d'une valorisation hiérarchique de symptômes, avec une priorité au psychisme qui fixe l'image vivante de l'autodéfense du malade.

Analyse et synthèse autour du remède homéopathique

La pharmacopée homéopathique est née en 1796 : son introduction dans la pharmacopée en 1965 démontre que Hahnemann

1. Editions Plon, 1970

le réformateur a introduit en thérapeutique un mode de pensée qui fut longtemps discuté, une forme nouvelle de recherche en médecine.

La rencontre fortuite de Hahnemann avec le quinquina a inauguré une démarche de la connaissance critique du remède homéopathique vers une exploration individualisée d'un homme.

Influencé par l'alchimie, l'esprit médical au temps de Hahnemann était orienté vers la recherche des vertus « spécifiques » et la découverte d'un principe actif d'une « quintessence », et cette quête vers le corps simple deviendra un champ scientifique nouveau de la spécificité : la définition d'une pharmacologie énergétique médicamenteuse, le remède devenant le stimulant physiologique du retour à la santé.

A l'exploration quantitative de la masse médicamenteuse, Hahnemann opposera une interrogation des énergies subtiles contenues dans la nature et non pas leur action grossière. Par la loi de similitude, il recherchait dans le règne végétal, minéral, animal les forces capables d'apporter à l'homme malade l'armement énergétique pour le réarmer contre ses propres faiblesses et l'aider à se défendre ; dans son esprit, la réaction dynamique du remède de similitude « écartait », « éteignait » par son génie propre la puissance de la maladie naturelle. C'était la naissance de la médecine moléculaire, et il faudra bien accorder à cette pierre d'édifice des vertus différentes de la pharmacologie classique. Elles les dépassent dans la mesure où elles rendent compte d'une réalité architecturale d'un homme, de son comportement et de son haut degré d'organisation.

1) La réalité pharmacologique conduit naturellement vers les affinités tissulaires et les organes cibles : la *chélidoine* agit sur le foie ; *Aurum* est un remède de cœur et de vaisseau ; *Capsicum* agit sur les muqueuses ; *Belladona* est hautement concerné par la congestion de la tête, *Cantharis* par l'inflammation de la muqueuse urinaire.

Certains homéopathes français (Mouezy Eon, Fortier-Bernouille) se sont efforcés d'éclairer les influences infinitésimales sur la physiologie. Lorsque leur métabolisme est perturbé, des symptômes et des dégradations apparaissent !

Arsenic :   Anxiété, douleurs brûlantes des muqueuses, éruption sèche ;

Phosphore :   Sensations brûlantes, hémorragies au niveau des tissus nobles (cœur, foie, cerveau), émotivité, cyclothymie ;

Iode :   Amaigrissement, hypersalivation, coryza, induration ganglionnaire ;

Chlore :   Inflammation aiguë des muqueuses, déshydratation ;

Soufre :   Action sthénique de chaleur, d'éruptions périphériques, congestion vasculaire ;

Potassium :   Dépression, faiblesse musculaire, anémie, frilosité, irritabilité sur un fond d'asthénie, rétention d'eau avec mollesse des tissus ;

Sodium :   Dépression avec dégoût de la vie, amaigrissement, intolérance au soleil, au bruit ; recherche de la solitude ;

Carbone :   Fonctions orientées vers l'assimilation, affection du tube digestif, lenteur, lourdeur de la charpente générale ;

Étain :   Suppurations pulmonaires chroniques ;

Magnésium :   Hypersensibilité à la douleur, agitation, besoin de mouvement ;

Baryum :   Sclérose lente des tissus et des tuniques vasculaires ;

Fluor :   Action sur le métabolisme osseux, les dents, les parois veineuses et les tissus de soutien ;

Silice :   Déminéralisation, dénutrition, débilité avec hypersensibilité.

2) Le remède homéopathique participe à la compréhension des réactions dynamiques de comportement : les maigres, oxygénoïdes, ont des flambées réactionnelles avec de lourdes tonalités d'angoisse. Pour *Phosphorus, Arsenicum album,* remèdes d'états aigus (par leur référence toxicologique), les réactions de décompensation psychique seront très vives (agitation, peur existentielle, tous malaises aggravés lorsqu'ils se sentent seuls). Pour *Gelsemium, Belladona,* les réactions seront marquées d'hébétude, d'obnubilation et de refus de tout mouvement. Pour *Thuya,*

Natrum sulf., l'infiltration du corps sera accompagnée de tristesse larmoyante, avec tendance aux idées fixes.

3) Le remède homéopathique participe à la compréhension du mode réactionnel de l'organisme. Pour certains, ce seront de vives et salutaires réactions centrifuges vers la peau. On les appelle des *psoriques* (*Sulfur*, le soufre, leur est favorable). Pour d'autres, la réaction perd de sa vigueur : on les appelle sujets *sycotiques*. Enfin pour certains la réaction est vive mais rapidement épuisée (avec une asthénie qui suit un vif éclat passager) : ce sont les *phosphoriques*.

Les familles de remèdes homéopathiques ont l'avantage d'éclairer, de prévoir la défense.

4) Le remède homéopathique définit souvent un niveau préférentiel de perturbation :

lésionnelle : atteinte des muqueuses (*Nitri acid*) ;

fonctionnelle, neuro-végétative : Cactus, Ignatia — spasmes respiratoires ou cardiaques ;

sensorielle : l'agression des organes des sens : l'ouïe, l'odorat, la vue (pour *Belladona*) ; le bruit pour *Coffea, Theridion ;*

affective : rétraction mélancolique de *Natrum mur ;*

mentale : jalousie de *Lachesis ;* délire d'interprétation des solanées (*Hyosciamus*) ou de colère violente (*Nux vomica* ou *Stramonium*).

5) Le remède homéopathique définit souvent une promptitude et une profondeur d'action : *Aconit, Camphora, Belladona* inaugurent des états aigus et leur prescription est passagère. *Graphites* (la plombagine), *Silicea* ont la vocation de remèdes à action lente, prolongée : ils viennent à bout d'états chroniques, céphalées rebelles ou suppurations de longue durée pour *Silicea*.

6) Le remède homéopathique définit la réaction psychique du patient. Les sthéniques auront des réactions vives ; des colères puissantes et de courte durée (*Colocynthis, Nux vomica, Sulfur*) ; les asthéniques se tiennent mal sur leurs supports (vertiges de *Conium*, asthénie de *Phosphoric acid*, tremblement des jambes de *Gelsemium*). Certains seront extériorisés (*Nux vomica*, l'agresseur), ou intériorisés (*Ignatia*, la victime des chocs affectifs), mais rien n'est tranché et l'on verra apparaître dans un contexte de lenteur, d'apathie d'éphémères réactions explosives injustifiées (*Hepar sulfur, Anacardium orientalis*).

7) Le remède homéopathique respecte la chronologie de la maladie et soutient son évolution, certains états sont peu réactifs : *Sulfur, Opium* stimulent des réactions émoussées, sans vigueur. *Sulfur* accélère le retour à la santé par des convalescences promptes.

L'intensité ou la spécificité de certains tableaux morbides définit une hiérarchie médicamenteuse :

Dans les maladies aiguës : Aconit, Belladona, Bryonia : dans la fièvre ; *Spongia* (l'éponge calcinée), *Chlorum* (le chlore) agissent dans les crises d'asphyxie laryngée, le croup, en quelques minutes.

Certaines maladie graves entament les défenses générales et altèrent les tissus nobles (*Mercurius, Lachesis, Arsenic*).

Dans les situations graves : le malade épuisé bénéficiera d'*Arsenicum album, Carbo vegetabilis, Veratrum album,* recevra le secours d'un analgésique ultime (*Tarantula cubensis,* la paix devant la mort).

Enfin, il existe des maladies qui se poursuivent dans les rêves et l'inconscient (rêves de poursuite de *Silicea,* somnambulisme de *Phosphorus, Natrum mur*).

Le remède homéopathique participe à la défense de l'écosystème : les victimes des grands froids, les éternels gelés (*Silicea, Psorinum, Rumex, Cistus canadensis*) ; les victimes des refroidissements humides : *Dulcamara, Rhus tox.*

Qu'il soit permis d'accorder à ce remède l'étonnement respectueux devant son innocuité, sa vocation, sa richesse, sa profondeur d'action à partir de l'infiniment petit. Lorsqu'il rencontre un juste écho, il est voué à des destins inattendus et étonnants. Il n'a pas pris naissance dans le silence du laboratoire et il ne sera jamais un banal correcteur d'organes. Il répond aux appels inconscients du vivant qui tend à s'organiser au niveau du corps et de l'esprit.

QUESTIONS DISCRÈTES ET INDISCRÈTES
SUR L'HOMÉOPATHIE

L'homéopathie est une prise de conscience troublante, un choc de pensée dans le territoire étendu de la médecine, exposée à de perpétuels réajustements. La science est un fragment incomplet de la vie, un instrument qui choisit ses modèles expérimentaux et vérifie des réactions déterminées. Elle ne s'en tient pas aux faits réellement acquis, elle accumule des vérités éparses et soumet le praticien à une inextricable inflation de connaissances théoriques. Elle semble s'opposer au mal comme un géant aveugle manipulant les armes lourdes, les canons à microbes éteignant tout sous leurs feux, écartant, hélas, les flores utiles, alliés précieux de notre corps.

Pour le médecin initié à l'homéopathie, il faut une révision totale de son mode de pensée, des associations logiques. Il lui faut s'écarter de l'organe pour rejoindre l'homme et créer la médecine de la différence entre les hommes et leur réalité exprimée. Le grand homéopathe Kent avait coutume de dire et de répéter que les meilleurs signes pour la prescription sont ceux qui ne vont pas dans la tombe, ceux liés au vivant, au présent, c'est-à-dire nos pensées, nos symptômes, nos sécrétions, nos sensations.

Unité et différence entre les hommes apparaissent à travers la diversité des signes. L'être humain étouffe progressivement de la standardisation des besoins — qui le font ressembler à une voiture de série (avec quatre roues et un volant) — avec la recommandation de ne tuer personne faite par une société qui distribue des droits limités et fabrique une foule d'agresseurs et d'agressés. L'individualisation est la cime de la démarche ; c'est pourquoi nous avons attribué au thème constitutionnel phosphorique le niveau le plus élevé de l'individualisation, à sa représentation fragile et créatrice, qui est la recherche du sens de la vie. Son exemple définit bien sa volonté d'échapper à la loi des grands nombres et de présenter toute réaction hostile à la statistique. Sur cent sujets soumis à l'expérimentation, soixante-dix répondront de façon uniforme à une action pharmacodynamique ; chez les autres, la réaction sera indifférente ou inversée ; le receveur individualise sa réponse. Dans les grandes tours de la Défense à Paris, dans les vastes serres où sont incarcérés par exemple quatre cents dessinateurs industriels, vous seriez étonnés de les découvrir, de reconnaître la finesse de la silhouette phosphorique, de ces descendants d'artistes que les architectes rejoignent dans les mêmes conditions de vie humiliante, vous les découvririez paisibles et non révoltés, car un regard vers la beauté, l'art, le musée, l'architecture les réconcilie avec le monde cruel des villes.

La vie détermine des expressions, et dans la maladie la personnalité n'est jamais écartée du trouble : c'est au médecin de faire le chemin vers l'autre, d'apprendre à voir, et de réarmer avec respect.

Mais ce retour à l'homme impose un effacement relatif des attributs de la maladie. L'univers rationaliste de la médecine rejaillit avec ses interrogations ; usagers et praticiens se rejoignent pour formuler des obstacles de pensée. Depuis sa création, l'homéopathie a affronté une masse considérable de questions indiscrètes destinées à faire vaciller le socle d'une doctrine. Aux patients, il faut assurer des réponses au trouble de leur vécu quotidien, aux médecins une information critique et sans ménagement de notre propre mode de pensée.

Le remède homéopathique n'est-t-il pas un placebo intégral ?

L'effet *placebo,* « je plairai », se définit par l'usage d'une substance inerte sans pouvoir thérapeutique. Son usage est très répandu dans la recherche scientifique pour dégager la réalité d'une action thérapeutique (on le substitue subrepticement, volontairement, à des médications lourdes. Son intérêt est grand lorsqu'il s'agit de neutraliser les toxicomanies).

C'est un faux argument sans valeur, et des esprits perfides affirment que le remède homéopathique est un placebo intégral. La loyauté des hommes est toujours remise en question, dès qu'une méthode s'élabore en dehors de la Faculté. Hahnemann, qui eut la joie d'assister à soixante-dix-neuf ans à la création de son premier hôpital à Leipzig, fit cruellement l'expérience du placebo déloyal. Le médecin nommé directeur n'était pas un de ses élèves, il écrivait sous un pseudonyme dans des journaux pour combattre l'homéopathie et il utilisait du sucre de lait sans aucune substance homéopathique. L'hôpital dut fermer ses portes.

La réponse de nos jours est confiée à une catégorie de thérapeutes élevés que sont les vétérinaires. Privés du dialogue et de l'analyse des états d'âme, ils se sont élevés plus hautement que nous dans l'art d'observer l'animal et de déchiffrer son comportement. L'anxiété, les troubles caractériels chez le chien sont largement identifiés par la dynamique des attitudes. *Platina* est un remède qui calme l'hypersensibilité génitale de la chatte en période d'ovulation ; l'hellébore blanc (*Veratrum album*) à 0,0001 % calme la colique d'un cheval de cinq cents kilos. *Muriatic acid* (l'acide chlorhydrique dilué) redonne de la vigueur aux sabots des vaches affaiblies.

Il existe actuellement des protocoles de traitement de tumeur de la mamelle chez la vache : la dose infinitésimale devient universellement admise et tend à remplacer les traitements allopathiques.

L'histoire raconte qu'un médecin homéopathe des Indes, assistant à une crise de fureur et de barrissement d'un éléphant royal qui se refusait à porter le Maharadjah, se demanda si la peur n'était pas à l'origine de cette agitation inexplicable : quelques grains d'aconit dans vingt litres d'eau mirent fin à l'agitation angoissée de l'animal. Le chien qui refuse d'uriner si on le regarde est justiciable de *Natrum mur* ; singulière affectation que l'on rencontre parfois chez certaines personnes angoissées : elles ne peuvent aller à la selle si elles sentent la présence d'étrangers dans la maison (*Ambra grisea*). *Sepia* est un remède géant de la psychosomatique, c'est le remède de l'indifférence inexpliquée et même de la perte de l'instinct maternel. Une pouliche dépérissait dans des débâcles intestinales incessantes et épuisantes : sérums, antibiotiques puissants, rien n'y faisait ; le vétérinaire homéopathe appelé demande à observer et réfléchir. Il voit la jument donner des coups de sabot à sa jeune pouliche ; l'administration de *Sepia* à la mère mit fin aux conflits de l'indifférence affective.

Les vétérinaires ont redécouvert par l'expérimentation humaine l'alliance entre l'homme et l'animal, et ils dénoncent les ruptures d'équilibre dans leur relation. L'expérience démontre que le remède de l'animal de compagnie rend bien compte de l'agressivité ou de l'instabilité de son propriétaire, et l'emploi de plus en plus répandu chez le chien d'*Ignatia* ou de *Staphysagria,* chefs de file du stress social, illustre bien les contraintes subies par ce compagnon de l'homme.

Le psychisme de l'animal est bien présent. Le docteur P., vétérinaire, raconte l'histoire d'Une de Mai, célèbre jument qui fit la gloire des turfistes. Un jour, l'âge n'offrit plus à Une de Mai la joie de la victoire. Elle s'en rendit compte car le tour d'honneur des vainqueurs ne lui était plus offert. Alors un jour Une de Mai enfonça sa tête dans un seau d'eau pour mettre fin à ses jours. Des granules de *Natrum sulf* et d'*Ignatia* mirent fin à cette tendance suicidaire.

L'effet placebo a été introduit historiquement par Hahnemann dans la démarche critique de son expérimentation. La démarche du double et du triple aveugle a été installée pour ne pas s'abuser par la description d'un observateur unique, et les expérimentations comportent toujours des tubes différents parmi lesquels, ignorées du sujet, se trouvent des poudres neutres. On sait que l'effet placebo ne fait disparaître que temporairement certains symptômes fonctionnels qui réagissent durablement au choix d'un remède réellement actif. Kissel et Baruccand ont démontré que les placebos « sont beaucoup moins efficaces dans l'expérimentation du sujet bien portant que dans le traitement du sujet malade ». Ce qui tient surtout à ce que les motivations de ce dernier sont beaucoup plus vivaces, et cela renforce la valeur des expérimentations humaines.

Dans notre époque marquée par la productivité et l'ivresse

éphémère d'action, la compétition médicale est en quelque sorte arbitrée par la rivalité des laboratoires pharmaceutiques et on assiste à une pléthore médicamenteuse (moins redoutable pour la mémoire du praticien que pour l'estomac du patient). Certains remèdes sont dangereux par leur inefficacité, trompant le médecin, trompant le malade, entraînant cette accoutumance médicale qui fait que le laboratoire est tenu de recréer tous les cinq ans, pour un même produit, un nouveau conditionnement du remède et du... prescripteur.

Un professeur de pharmacologie de mes amis, d'une haute conscience scientifique, établissait dans ses protocoles les vertus positives de certaines substances au cours de l'expérimentation. « Gardez-vous-en bien, exprima le laboratoire, il faut d'abord établir le pouvoir non agressif des remèdes et l'absence des effets secondaires. » Chacun sait qu'un produit A dûment vérifié sur le plan pharmacologique associé à un produit B donnera un produit AB de pouvoir pharmacologique différent des composants de base. L'abus des placebos impurs, c'est-à-dire la pléthore pharmaceutique, explique en partie la multiplication des affections psychosomatiques. Par ailleurs, le reproche de la suggestion homéopathique est sans valeur fondamentale en pratique pédiatrique. Otite, diarrhée sont traitées dans des conditions d'objectivité irréfutables qui se passent de tout commentaire.

De plus les aggravations passagères ressenties en début de traitement tendent à démontrer la réalité d'une substance ; le public, trop habitué à l'anesthésie de ses propres sensations, doit comprendre ici la mise en route d'une réaction active, ouvrant la porte aux plus grands espoirs ; elle apporte en quelque sorte la preuve de la spécificité du remède.

Existe-t-il autant de variétés de prescriptions que de médecins ?

Cela est exact en apparence et, pour un problème clinique clairement exprimé, il devrait y avoir unité de réponse. Au temps des esprits clairs, un syndrome digestif de colite bien qualifié par ses symptômes devait obtenir à partir d'examinateurs différents une sanction unique sans équivoque (par exemple *Lycopodium*), et la précision de la thérapeutique contrastait pour ce même sujet aux ordonnances libellées par des allopathes manifestement embarrassés par l'angle d'attaque des maladies fonctionnelles. A l'heure où le médecin homéopathe s'adressait à l'identité d'un homme derrière ses symptômes, la médecine classique nouait des dialogues obscurs avec ce genre de syndrome abdominal : c'était l'heure des combinaisons savantes autour des analgésiques, antispasmodiques, absorbants ou élixirs, portant de prestigieuses signatures et qui jetaient le patient sur la voie de la méfiance et du désespoir. Le regard sur des ordonnances du temps nous montre l'imposant parcours du progrès médical et la primauté du savoir intellectuel du médecin sur ses capacités thérapeutiques réelles. L'homéopathie a résisté aux vagues thérapeutiques, aux promotions éphémères, au réajustement pénible des instruments. *Lycopodium* n'a pas abandonné une parcelle de son actualité et de son identité.

On ne saurait écarter que, dans l'évolution de ces trente dernières années, l'homme lui-même s'est modifié. A partir d'une meilleure stabilité de son milieu intérieur s'est développée une plus grande complexité de ses mécanismes nerveux, un affinement de son caractère marquant son évolution et peut-être sa fragilité. Les maladies ont modifié leur aspect. Certains grands fléaux aigus ont été contrôlés par la science, un nombre impressionnant de nouvelles maladies d'adaptation et de dégénérescence (mentales, allergiques, vasculaires et cancers) font leur apparition, obligeant à des réajustements thérapeutiques. La rigueur de l'esprit homéopathique semble ployer aussi sous ces réajustements : l'ordonnance homéopathique a atteint une diversité, une complexité bien troublantes, et Hahnemann serait bien inquiet de l'utilisation de la loi de similitude sur notre planète.

La complexité humaine doit modifier la stratégie du médecin sans le faire plier sous le poids des compromis et des aménagements de la pensée initiale. Le doute apparaît sur la foi et la précision de pensée du rédacteur. Tel praticien entrera dans une polypharmacologie espérant qu'à travers l'abondance de prescriptions place est faite au bon remède. (Hélas, de grands remèdes personnalisés ont des résistances et des allergies réciproques : une telle attitude est une obstruction à l'élu, le remède clef du patient.) La polypharmacologie ne justifie plus la référence à la loi de similitude. C'est un abus de patrimoine pour le praticien et pour le malade, des difficultés ultérieures. Après de prometteuses approches, le résultat ne progresse plus et voilà l'homéopathie remise en question. Certains médecins font, comme l'évoque le docteur Schmitt, comme un chat qui jouerait avec des écheveaux de laine de couleurs différentes. Tel médecin minimisera les risques d'une pensée mal structurée par des mélanges de dilutions autour de nombreux remèdes, tâtant la réponse de l'autre plutôt que de faire l'effort de mettre le malade en conformité avec ses besoins.

Un troisième introduira des concepts intellectuels personnels, l'autorisant à personnaliser à sa manière la loi de similitude. L'attitude la plus coupable est le retour catastrophique à une thérapeutique infinitésimale d'organes et non plus de l'homme. Un grand homéopathe, le docteur Michaud, disait justement : « Le médecin homéopathe n'est pas un allopathe plus quelque chose d'autre ; il a choisi pour unique mission de déchiffrer et de réhabiliter l'homme face à sa maladie. »

On a pu argumenter sur le coefficient des réussites thérapeutiques brillantes mais exceptionnelles : insuffisance de la méthode ou de l'instrumentiste ? Par passivité intellectuelle on s'autorise à abriter et exploiter au nom de l'infinitésimal ce qui se prescrit facilement. Il faut donc compléter le domaine de l'homéopathie par des médecines d'appoint, de maniement et de mémorisation faciles. Comment ne pas spéculer sur l'engouement de la chose homéopathique pour lui adjoindre quelques béquilles faciles à mémoriser ?

Toutes ces attitudes sont des ruptures de pensée et de direction qu'il convient de combattre, pour reconduire l'homéopathie vers son exigence de qualité. La loi de similitude offre un grand choix de symptômes, de fragments de vérité que le praticien peut utiliser suivant sa formation. La qualité de l'homéopathie se détecte au choix du symptôme : on peut prescrire *Phosphorus* sur une notion d'atteinte hépatique, le dégoût du gras et le désir habituel d'aliments salés. La prescription devient plus sûre si ce même malade a peur de rester seul dans sa maison, présente un grand désir de compagnie et une sympathie sincère pour le malheur des autres. Les remèdes en basse dilution (4 ou 5 CH) ont des actions courtes au niveau des organes de l'appareil physique et peuvent être répétés. Les hautes dilutions s'adressent aux défaillances psychiques soigneusement individualisées. Le joyau dans la pratique homéopathique est la recherche *du remède de fond de la personne* (et non pas de ses appareils) et le remède constitutionnel dans les maladies chroniques. Ce remède est réellement le reflet de votre personnalité, il a une authentique action en profondeur, et atteint les racines du trouble. Les hommes d'expérience recommandent une hiérarchie thérapeutique centrée sur les remèdes végétaux (*Aesculus, Pulsatilla, Nux vomica, Chelidonium*) qui élaguent les symptômes de surface. Minéraux et métaux interviennent pour modifier lentement le terrain. Rares sont les médecins privilégiés de ce grand art, qui sauront, dans la difficulté, diriger les interrogations vers les obstacles, et analyser les raisons des échecs, en vivifiant constamment leur pensée. Notre époque pragmatique se satisfait d'une homéopathie « hâtive », abritant derrière la vogue de l'infiniment petit les maladresses d'une pensée mal structurée, ouverte à toutes les concessions, les complémentarités, les bazars thérapeutiques. Les non-médecins ont bien compris l'exploitation de cette thérapeutique qui les élève en prestige sans contrepartie d'un savoir exigeant ou d'une pensée médicale responsable.

Les remèdes sont mystérieux et ne comportent aucune indication utilisable

Tout patient semble exiger du médecin beaucoup de clarté sur l'action du remède. La lecture des modes d'emploi en allopathie apporte des informations sur la composition et le mode d'action d'un médicament. Ses bienfaits ne sont pas garantis, mais l'insécurité humaine veut y trouver une réponse personnelle à ses propres problèmes. « Docteur, expliquez-moi ce que j'ai. » Autour de cette incessante interrogation, on souhaite des clartés sur l'agresseur que l'on voit volontiers en dehors de soi, se ramenant au rôle innocent de victime.

Les remèdes homéopathiques réorganisent la personnalité et ne sont jamais spécifiques d'organes. L'observation est le propre de l'homme de l'art. N'entrez pas dans une observation sans méthode qui conduirait vers une automédication. Les essais sur soi, au nom de l'innocuité ou de connaissances superficielles, fragilisent et compromettent le pouvoir de remèdes cibles. Certains essaient tous les remèdes, se sensibilisent et compromettent l'action du médecin. L'homéopathie étant la langue des symptômes, certains doués de mémoire croient devoir se passer même de la connaissance médicale (guérisseurs, naturopathes) et enjambant toute responsabilité remplacent les connaissances indispensables par des dons et des pouvoirs. La non-toxicité de la pharmacologie homéopathique les rend évidemment moins nocifs que le corps médical lui-même, mais le risque pour le patient est grand quand les affections sont reconnues tardivement et qu'elles se transforment, faute de jugement et d'opportunité thérapeutiques, en lésions irréversibles.

L'école française a eu le grand mérite de prolonger la vocation scientifique expérimentale de Hahnemann. Derrière la lecture de signes, elle a introduit la culture médicale, l'étude des troubles fonctionnels et lésionnels, et un code logique d'emploi sans se départir des exigences d'individualisation. C'est la voie du progrès pour un art appelé demain à justifier ses mécanismes d'action.

L'élargissement thérapeutique s'élève désormais à partir de l'empirisme initial vers une meilleure clarté de ses paramètres et de son image.

Les cinq mille symptômes d'un remède comme *Sulfur* ne peuvent s'imprimer dans une documentation. La sélection des symptômes par le médecin ne concerne qu'un cas particulier ; elle n'est pas une grille d'utilisation pour un grand nombre.

Aconit est un merveilleux remède de la grippe : frissons à début brutal, fièvre en flèche, trachéite ou état congestif avec une mobilisation intense de la peur de mourir. C'est un remède de l'hypertension artérielle, lorsque celle-ci s'accompagne d'inquiétantes palpitations : angoisse, phobies, peur de la mort. C'est la solennelle intensité d'*Aconit* qui peut s'installer à partir d'un simple état inflammatoire. A partir de l'agression des muqueuses s'exprime l'unité de l'homme dans sa maladie : sa peur de mourir et la lourde coloration de son psychisme.

La pratique médicale est la rencontre « d'une confiance et d'une conscience ». Si votre affaire est particulièrement lourde, complexe, désespérée, confiez-la au médecin homéopathe. Laissez-lui prendre un peu de réflexion sur votre problème et vous connaîtrez un meilleur sommeil. Mais malheureusement le langage sur lequel nous prenons un large appui peut encombrer et alourdir la communication ; la technicité de la science, son langage spécifique s'autorisent des silences savants, des explications superficielles, des rapports distants, des attitudes secrètes. L'homéopathie se doit, au contraire, d'être une oreille inlassablement attentive à la plainte humaine, mais il faudrait répondre à tout, mettre à nu analyse et synthèse, pour apaiser le désarroi d'un esprit inquiet. L'interrogatoire personnalisé du patient est une quête stricte d'informations qui ne doit pas tourner aux propos de salon, et l'accès à la vie intime ne doit pas faire déborder les frontières d'une consultation. On est parti de l'appel solennel à être secouru ; à l'arrivée, il faut débattre des prestations, des honoraires. Dans une législation sociale qui découpe le temps au chalumeau, à l'emporte-pièce, l'acte médical perd de sa valeur de jugement et de conseil pour se ramener à la couverture du risque, en déchaînant les examens complémentaires, et l'homéopathe, exclu des compétences et des notoriétés, retrouve sur ses pas les obstacles quantitatifs à sa pratique qualitative... L'art médical ne se mesure pas au temps de l'acte. Quelques minutes de bistouri condensent vingt ans d'expérience chirurgicale, mais les comptables de la société ne visent qu'à l'humiliation du corps médical. Le meilleur médecin homéopathe est celui qui abandonne la carrière au crépuscule de sa vie. Sa foi ne s'est jamais démentie, à travers l'adversité d'une existence hors du système. Sa vie a oscillé entre le grand livre de la matière médicale et la passion de l'existence humaine en difficulté.

Les remèdes sont simples et clairs, la profondeur du savoir échappe aux unités de mesure.

L'homéopathie est-elle lente à agir ?

La médecine moderne est caractérisée par la rapidité et l'efficacité de son action dans les maladies aiguës : un certain activisme est sollicité pour écarter une inflammation locale, sans participation du porteur et dans l'indifférence de celui-ci. Une

68

confrontation grossière sur une affection aiguë, banale comme l'angine et l'otite, définirait mal le problème. Les pédiatres et les vétérinaires homéopathes affrontent le quotidien avec des résultats fidèles sur les rhinopharyngites, les affections à staphylocoques pathogènes, les herpès cornéens, les mammites et les colibacilloses aiguës et leur clientèle ne leur fait aucune complaisance.

L'enfant qui hurle à 23 heures pour une douleur d'oreille est justiciable d'*Aconit* et soulagé en quelques instants. Les actions de *Pyrogenium*, d'*Apis* (sur les phlegmons des doigts), d'*Ailhantus* (sur le phlegmon de gorge) montrent bien les actions ponctuelles rapides que l'on peut attendre du remède infinitésimal à l'image des antibiotiques.

Lorsqu'un malade en proie à la douleur de coliques néphrétiques s'apaise avec quelques granules de *Calcarea carbonica* et de *Pareira brava*, et qu'une crise de colibacillose aiguë avec des douleurs aiguës tranchantes avec la sensation de gouttes rares, brûlantes comme du plomb fondu, se calme avec *Cantharis 4 CH*, qu'une névralgie faciale se calme avec quelques granules de *Causticum*, on peut admettre que les praticiens engagés dans la voie homéopathique n'ont pas pris à la légère le droit des patients à être secourus.

Un malade vient nous voir pour obstruction nasale chronique. Depuis quinze ans, cet homme souffre, se sent indisposé et indispose tout le monde en ronflant la nuit (*Ammonium carbonica* ou *Bromium*, très souvent) ; il démontre son état en portant un doigt sur une narine pour témoigner d'une obstruction complète. Un interrogatoire individualisé nous apprend que ce malade présente une constipation paradoxale. Il ne libère jamais complètement son intestin et une singulière résistance apparaît à chaque effort volontaire. Je mets quelques grains de *Nux vomica 5 CH* dans sa bouche et le malade n'a pas le temps de voir fondre ses granules que sa narine se libère définitivement.

La guérison des états aigus est précoce, avec retour rapide à l'intégrité tissulaire, sans effet secondaire.

Certains remèdes éclaircissent la voie, d'autres mettent un élégant point final à toutes les infections (*Aviaire*, *Sulfur*) ; ils raccourcissent les convalescences et surtout dans le domaine pulmonaire ils coupent la route aux pneumopathies à virus, ces images d'affections mal négociées, de combats achevés sans vrai retour à la guérison, des résidus de conflits armés qui débilitent longuement.

La médecine homéopathique est moins une médecine d'urgence et de visite qu'autrefois. (Elle peut résoudre pour le plus grand bien du public les problèmes simples par téléphone). Les discrètes concessions faites aux états aigus se compensent largement par la négociation coordonnée des états chroniques. Elles donnent l'occasion de modifier le terrain, de renforcer les défenses et de redresser la pente déclinante du patient. Dans les affections chroniques, la complexité est grande : le professeur Fréour l'exprime bien dans cet aphorisme : « Chez l'enfant, cinq symptômes, une seule maladie. Chez l'adulte, sur le deuxième versant de l'âge, cinq symptômes, six maladies. »

Le malade chronique présente donc plusieurs fronts de combat et une défense amoindrie. C'est à cette heure que les médications allopathiques de longue durée, béquilles de la vie quotidienne, s'installent, sans espoir de retrait, et l'effet iatrogène (induit par le médicament) vient s'ajouter à la maladie elle-même. Combien de nos contemporains présentent l'image pesante et abrutie du drogué, justiciable parfois de la brigade des stupéfiants tant l'usage des tranquillisants est immodérée ! Il existerait des moyens infaillibles à la disposition de la Sécurité routière pour apprécier l'influence des tranquillisants sur la conduite des machines, disposition à notre avis plus importante que les consignes de sécurité sur l'usage de la ceinture. Les physiologistes ont établi que deux bonnes heures de sommeil valent mieux que cinq heures de sommeil médicamenteux, mais ce rapport n'a jamais été diffusé par la grande presse. (On vend chaque jour pour plus de sept milliards de tranquillisants et de somnifères.)

La règle dans la maladie chronique est l'atténuation de la posologie (l'espacement des doses, la réduction des traitements). Une réelle amélioration raccourcit les besoins (Sécurité sociale, aidez ceux qui vous aident !). Le malade recevra deux fois par mois une dose de remède de fond, abandonnant résolument la prescription quotidienne.

Lente à agir ? La maladie est lente à s'installer, à gagner les profondeurs. Il faut un temps raisonnable pour pouvoir l'extraire et la dominer. A-t-on posé la question au malade chronique (déprimé, hypertendu, digestif) sur l'état réel où il se trouve après un abandon brusque de toutes médications allopathiques ? La maladie est toujours là et le mal sournois s'est alourdi des effets secondaires (état, fonctions génésiques, virilité éteinte dans 40 % des traitements de l'hypertension).

Le débat de la lenteur d'action est mal posé ; la suspension d'un symptôme n'est pas guérison. Libérer un malade de son symptôme n'est pas le réintroduire dans le bien-être de la santé. Tout ce qui est santé profonde n'est pas urgence ou confort d'un moment.

Existe-t-il intolérance, résistance, hypersensibilité à un traitement homéopathique ?

La consultation homéopathique est une circonstance chargée d'espoir pour le patient ; c'est une confrontation inédite, une interrogation d'un sens nouveau.

Le malade est à l'affût de son salut : il mobilise une importante tension psychique autour de son état, sa maladie est devenue chronique et sa participation attentive n'a été récompensée que par des médications palliatives ; une révision de choix, un abandon d'idéologie vont s'imposer à travers une démarche de nouveauté thérapeutique. Il découvre à la fin de l'examen qu'on a beaucoup plus parlé de sa personne que de l'épais dossier qu'on a déposé devant le médecin. La maladie est sérieuse et l'exigence est plus grande que l'étroit couloir de confiance dans lequel on s'est timidement engagé. On attend avec curiosité et suspicion les pouvoirs de cet infiniment petit destiné à faire trébucher ces autres grands remèdes de science, inefficaces malgré leur flatteuse réputation.

Le médecin manipule et prescrit un stimulant spécifique qui mobilise la réactivité propre d'une personne ; un mauvais choix, une prescription confuse, un zèle excessif autour des organes sans avoir perçu l'identité du patient, et voilà la remise en cause de l'art thérapeutique avec défiance autour d'une médecine, alors que le prescripteur est lourdement en cause : on voit davantage de prescriptions asphyxiantes que d'applications clairement perçues.

71

Toutefois des réactions thérapeutiques peuvent se manifester, traduisant, s'il en était besoin encore, la réalité d'une action homéopathique dont la puissance est toujours perceptible.

L'évolution est favorable : on se sent mieux à la fois au niveau des symptômes locaux, des réactions générales, psychiques. C'est le retour à la santé qui se traduit par un élan général, un désir d'action, d'entreprise, qui vous avait abandonné avant la maladie. La réaction du corps a été vigoureuse, l'enracinement de la maladie n'était pas trop profond.

Une aggravation sensible apparaît, suivie d'une amélioration durable. C'est la situation la plus courante d'un traitement bien conduit. Elle est mal comprise car c'est un défi général à l'investissement anxieux du malade. C'est pourtant le sens d'une mise en route de la défense. Hahnemann pensait que le remède introduisait une réaction plus forte que la maladie à traiter et provoquait une expulsion sensible à l'occasion du retour à la santé. Hering a formulé, dans une loi, que le retour des anciens symptômes était le signe d'une guérison prochaine. Une patiente victime de migraine tenace voit réapparaître une douleur à la gorge, rappelant des angines de l'enfance ou le rappel douloureux d'une articulation du coude : c'est la voie royale de la guérison d'un état chronique. La maladie, comme la guérison, progresse de dedans en dehors et de haut en bas. L'évolution d'une sciatique se fera favorablement si la douleur s'efface du haut en bas ; une douleur persistante à la cheville est de bon pronostic. Une douleur de mollet qui s'efface, laissant persister une douleur fessière, est de mauvais pronostic.

Les symptômes de peau (extérieurs) sont moins importants que les symptômes viscéraux organiques, touchant les organes nobles (intérieurs) : efforts désespérés et méfaits en dermatologie. Une médication active externe contre un prurit anal peut déclencher une migraine ou une crise d'asthme. Par contre, une affection digestive évoluant vers des symptômes cutanés récents indique toujours la bonne direction prise par la guérison.

Une amélioration se dessine très lentement : la maladie est tenace, la vitalité est insuffisante, le malade doit reprendre des forces avant de renouveler l'action d'un remède décisif. Lorsque la maladie est lésionnelle, ictère chronique, rein polykystique avec urée ascendante, l'emploi d'un remède efficace ne doit pas dépasser la 9 CH ; les dilutions basses 3 X, 4 CH ont des vocations tissulaires, lésionnelles, organotropes ; les dilutions hautes, au-dessus de la 15e CH, mobiliseraient inutilement une réaction centrale, si les réactions des émonctoires (rein, intestins, peau) sont manifestement déficientes. Le malade voudrait réagir mais les organes sont faibles et le terrain décline.

Des symptômes nouveaux apparaissent, manifestement différents de la maladie, et objectivement analysés ; des associations inadéquates limitent la pureté d'action d'un remède précis.

La vie active moderne compromet parfois l'application correcte des prescriptions. Dans les affections aiguës les moments favorables se situent à la fin des accès ou des paroxysmes. *Ipeca* luttera contre la toux, administré à la fin des quintes ; *Podophyllum, Arsenic,* après une diarrhée épuisante.

China regaillardira une femme épuisée par des règles abondantes en l'administrant à la fin des règles ; *Spigelia, Phosphorus* combattront des névralgies tenaces, administrés à la fin des crises. La prise des remèdes se fait avant toute alimentation ou deux heures après le repas.

Classiquement, quelques recommandations apparaissent autour du bon usage de la prescription : menthe, camphre, camomille, qui pourraient antidoter ces mêmes substances pouvant figurer en présence infinitésimale sur l'ordonnance : il ne faut pas tomber dans l'excès de rigueur et multiplier les interdits.

Il va de soi que les excès de tabac, de café, de mets épicés gênent le délicat pouvoir infinitésimal et que *Nux vomica,* remède majeur des excès, sera dévalorisé si ces excès restent en place.

La prescription homéopathique s'appuie constamment sur la connaissance du malade. Les nourrissons bénéficient de hautes dilutions ; les organismes affaiblis, aux réponses lentes (troisième âge), réagissent aux basses dilutions. Le cycle menstruel de la femme et l'excitabilité liée à la folliculine doivent être pris en considération et modulés par des remèdes de régulation neurovégétative.

La grande attention du médecin homéopathe se porte sur les affections chroniques, tenaces, récidivantes : les otites ou les affections rhino-pharyngées de l'enfance ne sont plus des maladies locales, ce sont des maladies de terrain nécessitant des drainages et des organisations stratégiques de la part d'un médecin expérimenté.

Le danger vient d'une polyprescription maladroite, mais nombre de malades se rendent réfractaires inconsciemment à l'action homéopathique : l'innocuité de la thérapeutique les encourage à l'automédication, à des consommations incontrôlées. Certains expérimentent sans conseil de nombreux remèdes, développant de fâcheuses hypersensibilités rendant inextricables les fils conducteurs du traitement : il est parfois étonnant de découvrir chez un patient le faux vêtement du médecin qui après avoir tout testé est prêt à prendre votre fauteuil et à contester sur un ton autoritaire votre propre rôle de prescripteur.

En allopathie comme en homéopathie, une absence de réaction peut apparaître : le patient semble témoigner d'une hyporéactivité fondamentale, mais il semble beaucoup plus exister des malades hypersensibles qui développent des réactions d'opposition. Les interférences psychosomatiques sont à prendre en considération.

L'action des placebos, c'est-à-dire des substances neutres, a vu le jaillissement de symptômes subjectifs libératoires de l'inconscient, les malades réellement hypersensibles réagissent mieux aux basses dilutions, aux teintures mères. L'expérience a montré que l'effet de doses espacées de quelques jours était supérieur aux posologies quotidiennes.

Il est souvent nécessaire d'espacer la prescription à partir de l'amélioration. Le recul de la maladie implique une attitude semblable dans la prescription.

Pour normaliser un patient, le prescripteur doit s'efforcer de ne pas introduire ses propres spéculations intellectuelles ou ses intentions personnelles qui l'éloigneraient du discours du patient. Ce serait faire retour au langage de la maladie et des organes sans percevoir les subtils appels au secours d'un destin individuel.

La force de l'homéopathie implique la maîtrise et l'équilibre du prescripteur.

Relations avec les autres médecines

L'homéopathie est le carrefour culturel des médecines douces, avec l'acupuncture et l'auriculomédecine. Elle présente une grande similitude thérapeutique avec l'acupuncture par une conception énergétique de l'homme total. Les pionniers de l'auriculomédecine ont fait en vingt ans le rattrapage historique de la médecine millénaire chinoise. Leur enseignement devrait être associé pour former le vrai médecin « biothérapeute ». On voit avec crainte l'engouement qui jetterait le médecin ou l'étudiant sur la connaissance simultanée et précaire de ces trois disciplines.

La pratique des aiguilles libère singulièrement de la complexité de la prescription, et tout est à craindre lorsque la formation homéopathique n'a pas à servir de révélateur à la vocation des médecines douces.

Tel médecin acupuncteur, distingué par ses origines asiatiques, par des gestes fins et savants, rétablira magistralement les équilibres dans les affections respiratoires en complémentant ses gestes par de la théophylline et un corticoïde : où est la bonne foi ?

Pour un nombre croissant de malades, la prise en charge se répartit entre plusieurs médecines. Cette répartition est nécessitée par la spécialisation médicale à la recherche d'une meilleure sécurité autour de soi. Le problème est délicat lorsque les médecins sont en rivalité d'idéologie — il est moins aigu avec les médecines douces, qui ont la vocation thérapeutique bien au-dessus du déterminisme scientifique, offrant au patient la mesure de leur action.

L'action parfois spectaculaire des aiguilles dans les algies, la connaissance actualisée des endorphines (les aiguilles déclenchent après vingt minutes de pose la libération des médiateurs chimiques d'anesthésie à la douleur) ne doivent pas écarter de la vision globale des maladies de terrain.

Il faut se méfier des poseurs d'aiguilles excités par la seule notion de cible locale, ou des excités du tableau de bord que représente l'oreille pour le cerveau. Les régulations réflexes neurovégétatives doivent atteindre en profondeur les maladies de

75

système en tenant compte des substitutions morbides, de la reconversion possible des symptômes et du redéploiement de la maladie. Ainsi un zona débutant, vaincu précocement par des aiguilles, fut suivi de céphalées atroces. L'interrogation doit se porter sur la conversion et le transfert des symptômes (que les allopathes traitent en maladies séparées).

Par exemple, les écoulements, excrétions ou sécrétions sont de précieuses signalisations pour l'homéopathe. Le phosphorique est constamment la victime d'affections rhino-pharyngées ; ses muqueuses sans défense sont le reflet de son état hépatique. Il deviendra le champion des gouttes nasales sans avoir jamais été compris.

Le Psorique présente les mêmes symptômes, avec en prime des éruptions diverses, des diarrhées intermittentes, qui sont des décharges périphériques d'une physiologie de surcharge : ces manifestations ne doivent pas être combattues. Lorsqu'on refoule les éruptions de Sulfur ou de Psorinum par des onguents, lorsqu'on interrompt les écoulements de Lachesis, des troubles vaso-moteurs, cardiaques, des céphalées apparaissent. Le préjudice des substitutions morbides doit être enseigné.

Les situations dermatologiques méritent quelques réflexions car la suppression aiguë d'éruptions entraîne de vives douleurs rhumatismales (*Bryonia, Urtica urens*), ou de fulgurantes douleurs névralgiques (*Mezereum, Croton*). Les troubles digestifs font suite à des suppressions aiguës d'éruptions. Des onguents actifs sur la peau entraînent des réactions respiratoires (asthme, bronchite), des troubles nerveux graves, céphalées et troubles du psychisme après un zona (guéri par *Apis*), convulsions, crampes.

Les suppressions de fistules anales provoquent des affections pulmonaires ; j'ai vu des suppressions de sueurs entraîner d'importants troubles (nerveux, spasmes).

Il n'est pas possible d'adopter les médecines douces sans préserver l'unité de la maladie. Traiter en maladies séparées, c'est un retour à la médecine palliative. Il est inutile d'entreprendre le traitement d'une acné par les aiguilles sans l'apport d'une tuberculine diluée et dynamisée : remède indispensable au dénouement de la maladie.

L'introduction d'un grand remède de fond en rhumatologie

(*Thuya, Causticum, T.R.*) potentialise radicalement l'action des aiguilles.

La chronologie des interventions thérapeutiques modifie les problèmes : incontestablement la médecine de stimulation par les aiguilles et surtout l'auriculothérapie interviennent en première instance avec plus de succès.

Mais l'interrogation porte sur le maintien des résultats, lorsque l'organisme ne fabrique plus un taux d'endorphine suffisant, ou que la maladie a englouti les défenses naturelles.

La vocation homéopathique de médecine de terrain reprend tous ses droits.

L'homéopathie suit-elle l'évolution ?

Disposant d'une gamme restreinte de remèdes, comment l'homéopathie s'adapte-t-elle à la connaissance des nouveaux états qu'elle affronte ? Répond-elle à l'exigence du progrès et de la nouveauté, fruit constamment sollicité, ultime espérance du malade ? L'homéopathie est une relation culturelle entre les hommes autant qu'un immense savoir validé scientifiquement par l'expérience. Aucune de ses ressources thérapeutiques ne s'est dévalorisée, aucune découverte scientifique ne l'a ébranlée et son langage ne s'est jamais détaché de la réalité de l'homme. Elle a ajouté de nouveaux remèdes (docteur Julian), tout en continuant à puiser dans le passé ses recherches et ses nourritures essentielles, car demain la validation de l'infinitésimal se fera à partir de la recherche scientifique ; l'amélioration du flux circulatoire par les venins de serpents est objectivée par les effets Doppler, et le mode d'action de la pharmacopée homéopathique sera établi par la visualisation isotopique expérimentale des éléments dans les différents lieux du corps.

Ambra grisea, Arnica, Secale, Aesculus améliorent le débit circulatoire chez le sujet âgé. Le nombre des remèdes peut être limité comme le nombre des notes en musique. L'art et la difficulté en thérapeutique sont les mêmes que pour la réalisation d'un grand concerto : la réussite homéopathique est sa validation par le public ; c'est par lui que la sûreté des instruments est éprouvée, par lui que l'expérience se valide.

Les modes thérapeutiques se succèdent, assorties de risques différents. Les maladies iatrogènes sont en augmentation régulière. La seule solution serait de proposer au médecin *de soigner comme il se soignerait lui-même*; un grand nombre de valeurs thérapeutiques (en rhumatologie) serait en danger. Les risques affichés à ne pas se soigner seraient moins importants que les effets secondaires des thérapeutiques lourdes. *Baryta carb, Aurum, Arnica* sont des protecteurs vasculaires de l'hypertension chez le sujet âgé, aussi efficaces que les antiagrégants plaquettaires. Après les imposants cris de victoire sur le risque vasculaire, on se demande pourquoi le syndicat des centenaires refuse de s'étendre.

Les thérapeutiques antigrippales se modernisent chaque année ; les formes de la maladie se renouvellent sans que le fléau ne s'éteigne. Il faudrait interroger les heureux indemnes de ce haut risque ; ils sont tous utilisateurs d'*Oscillococcinum 200* ou d'*Influenzinum 9 CH,* pris à l'officine sans ordonnance et dont l'usage est aussi populaire que *Camphora,* grand remède des refroidissements aigus dans les températures extrêmement basses de Russie ou de Sibérie.

La prévention

Le médecin homéopathe pense à son malade avant l'accident ou la maladie. Le bien-portant ne pense jamais sérieusement au médecin, et ceux qui administrent la santé dans le ministère du même nom s'occupent des textes, décrets, applications dans la lutte contre les maladies, sans cultiver, encourager une notion inconnue : *le maintien en santé,* cible d'intelligence qu'atteignent rarement les lutteurs de la recherche scientifique.

Certes, il existe la multiplication des vaccinations, le dépistage des maladies, la mise en nomenclature « maladie longue durée » (c'est-à-dire sans espoir), mais le portrait du patient instruit et appelé à se défendre n'existe pas. La santé est une défense qui se crée par l'information, en ouvrant les yeux, en dénouant les bandeaux. Pays cartésien, la France s'offre de grands chercheurs et de grands pollueurs qui passent leur temps à s'ignorer, les uns courent après le cancer, les autres introduisent *Lindane,* organochlorés, hormones dans le bétail, générateurs de cancers. Dans les instituts d'anatomopathologie, on peut définir l'âge et l'état civil du défunt par le pourcentage de DDT lié aux lipides de la peau. On se fabrique des générations de faibles, de souffrants ou de mal adaptés. On laisse grossir les budgets de santé à la limite du supportable, et ignorer les appels vers la santé. « La maladie, disait Leriche, est un drame en quatre actes qui se joue dans le silence de nos tissus, les symptômes n'éclatent qu'à la fin de la pièce. »

Définir la santé, c'est sentir l'unité de l'homme à l'égard des dangers du dehors et du dedans, le maintien de l'équilibre à travers chaque niveau d'adaptation. La maladie est une des difficultés de la vie, elle accable les faibles, elle permet aux autres de mieux se révéler, de réfléchir à leurs propres écarts et d'engager une meilleure étape d'évolution.

La science des organes peut suffire partiellement à une notion de maladie toujours mouvante, aux facettes sans cesse renouvelées. (Les antibiotiques assurent des victoires éclairs sur le colibacille. Celui-ci, mis hors du combat, reparaît sous la forme d'entérocoque, de proteus, mais le terrain intestinal demeure sans soin, sans drainage. On se contente de l'élimination des témoins.)

La protection de l'enfance commence par la prévention des rhino-pharyngites. Le progrès médical s'est merveilleusement défini par la baisse de la mortalité infantile ; il devrait s'enrichir de statistiques flatteuses à l'égard d'un fléau social qui frappe l'enfance, met à terre les budgets de l'État, défait les mines des enfants dans les crèches et les établissements scolaires : la rhino-pharyngite combattue par des antibiotiques à prescription systématisée et ruineuse, qui écartent les adversaires d'un jour sans refaire la notion de santé.

L'allergie vient prendre une place de choix au rang des agresseurs, se confondant à eux et recevant, hélas, les mêmes soins pendant la petite enfance où elle ne peut être mise en évidence. Il s'agira, pour l'enfant, d'épisodes de toux répétées, nocturnes, baptisées rhino-pharyngites. Leur apparition coïncide avec la mise en route des chauffages collectifs qui dessèchent l'atmosphère et développent l'allergie aux « mites » de poussières qui se développent et se concentrent plus favorablement à

79

cette période. Alors commence le cycle interminable des antibiotiques, des gouttes nasales, des foulards de laine qui ne protègent pas et surtout l'extirpation systématisée des amygdales. Les grosses amygdales sont inoffensives ; les extraire n'est pas un geste de prévention. C'est la porte ouverte à des récidives infectieuses au niveau de l'arbre respiratoire. Les angines répétées ne sont pas des épisodes infectieux séparés qui invitent à d'autres évaluations du comportement. Ainsi dans l'équation de l'enfance doit-on combattre les agresseurs du dehors sans méconnaître les dispositions, les faiblesses de la structure.

La prévention de l'état digestif commence par substituer la notion de toute insuffisance digestive à celle d'excès et de surconsommation dénués de qualités. La vraie définition de « vivre au-dessus de ses moyens » commence par la surcharge digestive et les mauvaises combinaisons alimentaires. Tous les secteurs de l'équilibre du corps souffriront et dans la souffrance des muqueuses respiratoires (rhinites, coryza, asthme). On trouvera, au premier rang, *Nux vomica,* le remède des excès, des surcharges. Ce n'est ni un pansement ni une poudre alcaline. C'est le remède du xxe siècle, des excès de table et des pollutions alimentaires, qui conduisent vers des lésions, surtout lorsque le système nerveux participe en excès dans tous les actes de la vie quotidienne. *Phosphorus* est présent dans les états digestifs lésionnels. Il remplace statistiquement les corticoïdes dans les ictères infectieux à virus. Il protège avec *Lachesis* la cellule hépatique participant par son infinitésimalité à la lutte contre le fléau national : l'alcoolisme. Les expériences en double aveugle avec les dilutions élevées de *Lachesis 30 CH* et *Nux vomica 30 CH,* distribuées à l'insu du patient, permettent d'écarter les fâcheuses tendances à la boisson, en prenant la précaution d'adjoindre *Hyosciamus* ou *Staphysagria* pour neutraliser l'agressivité due au sevrage.

La protection de l'équilibre nerveux est une exigence de la vie moderne ; face au stress, il convient d'individualiser le comportement des faibles (*Gelsemium, Ignatia*) ; des anxieux de l'existence (*Arsenic album*) ; des fâchés (*Nux vomica*) ; des angoissés phobiques (*Aconit, Argentum nitricum*) ; des susceptibles, offensés, humiliés (*Staphysagria*) ; des agressifs (*Hyosciamus*). Toute notre société aspire à l'équilibre de la vie intérieure, celle qui rassurerait les faibles en leur évitant l'inhibition ou la marginalisation et calmerait les révoltés permanents, les hyperréflectifs qui confondent action et agitation. Qu'il soit permis de rêver d'une nation qui s'autoriserait le choix d'écarter les tranquillisants, les somnifères, les neuroleptiques, et de se rapprocher des grands remèdes non toxiques de la réhabilitation humaine : ceux qui respecteraient l'individu sans l'aliéner, qui introduiraient opportunément *Arnica* dans les conflits physiques et les plaies morales, déboutant les stress, l'intensité des conflits et des passions.

Une société ne saurait exclure les affrontements humains comme les contaminations, les pollutions, les intoxications. Médecine de la réponse sensible, l'homéopathie développe la lutte contre les excès, elle développe l'intolérance discrète : au tabac (*Ignatia*), aux abus de toute sorte (*Nux vomica*), à l'abus de thé (*Thuya*), aux buveurs de bière (*Kali Bich*), à la sensibilité aux crustacés et aux huîtres (*Urtica urens*), au goût de l'alcool (*Lachesis*), à l'agressivité et aux mœurs dépravées du troisième âge, à l'attirance pour les spectacles licencieux (*Hyosciamus*).

La prévention des polluants n'est pas une utopie. La réforme des sociétés industrielles relève du pur imaginaire, de même que la répression par la justice des notables pollueurs. Face à la pollution, il reste encore la lucarne du salut infinitésimal, l'espoir de l'immunisation par la désensibilisation à faible dose, qui permet d'atténuer et de désarmer le langage de la force polluante. Car l'homéopathie fabrique des vaccins atténués à partir des principaux polluants industriels. En donnant des doses infinitésimales de *Plumbum tetraethyl*, de mazout, de *Petroleum*, on voit avec plaisir l'énergie se réinstaller dans des organismes débilités ; avec des doses de *X-Ray 15 CH*, on atténue les effets secondaires de ces lourdes thérapeutiques imposées (et on épargnerait les 13 500 intoxications graves et les 7 500 cancers mortels relevés en un an aux États-Unis). On atténuerait les défaillances physiques sur les lieux de travail par la désensibilisation homéopathique aux agents chimiques, aux détergents, aux colorants ou aux additifs alimentaires. Si la vocation historique de l'infinitésimal était d'atténuer les poisons, on peut imaginer une immunisation à peu de frais, et un soutien judicieux à l'hygiène dans le temps avéré des nuisances.

Les compléments thérapeutiques
dans la maladie chronique

La connaissance de l'évolution de la maladie doit se superposer à la connaissance de l'homme. Recherche des causes, approche de notre mystère génétique, compréhension de la dégradation tissulaire, telles sont les lignes d'action de la médecine. La rhumatologie fait de grands progrès dans l'analyse des états, sans modifier les signatures thérapeutiques qui s'appellent invariablement des anti-inflammatoires. L'approche précise des articulations ne doit pas s'éloigner de celle de l'homme.

Dans la maladie chronique on observe des lésions qui ont peu de chance de reproduire l'aspect de la maladie initiale ; toutes sortes de surcharges médicamenteuses l'ont modifiée.

Le médecin homéopathe reste fidèle à la conception « diathésique » des maladies, à la reconnaissance des tableaux morbides qui témoignent de l'enchaînement de la maladie, d'un parcours prévisible, d'une évolution contrôlable.

Les diathèses ont été définies comme de vrais potentiels morbides qui attendent des occasions favorables pour se manifester. La maladie chronique oblige à observer la dégradation du modèle humain bien davantage à partir des blessures du milieu, des nuisances, qu'à partir de la seule contamination microbienne.

Mais le profil de la maladie peut s'observer avec le même intérêt que le profil du malade, et l'homéopathie ne s'éloigne pas des tableaux variés de la maladie. Elle apporte au médecin sa conception originale de défense et d'assistance tant dans le cours normal de la vie que dans l'approche de la maladie chronique, et trois lignes complémentaires de défense infinitésimale viennent au secours de la maladie : les nosodes, l'isothérapie, l'organothérapie.

Nosodes ou biothérapique

Les nosodes sont des préparations homéopathiques obtenues à partir de cultures microbiennes de virus, de sécrétions pathologiques. L'infinitésimal ne concerne plus l'identité d'une personne, mais l'identité de la maladie. On s'adresse à la concordance entre la maladie et les agents directement responsables, en les atténuant par infinitésimalité, en les neutralisant, en les élevant à un rôle thérapeutique original. La biothérapique marche dans le sillon de la maladie pour en modifier le terrain. L'infinitésimal est l'image analogique et miniaturisée de la maladie. On l'utilise pour réorganiser le terrain et orienter les réactions de défense contre les toxines microbiennes ou virales qui ont fragilisé l'individu au cours de son existence (colibacilles, staphylocoques, etc.). L'emploi des biothérapiques est contemporain de l'utilisation des vaccins et sérums en médecine.

Prêtre et médecin, Collet affronte en 1870 les massacres de la Commune et les fléaux de santé au cours de la guerre civile : face à une épidémie de variole et ne disposant que d'une dose infime de vaccin, il recourut à la méthode économique de la dilution infinitésimale ; les malades guérirent et aucun cas de contagion ne fut constaté à partir du cinquième jour de la prise par chacun du vaccin dilué. En utilisant des agents morbides atténués, on développe une réaction immunitaire favorable, mais il ne s'agit pas de retourner à une pure notion de causalité qui consisterait à soigner le malade par le même agent responsable atténué.

L'utilisation de nosodes ne s'inspire pas du seul agent causal. L'emploi de dilution de toxine montre l'originalité du pouvoir antigénique des protéines étrangères introduites lors de la maladie.

Le colibacille présente une toxine à affinité urinaire bien connue, mais aussi une toxine à tropisme cérébral : le psychisme des colibacillaires se modifie considérablement et glisse vers une asthénie et une dépression permanentes.

Colibacillinum dessine dans ses bases expérimentales un psychisme d'indécision, de baisse de mémoire pour les faits récents, d'irrésolution, de timidité, de perte de confiance en soi et de repli silencieux. Les travaux des professeurs Baruk et Vincent ont mis en évidence le découragement et la tristesse colibacillaire et l'évolution vers la neurasthénie et la psychasthénie. Ces sujets ont une fatigue disproportionnée à l'effort, plus marquée le matin. Rapidement en sueur, ils deviennent scrupuleux, angoissés, découragés ; ils passent de la gaieté à l'agressivité et à l'abandon des occupations. De très nombreux états mélancoliques mis sous antidépresseurs devraient être considérés comme des prolongements de terrain colibacillaire.

L'utilisation des nosodes peut intelligemment remonter le cours du temps, chaque « signal » introduit par la maladie ne s'efface pas ; il reste mémorisé (docteur Julian) à la fin du premier conflit entre l'hôte et son agresseur (antigène anticorps), et le remède infinitésimal assure longtemps après la relance défensive, il donne de la vigueur à la réponse biologique pour liquider les conflits du moment.

Pertussinum est préparé à partir d'expectorations prélevées chez un coquelucheux : il n'est pas qu'un remède de coqueluche, il corrige des toux spasmodiques chroniques dont l'apparition est la résurgence du signal ancien survenu dans le passé (toute vaccination n'a pas que de bons côtés) ; en introduisant des signaux de défense spécifique, miniaturisation de la toux coqueluchoïde, *Pertussinum* devient spécifique des toux persistantes, longtemps après la maladie ou la vaccination du même nom.

Les microbes, virus, BK, spirochetes, gonocoques ne sont pas que des parasites ; ils vivent avec le corps, ils s'installent comme des signaux durables de l'équilibre du corps, modifiant la nutrition, l'harmonie hormonale, modelant le corps dans sa forme et sa réactivité. Les nosodes stimulent les réactions insuffisantes et interviennent dans les cas désespérés sans réaction, ceux où la maladie organique paraît trop avancée ou rencontre des « barrages », des obstacles naturels à sa guérison.

Certains nosodes ont des actions locales limitées : *Diphterotoxinum*, *Eberthinum* (préparé à partir des souches microbiennes de la fièvre typhoïde), *Paratyphoidum*, *Enterococcinum*, sérum de Yersin (c'est le sérum antipesteux utilisé dans les grippes sévères à forme intestinale grave), *Staphylococcinum*, *Streptococcinum*, *Colibacillinum* ont des indications fournies par leur souche microbienne d'origine. *Anthracinum*, *Pyrogenium* sont des agents anti-infectieux sûrs, relais aussi puissants de défense qu'un antibiotique (avec les inconvénients en moins). Il s'agit de lysats ou de broyats tissulaires soumis à des agressions microbiennes intenses et utilisés en doses infinitésimales.

84

À l'image des catalyseurs et des oligo-éléments, ils sont des inducteurs précieux de la réhabilitation.

Les nosodes se révèlent comme des agents anti-infectieux puissants et spécifiques dans les infections graves, septiques de la peau (panaris, furoncles, anthrax), ou des affections graves ou débilitantes (coxi-infections intestinales, septicémie).

Dans les maladies à long cours ils coordonnent la défense :
affections cutanées : Vab, Vaxinotoxinum, Anthracinum ;
affections pulmonaires : Aviaire, Vab, Tuberculinum ;
affections génito-urinaires : Colibacillinum, Gonotoxinum ;
affections ORL : Aviaire, Yersin, Vab, Diphterotoxinum ;
affections intestinales : Influenzinum, Yersin, Paratyphoidum,
Enterococcinum, Colibacillinum ;
ils sont des stimulants de l'état général : Colibacillinum,
Enterococcinum, Influenzinum, Aviaire, Paratyphoidum ;
ils sont des redresseurs du psychisme : Vab, Diphterotoxinum,
Paratyphoidum, Enterococcinum, Colibacillinum ;

Mais présents à tous les chapitres de la pathologie, quatre nosodes à action profonde, à expérimentation rigoureuse, vont apparaître comme les plus puissants modificateurs de l'hérédité constitutionnelle : *Medorrhinum, Tuberculinum, Psorinum, Luesinum.*

Medorrhinum (sécrétion de pus blennorragique) est un remède de première importance : il définit et traite un sujet hâtif, précipité, peureux, qui a une mauvaise mesure du temps qui passe ; il semble délaisser le jour pour vivre la nuit. Sa précipitation rend sa mémoire infidèle et ses gestes incertains. L'enfant accumulera les fautes d'orthographe par défaut d'attention. L'adulte sera oublieux des gestes de la vie quotidienne, qu'il contrôlera constamment : gaz allumé, appareils domestiques, etc.

L'inquiétude existentielle semble, ici, s'associer à un vieillissement prématuré des tissus de soutien.

Tuberculinum : l'exploitation infinitésimale de *Tuberculinum* assure un soutien considérable à l'enfance ou à l'adolescence déminéralisée, fragilisée, exposée à la fébrilité des poussées de croissance, aux accidents digestifs et respiratoires.

Ces sujets longilignes réagissent mal à leur insuffisance : c'est l'instabilité d'humeur, la vive excitabilité, la céphalée des études, le caractère maussade et le comportement difficile des faiblesses inavouées et des défenses mal assurées.

Luesinum (extrait de sérosité syphilitique) définit la diathèse, marquée par l'instabilité. Le sujet présentera une pathologie osseuse ou vasculaire avec un psychisme habité par la crainte de la nuit, de la maladie, des microbes, du manque d'argent (une phobie de sa propre érosion) et des défaillances de mémoire pour les noms propres.

Isothérapie : désensibilisation

L'isothérapie est un procédé de traitement qui consiste à faire absorber un remède préparé homéopathiquement avec une substance sécrétée ou excrétée par le malade lui-même ; c'est la recherche de l'immunité progressive par une ligne de défense précise : la désensibilisation. Ainsi utilise-t-on l'isothérapie à partir des urines, du sang, des sels, des sérosités ou des sécrétions muqueuses.

Les mauvaises langues affirment qu'une homéopathie parfaite pourrait se ramener à une isothérapie parfaite en utilisant le pouvoir médicinal atténué de l'agent agresseur ; c'est le sens inexact d'une médecine qui combattrait le mal en l'atténuant. Cette attitude est d'ailleurs le point de rencontre analogique avec les méthodes classiques de désensibilisation utilisées en allergie.

Les dilutions homéopathiques sont proches de la déconcentration utilisée par l'Institut Pasteur (la 4 CH correspondant à la concentration $1/100\,000\,000 - 10^{-8}$). L'absorption par la voie perlinguale met à l'abri de tout accident fâcheux d'hypersensibilité relevé par la voie cutanée. D'utilisation bien plus courte (quelques mois) et sans secousse, l'isothérapie est un procédé précieux, efficace, de lutte contre la maladie chronique, mais elle doit s'appuyer sur la médecine de la personne et ne pas maquiller le prescripteur en allopathe déguisé... plus près de la maladie que du malade.

Dans les affections urinaires (colibacillaires), respiratoires (asthme, coryza spasmodique), cutanées (eczéma), l'isothérapique urinaire est venu épauler le remède de la personne lorsque la maladie a éprouvé et amoindri le pouvoir de réaction.

Son indication majeure demeure le traitement de la maladie asthmatique (les asthmes à poussière, de plus en plus fréquents) et les maladies de la peau chroniques.

L'isothérapique sanguin est efficace et spectaculaire dans les affections subaiguës fébriles qui résistent à tout traitement (après certaines interventions osseuses chirurgicales, lorsque des germes infectieux paraissent inaccessibles au traitement général, en quelque sorte « séquestrés » dans le lieu même de l'intervention).

L'isothérapique de sang menstruel évoqué par Hippocrate, Paracelse et Crolius reste toujours valable dans les migraines qui précèdent des règles, douloureuses ou non.

L'isothérapique de germes de selles agit favorablement dans les états dépressifs. L'isothérapique de sécrétions ou d'écoulement purulent de l'oreille est très utile dans les affections désespérément chroniques O.R.L.

Tous les allergènes identifiés après enquête (polluants, pollen, teintures, farines, poils de chien ou de chat, cosmétiques, parfums, lessives) peuvent devenir par la voie de l'infinitésimal des agents thérapeutiques précieux.

Ainsi se rejoignent l'intuition lumineuse de Paracelse de transformer le poison en remède et la vocation scientifique de l'homéopathie de donner à l'infiniment petit son rang de grand instrument thérapeutique.

L'organothérapie

Sans s'associer à un éclectisme coupable on peut affirmer que l'organothérapie est une thérapeutique complémentaire, précieuse, que la recherche scientifique confirmera. C'est une méthode qui vise à traiter l'organe ou le tissu malade par l'administration d'organes ou de tissus semblables dilués et dynamisés. L'infinitésimal endiguera les dommages tissulaires et l'usure du temps. La démarche fondamentale est de distribuer spécifiquement à l'organe affaibli son stimulant homologue.

On a longtemps utilisé en médecine allopathique des extraits d'organes à doses pondérables, faibles, en évitant les réactions allergiques des particules protéiques introduites. En endocrinolo-

gie on utilise des extraits glandulaires qui soutiennent ponctuelle-
ment les défaillances physiologiques observées (hypophyse,
ovaire, thyroïde, pancréas) ; mais cette opothérapie met l'organe
en sommeil en se substituant à lui ; il n'est pas salutaire pour le
corps de recevoir passivement et de façon indéterminée sa propre
béquille. Les relations endocriniennes ne sont jamais ponctuelles, elles ont des ramifications physiologiques et des actions à
distance parfois insoupçonnées : on se veut précis mais on est
loin de mesurer l'immense pouvoir et le danger d'une hormone en
utilisation continue.

L'utilisation de l'infinitésimal permet d'introduire à dose faible
la totalité d'un tissu, d'un organe, non ses composants isolés ;
sage et prudente orientation, confirmée par l'usage clinique.

L'organe sain dilué et dynamisé agit sur l'organe malade pour
en redresser le fonctionnement perturbé. Les basses dilutions
sont stimulantes de l'organe à traiter, les 7 CH sont régulatrices,
les hautes sont frénatrices. Ces règles sont valables, à travers
toutefois les réactions individuelles qui constamment impliquent
une souplesse d'emploi. Un certain nombre de tests ont été
expérimentés par les docteurs C. Bergeret et M. Tetau, par le
regard d'intradermoréactions analogues aux tests d'allergies et
permettant d'identifier l'organe en souffrance, tests précieux
puisqu'une altération vasculaire peut par ce canal être identifiée
avant toute modification pathologique : on sait que certains
cardiaques ou artérioscléreux sont parfois frappés peu de temps
après des tests classiques (électro-cardiogramme) jugés normaux.
Cette connaissance immunologique progresse grâce aux travaux
de Mme le professeur Bastide, de Montpellier. Un organe est
équipé et protégé par des capacités d'anticorps, ceux qui font
face à l'agresseur. Dans certaines circonstances ces capacités de
défense se retournent contre l'organe lui-même. C'est la maladie
auto-immune, où les fractions encore saines d'un organe subissent l'assaut de la maladie, compromettant l'avenir de l'organe
entier. Les systèmes d'autorégulation, les récepteurs spécifiques
tissulaires répondent à l'action de l'organothérapie diluée et
dynamisée, tempérant l'agression ou la destruction progressive.
Les extraits d'organes en dilution infinitésimale deviennent
arbitres et médiateurs des conflits par l'appui similaire homologue qui restaure la paix tissulaire.

L'action organothérapique est précieuse lorsqu'elle complémente ou épaule le remède personnalisé. Différemment, elle serait une naïve application d'une action identique ; il n'est pas difficile d'admettre qu'une organothérapie exclusive abritée derrière les vertus infinitésimales n'est plus de l'homéopathie ; il n'a jamais été établi que l'usage expérimental de *Cortex cérébral 7 H* pouvait jouer un rôle dans le développement de l'intelligence. Ce serait le retour à une pathologie primaire d'organes, sans l'élégance et l'efficacité à long terme de l'individualisation.

Compte tenu des hypothèses d'action de l'organothérapie diluée et dynamisée, il convient d'éviter le mélange d'organes très éloignés en action différente : une formule globale aurait une activité moindre que chacun des composants pris séparément. Sage recommandation pour éviter aux mécaniciens du corps l'usage simultané et sans ordre des extraits tissulaires rassemblés en recettes stratégiques, bien intentionnées, mais éloignées des besoins réels de l'individu.

Néanmoins, de remarquables organothérapiques sont sur le marché :

Amygdale 7 CH, inappréciable appui destiné, dans les angines, à écarter les lourdes prescriptions allopathiques à base de bismuth ;

Muqueuse utérine 9 CH est un régulateur de menstruations irrégulières ou abondantes, dans un terrain fibromateux ;

Muqueuse de côlon 7 CH est un remarquable régulateur de la pathologie intestinale. Quelle sécurité pour les prescripteurs, qui ont été longtemps à l'usage du toxique bismuth. C'est un régulateur des colites, des rectocolites, des colibacilloses chroniques. J'ai été frappé par la régularité de ce remède dont la vocation précise a le mérite d'apaiser le malade ;

Prostate, Poumon, Parenchyme hépatique, Extrait pancréatique, Paroi veineuse rejoignent par leur finesse les plus grandes préparations allopathiques, mais dépourvues d'effets secondaires.

Remarquable est l'action de *Sphyncter, Col de vessie, Ligaments,* en 4 CH trituration dans les incontinences d'urines de l'enfant et surtout du vieillard, chez qui la régularité d'action est particulièrement appréciée (deux fois par jour une pincée de poudre).

Enfin, l'association *Artère fémorale-capillaires-sympathique 4 H* en gouttes rendra de grands services aux artéritiques compromis dans leur périmètre de marche. L'activité de la souche « cortico-surrénale » infinitésimale a fait l'objet de rigoureuses expérimentations conduites par les laboratoires Dolisos, et tend à démontrer sur quatre-vingts animaux sensibilisés que les résultats obtenus à partir de doses diluées sont comparables à ceux obtenus par des *doses pondérables.*

Si l'on apprécie l'écart économique considérable entre le prix de revient d'une dose infinitésimale et le prix de l'extrait naturel de cette glande (la cortine), on a devant soi l'horizon incontestable, scientifique et humain de ce complément de médecine douce, qui réanime patiemment les défaillances du terrain dans le sens de l'unité.

DEUXIÈME PARTIE

LA MÉDECINE DE LA PERSONNE

Voyage à travers le corps : la découverte de soi

La réforme de Hahnemann, présentée comme une doctrine, a été accueillie comme une secousse sans précédent dans les esprits de la Médecine de son temps : définir une énergie potentielle d'ordre infinitésimal distinct du pouvoir pharmacologique habituellement observé à l'heure où les phénomènes biologiques s'éclairent sous la physiologie de Claude Bernard, voilà un langage qui aliène les esprits ! Dessiner, définir, imposer l'unité de l'homme, à l'aube d'une médecine scientifique qui s'introduit dans le secret de la matière, quelle présomption ! Pourtant, presque tous les principes de l'homéopathie ont été séparément incorporés au patrimoine de notre actuelle médecine : la loi des semblables dans la vaccinothérapie, dans la désensibilisation allergique, dans le traitement hormonal. En doses infinitésimales sont utilisés : l'histamine, les tuberculines, les désensibilisants, les isotopes, les colloïdes, etc. Les toutes récentes découvertes nucléaires ont confirmé la vocation de la conception dynamique de Hahnemann autour d'une réelle médecine moléculaire. Entrer par ce canal dans les troubles de la personnalité sans laboratoire, sans éprouvette, définir comme solide territoire les frontières floues du monde de l'esprit, identifier les relations de la psyché et du soma c'était, avant Freud, faire preuve d'une singulière audace.

Il n'est pas surprenant que le maître de Meissen ait mobilisé en bloc toutes les oppositions sans que celles-ci atteignent son irréductible détermination : il est vrai que la force du novateur va s'appuyer sur la connaissance de l'homme sain, et sur une vérification clinique expérimentale sans précédent dans l'histoire de la médecine.

Les expériences sur *Belladona, Nux vomica,* ont été confirmées sur 1 100 sujets volontaires.

A la *dynamique* du remède, Hahnemann apportera l'étude *dynamique* de la personne, inaugurant avant la lettre la théorie du comportement psychosomatique. Le malade peut se présenter pour une maladie, parfois il présente son diagnostic avec lui : tout reste à faire cependant.

Quel homme êtes-vous devant la maladie ?

Le diagnostic, étape décisive du jugement, peut échapper à l'incertitude : enquêtes, investigations, examens de laboratoire convergent vers une réalité matérielle indiscutable.

En aucune manière, l'attribution d'un remède ne se fera sur une indication d'organe : *Belladona* n'est pas le remède de la constipation, comme *Arsenic* celui de la diarrhée. Après avoir défini le niveau quantitatif et qualitatif du remède, c'est la nature qualitative et spécifique d'un homme qu'il convient d'explorer.

Après un diagnostic élémentaire et superficiel de colite, d'emphysème, de migraine, les symptômes de la maladie doivent laisser place aux symptômes de l'homme, plus importants à connaître que ceux de la maladie : il faut dégager ce qui est personnel et individuel, et reconstituer le portrait du patient.

En inaugurant l'expérimentation humaine, en recherchant les modes d'action et les directions de substances employées, Hahnemann a rapidement constaté que les symptômes recueillis dépassent ceux de l'organe. Des évidences fondamentales apparaissent.

1) Lorsqu'un être humain est malade, il est atteint dans la totalité de sa personne.

2) Lorsqu'un être humain est malade, il ne perd pas pour autant sa personnalité propre.

Derrière un état local, on voit apparaître un tableau complexe de mobilisation émotionnelle, psychique. Derrière toute lésion du tissu, il y a l'image d'un trouble de conscience qui l'accompagne. Le médecin homéopathe cherche à déterminer comment l'organisme a pu se laisser surprendre par la maladie. Derrière le microbe, il y a le message d'un homme en souffrance, il y a une multiplicité de signaux d'alarme qu'il faut comprendre plutôt que combattre, il faut interpréter le conflit avant d'engager les armes. Lorsqu'on interroge les paramètres de laboratoire : urée, cholestérol, lipides, glycémie, ils sont souvent normaux au moment où le trouble est déjà en place. Notre corps est un récepteur, une plaque sensible d'une finesse sans pareil : une centrale qui totalise une information subtile et la maladie, la douleur, la mort même nous offrent une ouverture sur l'incroyable organisation de notre système vivant avec son histoire, son hérédité, ses équations biologiques.

L'unité indispensable

Au début, tout était simple : le microscope de l'organe éclaire une vérité : la physiologie nous informe de façon plus nuancée au-delà des frontières d'organes. La physiologie ne voit pas seulement le muscle, mais sa contraction :

« Ce qui vit, ce qui existe, c'est l'ensemble. Une fonction exige toujours la coopération de plusieurs organes, et de même un organe a ordinairement plusieurs fonctions. Le physiologiste ne peut pas séparer une partie d'un être vivant sans que cette partie elle-même ait perdu, dès ce moment, la principale de ses caractéristiques, qui est celle de vivre avec l'ensemble » (Claude Bernard).

Des ulcères d'estomac peuvent être radiologiquement semblables, mais le traitement ne sera pas semblable selon qu'on s'adresse à un extériorisé, sédentaire, colérique (Nux vomica) ou a un intériorisé silencieux qui « rumine » (Ignatia). Arsenicum album, Aconit sont souvent concernés par des états aigus. Seules les lignes révélatrices de la personne autorisent leurs prescriptions. Voilà une diarrhée aiguë avec éliminations fétides, épuisantes, brûlantes, calmées par les boissons chaudes, mobilisant le sujet dans une agitation anxieuse avec la peur de la mort lorsqu'il se sent seul ou qu'il va au lit : voilà le portrait

95

d'Arsenicum album, inquiet des tunnels, du sombre et du cercueil. Voilà un état inflammatoire aigu de la respiration entraînant de vives douleurs avec le besoin de bouger pour lutter contre la peur de mourir : l'appel impératif au médecin qui se traduit par : « S.O.S., docteur, tout de suite, je vais mourir » (même lorsque l'affection est sans gravité) : tel est le portrait d'*Aconit* qui passe sans transition de la sérénité à l'angoisse des choses de la vie.

Dans ces deux cas, le comportement psychique du malade colore et éclaire son cas : lors d'une poussée aiguë de sciatique, le patient Bryonia sera étendu dans une immobilité volontaire et de préférence allongé sur le côté douloureux.

Magnesia phos atteint par une semblable sciatique se lèvera, arpentera sa chambre constamment pour apaiser sa douleur.

Ainsi, les modalités de défense permettent d'observer comment le patient vit sa maladie ; ce qui lui appartient en propre dans son interrogation profonde ou secrète. Alors apparaît au travers du trouble qui l'assaille, le vécu du malade, sa réaction, son comportement, son identité parfois pathétique.

Une patiente Aconit avait une telle peur de la mort que son expression fut : « A ma mort, je souhaite qu'on ne ferme pas mon cercueil pour me permettre de respirer. »

Un patient se fait opérer d'une tumeur bénigne dans le centre spécialisé Marie-Lannelongue à Paris. Il présente au troisième jour un vomissement de sang important, inquiétant le corps chirurgical et l'entourage. On découvre une importante niche ulcéreuse de la petite courbure de l'estomac. Or, il n'y avait aucun antécédent gastrique dans le passé de ce patient. Interprétant cette brutale explosion de symptômes comme une manifestation aiguë de la peur de mourir au cours de l'opération, je prescris *Arsenicum album 15 CH* : une dose qui en quelques jours guérit l'ulcère. Le malade rétabli fit ensuite l'exposé de ses sensations : sur la table d'opération, il avait senti une douleur brûlante sur la paroi thoracique gauche avec un malaise cardiaque angoissant qu'il avait retrouvé au réveil. Cette notion de douleur brûlante fut ensuite confirmée par l'équipe médicale de Marie-Lannelongue, qui attesta une anesthésie insuffisante, et la douleur brûlante ressentie par le malade était celle du bistouri électrique ouvrant le thorax. La peur de la mort était associée à une anesthésie incomplète !

Parfois, le malade « crie » son remède : une patiente terriblement pressée, présente à son rendez-vous avec deux heures d'avance, dira : « Docteur, j'ai tant de choses à faire, et lorsque je mourrai, je serai en retard d'une lessive. » C'est Argentum nitricum qui couvre ce genre de vérité.

Ce garçon douillet, qui, par ses douleurs dentaires, met en émoi tout un quartier, crée un vacarme vocal tel dans le cabinet du dentiste, que celui-ci préférerait s'en décharger au profit d'un confrère, celui qui implore l'anesthésie générale pour le moindre soin dentaire, s'appelle Chamomilla : il ne sait pas supporter la douleur et « exprime » ainsi son remède. Mais notre identité ne s'exprime pas de façon toujours éclatante. La vérité de l'autre se traduit par des ombres complexes, des symptômes difficiles à interpréter. Le travail d'investigation propre au médecin homéopathe commence. Pour atteindre la « radioscopie » du vivant, il devra patiemment recueillir l'information suivant la définition de Hering : écouter, écrire, questionner, coordonner.

Il s'agira d'observer, d'entendre, de relever et de vérifier les symptômes, puis d'en rejeter et de sélectionner les meilleurs, car le recours à l'information ne doit pas être total et le médecin ne tirerait aucun avantage à totaliser le savoir, tel l'ordinateur. Il doit *valoriser* (sélectionner parmi les valeurs), c'est-à-dire apporter l'intelligence d'un choix. Dans ce temple exigeant de l'art, la finesse de l'observateur doit rejoindre la vocation d'une médecine de qualité. Elle doit s'écarter du sommaire ou de l'imprécis pour rejoindre la profondeur de l'inapparent ou des significations cachées.

Le médecin peut être concerné par des aspects différents de la maladie, par des porteurs différents de symptômes. Ainsi ! *le malade lésionnel* offre une lésion décelable de façon aiguë ou chronique ; *le malade fonctionnel* présente un bilan organique négatif. Sa souffrance est réelle, mais elle ne s'exprime pas encore par des lésions d'organes. Sa réalité est associée à des défaillances de fonctions ou de systèmes. C'est la plus fructueuse séquence de l'observation médicale.

Chez *le malade sensoriel*, les organes fonctionnent apparemment sans troubles, mais la perception du monde extérieur n'est pas normale, la richesse des informations sensorielles est excessive ou déformée (souvent par épuisement). On sursaute au moindre bruit, on réagit mal à la lumière. Le contact de la peau, du cuir chevelu, paraît sensible ou douloureux. Chez certains existe l'aversion à être touché ou simplement regardé. On peut avoir la sensation d'un temps qui passe trop vite ou trop lentement, à l'extrême, d'un parasitage inquiétant de ses propres perceptions : sentir des cheveux sur le visage, sentir une toile d'araignée, un membre trop court, une dent trop longue.

Le malade psychique : c'est le franchissement de la barrière la plus profonde, la plus intime. Notre esprit ne saura plus distinguer les impressions venues du dehors : les impressions du dedans prédomineront. L'illusion est une image fausse sentie fausse. Mais dans l'hallucination l'image fausse est ressentie comme vraie et le patient va se défendre activement contre ce qu'il croit être vrai (se battre contre l'imaginaire, croire à la présence vivante d'un être près de soi, etc.).

L'observation humaine est donc une construction ordonnée, étagée de signes ; hautement qualifiée, elle doit être intégrée dans la logique du vivant : rêver d'animaux horribles est banal en soi, d'enterrement, d'ensevelissement est déjà plus singulier. Ces rêves accompagnés d'agitation, avec l'impression que le lit paraît trop dur et que l'on redoute d'être approché par quelqu'un : c'est la signature d'*Arnica,* grand remède des traumatismes de l'enfance, concrétisé par des querelles, des abandons, des déchirements affectifs.

L'observation homéopathique est une démarche d'information humanisée, elle est constamment *thérapeutique* : au diagnostic de la maladie, de la personne, se superpose le diagnostic *thérapeutique.* C'est la recherche vers le malade et son « double » thérapeutique : elle règle les aiguilles (du remède) sur le cadran même de son patient. Les symptômes du malade se superposent aux symptômes expérimentaux du remède. Tel malade sera justiciable de *Sulfur, Sepia,* ou *Nux vomica,* car ses symptômes épousent le tableau expérimental de Sulfur, Sepia ou Nux vomica.

La thérapeutique homéopathique n'est jamais impersonnelle ou momentanée ; elle n'a pas les propriétés d'un calmant, antibiotique, somnifère ou tranquillisant, armes à action puis-

98

sante et courte, qualifiées par leur action ponctuelle. Elle est l'image du malade dont elle restaure les dimensions troublées, et on a bien du mal à faire admettre au public que tel remède éclatant de céphalée ou d'otite ne concerne qu'un seul bénéficiaire : il est à l'image du passeport qui ne comporte qu'une identité de titulaire.

La méthode homéopatique déborde la connaissance de la lésion, pour explorer la fonction, l'univers des sensations, des modifications affectives et mentales. Elle ne néglige pas la lésion, la modification objective, mais attache plus d'importance aux perturbations à distance, aux coordinations secrètes et inapparentes de l'être. Elle est à la recherche du « signifié ». Il existe donc une hiérarchie de signes, s'érigeant en ordre croissant d'intérêt.

1) *Les signes locaux, organiques et communs :* ce sont les signes extérieurs de la maladie.

2) *Les signes du sommeil ou des rêves :* ils sont déjà en relation avec notre exclusivité mentale.

3) *Les signes de la sexualité :* ils sont si intimes qu'ils se prêtent à une interprétation prudente.

4) *Les désirs et les aversions alimentaires :* ils appartiennent au vivant, très tôt dans l'enfance.

5) *Les signes généraux :* c'est la réaction de sa propre unité au contact de l'environnement et des facteurs climatiques : l'influence des différents moments de la journée.

6) *Les signes psychiques :* c'est l'étude caractéristique du MOI.

7) *Les signes étiologiques :* c'est l'étude des circonstances qui ont ébranlé historiquement le malade et engendré les symptômes.

Apparences et instantanés : l'observation immédiate

Le signe local est un témoin objectif de la physiologie troublée des organes : dans l'information du médecin, c'est le seul signe indiscutable ; pour le malade c'est avant tout le motif de la consultation : il parlera de ses migraines, de son genou, de sa vésicule biliaire ; mais d'emblée, les symptômes locaux doivent être précisés, qualifiés, alors que le patient s'étend systématiquement sur la notion de *douleur.* Une douleur sera plus précise si

99

elle s'habille de l'identité du souffrant ; par exemple, une douleur brûlante améliorée par la chaleur, des boissons chaudes, escortée de sécrétions ou d'excrétions de mauvaise odeur, avec un psychisme d'agitation anxieuse ou d'inquiétude méticuleuse (il s'agit d'*Arsenicum album*).

Une douleur abdominale apparaît plus nettement si elle est améliorée en se pliant en deux, calmée par une forte pression, et soulagée par l'émission de gaz, si elle a le caractère de crampes, et qu'elle s'accroît dans les états de colère : il s'agit de *Colocynthis*. Une brûlure d'estomac peut s'apaiser par une boisson chaude (*Arsenicum album*) ou par des boissons glacées (*Phosphorus*), par un verre de lait chaud (*Chelidonium*). Une douleur articulaire ou lombaire est améliorée par le repos ou le mouvement : les rhumatisants vous la décrivent avec un luxe de détails ; dans le cas de repos, c'est *Bryonia* qui renforce l'organe ; dans le cas de mouvement, c'est *Rhus tox* qui libère l'énergie des tendons et muscles contracturés.

L'exposé des motifs est l'occasion de promener le regard sur le malade, sur sa présentation extérieure. Exigeante dans la hiérarchie des signes sélectionnés, hautement qualifiés, l'homéopathie se garde bien de prescrire sur les seuls signes extérieurs. C'est le plus mauvais service à rendre à un néophyte, mais néanmoins un visage, des traits et un comportement sont déjà une amorce d'informations. C'est le jugement éclatant, instantané, le diagnostic éclair des chevronnés de l'observation formulée sur le seuil de la porte et au premier regard ; un discret coup d'œil à l'habillement, léger ou excessif, soigné ou négligé : Sulfur est souvent débraillé, son visage rougit à la chaleur et des éruptions sont souvent présentes. Arsenicum album a toujours une présentation très soignée. Un discret regard sur la salle d'attente est riche d'enseignement pour l'observateur : Argentum nitricum arrive deux heures avant l'heure de son rendez-vous, est toujours debout à l'ouverture de la porte tant est grande son anxiété, son impatience. Mᵐᵉ Lachesis, aux formes généreuses, au visage couperosé, paraît toujours affairée : cette femme qui aime parler comble le silence de l'attente en rédigeant fiévreusement de longs feuillets. Plumbum, Baryta carb., Gelsemium, lents et égarés, sont assis le regard fixe, les mains sur les genoux et semblent absents au point de ne pas réagir à l'appel de leur nom. Nux vomica, affairé lui aussi, se lève pour s'inquiéter de la précision des rendez-vous car il n'aime pas attendre : il se fâche et le fait savoir. Rumex, Arsenicum album, Psorinum craignent de prendre froid à tout propos et ne se séparent jamais d'une épaisseur impressionnante de gilets dans une pièce bien chauffée.

Le contact de la main a sa valeur : elle sera froide et humide chez le tempérament lymphatique ; chaude et humide chez le tempérament sanguin ; chaude et sèche chez le bilieux, musculaire ; froide et sèche chez le nerveux replié physiquement et psychiquement.

Certaines sueurs ont un caractère offensif fortement relevé par l'entourage et le médecin affronte, au travers d'effluves pénétrants, la réalité des dossiers vivants de sa pratique quotidienne. Odeur pénétrante de Sulfur (l'adolescent n'est jamais bien propre) ; nauséabonde de Psorinum, Gaiacum, acide et aigrelette de Magnesia carb. ; odeur de vieux fromage d'Hepar sulfur. Le test thérapeutique peut être agréablement décisif pour le patient et son médecin... Les sueurs de la tête sont caractéristiques de Belladona (état aigu), Sulfur, Calcarea carb. (état chronique), Thuya (surtout en dormant). L'haleine nauséabonde émanant d'un visage en sueur est caractéristique de Mercurius.

Mais déjà apparaissent les comportements mentaux, la tristesse qui envahit lourdement le cabinet, l'agitation, la loquacité, les larmes en parlant de ses maux, les soupirs fréquents, les bâillements ; chaque symptôme est un appel à l'individualisation.

L'appréciation de la forme du corps

Depuis Pende (1915) et M. Martiny, la biotypologie est devenue un instrument scientifique de l'étude du vivant. Au travers d'une diversité, d'une complexité, l'homme offre par sa forme un regard sur sa physiologie et son psychisme ; si la biotypologie a condensé la somme des connaissances depuis Hippocrate, il faut au médecin les qualités d'observateur pour éclairer son patient en dépassant la notion d'organe et de maladie.

Le normal ou le pathologique cependant ne saurait se dépister à l'appréciation des formes : une morphologie pure, une image esthétique ne définit pas un contenu, et une pureté de traits trop entretenue est parfois inquiétante, et il y a au contraire tout à redouter de l'obsession narcissique, et le sujet « bien fait » n'est pas forcément un sujet équilibré. Il manque d'appréciation sur la qualité de son cortex cérébral. Le bâti physique déterminé par l'hérédité sera qualifié par l'écriture dynamique de la vie (pulsions, éducation, expériences). Il n'est jamais entré dans les attributions du biotypologiste de définir le profil de l'assassin de la nouvelle lune, du cambrioleur de banque, du trafiquant de drogue, pas plus qu'il ne peut élaborer le portrait type du douanier, du gendarme ou du jaloux soupçonneux. Avez-vous remarqué dans une réunion que l'ardeur du débat révèle davantage la sensibilité des personnes en présence que le contenu réel des problèmes ? Chacun a l'habitude d'opposer aux circonstances une attitude, une conduite liées à la trame secrète de sa personnalité. Ainsi se détermine l'adaptation à l'environnement social et culturel.

Les rapports avec le monde extérieur doivent être mis sur le même plan d'étude que les « dispositions congénitales qui forment le squelette d'un homme » (Le Senne). De l'Antiquité à Pavlov, en passant par Corman et Le Senne, les études caractérologiques procèdent d'observations et d'intuitions communes ; elles ont des chances de reposer sur un fond de vérité et offrent un accès valable aux connaissances psychosomatiques générales.

Il existe une appréciation morphopsychologique qui objective les trois tendances fondamentales d'expression chez l'homme : *l'émotivité, l'activité, le retentissement :* l'émotivité définit la sensibilité, le niveau d'effraction d'un sujet par un traumatisme psychique : une forte émotivité marque les traits du visage de finesse, de mobilité, de délicatesse. A l'inverse, un visage lourd de formes, aux chairs épaisses, aux traits atones, indiquera le non-émotif. L'activité, comme le retentissement instantané ou retardé, s'observe au tonus des formes et de l'épiderme (ferme ou atone), aux vestibules sensoriels : œil, narine, lèvres (généreusement ouverts ou rétractés).

Jung s'approchant de la dynamique psychique profonde définit des dimensions liées à la qualité du contact avec le monde extérieur (introverti ou extraverti). A partir de la classification d'Hippocrate, Kretschmer s'insère plus profondément dans la pathologie, et s'attache à attribuer aux formes des tonalités psychiques : certains — les psychiques cyclothymiques — ronds, épais — passent de la gaieté à la tristesse. Ils vivent intensément le moment présent, oublient ce qu'ils ont été la veille et ne songent pas à prévoir ce qu'ils pourront devenir demain. D'autres — les longilignes ou schizoïdes — sont marqués par une humeur froide, distante et assez peu réactive à l'environnement. Leur vie paraît secrète et leur sensibilité est un mystère. *La pathologie des ronds*, rayonnants de jovialité, n'est pas uniforme. Ils ont des passages dépressifs intenses et peu apparents : leur agitation sur le plan moteur est un transfert trompeur. *La pathologie des longilignes* est plus claire : la rétraction, le goût de la solitude servent de refuge à une sensibilité exacerbée qui prend le chemin de la mélancolie. L'appréciation homéopathique ne se veut pas une description ordonnée visant à classer les individus. Elle cherche le point de contact de l'homme et de sa souffrance. La typologie définit des traits, la caractérologie des combinaisons possibles. L'homéopathie évalue les écarts, les équilibres instables du vivant, les points de contact avec la maladie. Celle-ci mobilise l'énergie et transforme le dynamisme. Dans l'agitation ou l'épuisement amorphe, des expressions jaillissent : l'identité propre ne s'enferme pas dans des unités de mesure, c'est ce que révèle la psychophysiologie.

De toute évidence, les sthéniques se prêtent à une identification spontanée rapide. La précipitation est le propre des grandes villes et des sociétés industrielles. Mais certains présentent un fiévreux empressement dans tous les actes de la vie quotidienne : Argentum nitricum est précipité dans ses actes, dans son esprit emprisonné de phobies et de pressentiments. Thuya est un inquiet qui fait tout hâtivement avec impatience et maladresse. Les jeunes gens Tarantula courent plus qu'ils ne marchent ; Sulfur est un actif incommodé par la station debout immobile ; Lilium tigrinum a une précipitation physique accompagnée de pensées en grand désordre et en fuite permanente. Elle s'affole du fleuve impétueux de ses pensées qui la pousse tour à tour vers les pensées charnelles ou la ferveur religieuse. Pour se calmer, elle cherchera à faire plusieurs choses à la fois. La précipitation de l'écriture s'observe et se corrige chez Tarantula hispanica, Argentum nitricum.

Les lents subissent certes la lourdeur du bâti physique (les carboniques) et l'usure du temps (Baryta carb., Gelsemium), le durcissement artériel (Plumbum). Il y a l'indolence naturelle mais aussi la mise à l'abri, le refuge volontaire. Opium vit dans le rêve éveillé ; il est lent à se mouvoir, au travail scolaire son verbe est rare : il est dans la « lune ». Anacardium or s'enferme dans la lenteur calculée qui désespère l'entourage, et son apathie sera entrecoupée de violents épisodes agressifs, surtout à l'encontre de ceux qu'il aime bien (la mère), mais curieusement son courroux s'apaise dès qu'il passe à table. Pulsatilla, aux yeux vite remplis de larmes, à l'exquise douceur, est distraite, étourdie ; sa lenteur est une insécurité. Elle cherche des points d'appui et se sécurise dans les jupes de sa mère. Conium est figé dans le froid du corps et de l'esprit, par une existence habitée par la solitude ; il économise ses gestes ; tout l'épuise. Depuis longtemps, il ne jouit plus des plaisirs de la terre. C'est le célibataire usé, sans désir et sans chaleur...

L'observation du corps à travers le sommeil

Durant le sommeil, votre conscience s'interrompt, il se produit une agréable restauration de vos forces. Le sens du repos nocturne, ses degrés, font partie de votre capital personnel ; et il est fort compréhensible d'être de mauvaise humeur lorsqu'on en est dépossédé. Une activité rythmique originale, très personnalisée, se développe, très proche d'un inconscient où la totalité de notre être semble se glisser.

L'homéopathie observe *les positions* du sommeil : ce sont des attitudes instinctives de refuge ou de confort qui sont riches de sens.

Dormir à plat ventre relève peut-être d'une analyse freudienne : quatre sujets s'y adonnent : Medorrhinum, Colocynthis, Belladona, Bryonia. Pour certains, il s'agit d'une position de confort recherchée par les colitiques à transit rapide et douloureux. Dormir sur le côté gauche entraîne des gênes de cœur pour Lachesis et Phosphorus, ou des rêves de mort (Lachesis, Thuya). Nux vomica et Pulsatilla dorment les mains sur ou sous la tête. Rhododendron croise ses jambes. L'autoritaire et exigeante

Chamomilla, au bas-ventre sensible, écarte les jambes. Certains parlent pendant la nuit, certains crient pendant leur sommeil (bon signe de parasitose chez l'enfant, avec la boulimie, le réveil maussade et hagard le matin).

Certains sont agités pendant leur sommeil comme Nux vomica qui poursuit fébrilement les affaires du jour. Certains se lèvent et marchent. Le somnambulisme définit des structures fragiles qui se réalisent dans l'inconscient. Grincer des dents pendant la nuit est fréquent pendant les états aigus ou parasitaires (Cina) ; mais c'est une situation de défense chez les sujets anxieux, méticuleux qui gardent pour eux et condamnent leur bouche au secret, et les agités du jour qui contractent leurs défenses musculaires pendant la nuit (Kali brom, Coffea, Stramonium).

Les réveils nocturnes sont des accidents de physiologie ou des anxiétés ponctuelles (*cf.* le chapitre « Sommeil »), mais l'état du moi au réveil est un sommet d'information. Les hépatiques sont en général très irritables (Lycopodium, Nux vomica). La laborieuse mise en route du circuit biliaire les rend maussades, silencieux, hargneux. Leur réveil doit être très ménagé durant la première demi-heure dans un silence très feutré, sous peine d'explosion hostile et de colères particulièrement violentes, dénuées de toute finesse de langage. L'état au réveil est souvent envahi par l'anxiété : tous les désespoirs sombres du petit matin ont un sens physiologique. Aurum, Lachesis sont des circulatoires encombrés qui se réveillent las, découragés et sans but Certains ont une peur existentielle permanente (Arsenic). Pour d'autres, il s'agit de rallumer péniblement une flamme qui a été si brillante la veille. Les cardiaques ont de très mauvais réveils, spécialement aux périodes d'équinoxes qui voient leur adaptation précaire mise à l'épreuve (Naja, Crotalus, Lachesis). Natrum sulf. n'émerge en surface qu'après avoir libéré son intestin.

L'observation de l'inconscient et le langage des rêves

Ce serait une vaine prétention pour notre discipline de vouloir approcher des rêves en se privant de l'interprétation affective et symbolique faite par Freud. Dans ce fragment de la pensée nocturne l'imagination visuelle se répand en dehors des contraintes de temps et d'espace, en se peuplant d'éléments symboliques. La fonction du rêve a toujours été insérée dans la pensée humaine. Elle est probablement la condensation des épreuves vécues et des problèmes à résoudre par le sujet. Tout obstacle dans la vie sociale quotidienne nous expose au refuge dans l'imagination passive. La distance mise entre le réel et nous s'amplifie pendant le sommeil. Toute perturbation physiologique, toute intoxication modifie le dynamisme et les rythmes de nos pensées, et pendant la nuit, les cellules souffrantes ou intoxiquées continuent de déverser vers le cerveau des messages d'alerte ou d'inconfort. Vie éveillée et vie du rêve sont des séquences qui se suivent, des variantes de l'unité de la personne.

On peut admettre que le rêve est une pensée primitive essentiellement émotionnelle, actionnée par des tendances affectives infantiles parfois insatisfaites, ou des actes manqués. Freud distinguait les rêves « latents » et les rêves « patents », ceux-là ouverts à un certain angle d'approche physiologique. L'activité mentale du rêve est apparue au cours de l'expérimentation infinitésimale sur l'homme, témoignant d'une unité constante à travers tous les symptômes.

Un sujet sain qui reçoit *Nux vomica 15 CH* deviendra hyperréflectif, spasmodique, agité, agressif et violent. Cette vivacité rendra son sommeil plus léger. Il s'agitera constamment pendant son sommeil, rêvera des faits du jour, conclura la nuit des affaires et, par essence douillet, mauvais malade, hypersensible aux influences sensorielles extérieures — surtout au bruit —, il sera hanté par le rêve de maladies, et cet agressif du jour rêvera de dents qui se cassent ou qui tombent : exaltation sensorielle auditive ou acte manqué chez un sujet au coup de poing facile ! Bien entendu, il ne s'agit pas d'étudier un rêve pris au hasard, inaccessible ou confus : il doit être *précis et répétitif* comme en analyse, et son message cherchera à s'associer à une physiologie troublée ou exaltée.

Il y a d'abord l'exaltation sensitive qui déverse à partir des organes des sens des impressions plus vives que celles de l'esprit (un petit bruit dans l'oreille devient un coup de tonnerre, une petite démangeaison devient un brasier ardent). Macario donne une classification des rêves, hallucinations ou illusions, et leurs connexions avec les vives sensations de la vue, de l'ouïe, de l'odorat, du goût, du toucher ou du contact sexuel. Les intoxications du sensorium engendrent des rêves ; des névralgies sont transformées en torture physique infligée par des bourreaux.

Les affections hépatiques par imprégnations éthyliques fournissent d'importants rêves hallucinatoires d'animaux, de poursuites par des bêtes féroces, de même que les affections aiguës sont marquées par des délires et des rêves d'animaux puissants. La monstruosité de l'animal serait fonction de l'importance de l'agression aiguë et l'énergie de défense mobilisée.

Les rêves sont souvent engendrés par la dégradation de certaines grandes fonctions, respiratoire, cardiaque, digestive ou rénale. Certains rêves d'étouffement s'observent avec réveil vers 2 heures dans les hernies hiatales (Kali carb.).

Les rêves à grands mouvements de déploiement d'énergie sont le fait de Rhus tox qui est toujours angoissé par le repos. C'est le cas du manuel qui, immobilisé par une fâcheuse sciatique, fera des rêves de déménageurs, peuplés de besognes et d'efforts physiques. Les rêves relatifs aux fonctions organiques sont relativement simples : avoir soif est la sensation qui accompagne jour et nuit Natrum mur. Les rêves de faim accompagnent Argentum nitricum et Iodium, authentiques précipités gastriques qui mangent toujours vite.

Les rêves agréables, charmants, plaisants sont le fait des natures généralement grasses, un peu indolentes, amorphes, influençables, apeurées, centrées sur des préoccupations digestives (Calcarea carb., Natrum carb., Graphites, Antimunium crudum). Ils concernent aussi les offensés silencieux dont la réplique verbale sort mal dans les circonstances du jour et qui se composent la nuit une idéation souriante (Staphysagria, Natrum mur, Phosphoric acid). Un remède couvre magistralement la séquence de la vie éveillée et de la vie du rêve : c'est Opium au premier et au troisième âge. On retrouve dans l'enfance un retard total de la perception, une passivité moelleuse au milieu, habitée de lenteur, d'étrangeté, de vie dans les nuages et une absence de contact avec le réel qui alerte les pédagogues Ces enfants au rêve éveillé, au verbe rare, voient leur esprit s'ouvrir par des doses de *Thebaicum (opium) 15 CH,* et la surprise de l'observateur scolaire est parfois grande lorsque les classements font apparaître des progrès inattendus.

A côté des rêves pathognomoniques de désordre physique ou de refoulement, de désirs secrets, il y a des rêves qui n'ont pour seule correspondance que la réalité complexe d'un homme en défense. Une femme, rapporte A. Nebel, présente un eczéma chronique rebelle à toute thérapeutique. En complément de quelques signes généraux d'une grande banalité, elle présente le rêve caractéristique et répété qu'elle se déshabille et se promène nue à travers de longs couloirs. La prise d'*Hyosciamus* amena la guérison d'un eczéma ayant duré vingt ans.

Les rêves d'insécurité et de dangers de mort sont très souvent des prolongements de stress infantiles (querelles, séparation des parents, agressions...). *Arnica* est le remède majeur des traumatismes émotionnels ; il présente des rêves d'agression, de meurtres, de tombes : on rêve de la foudre, d'être enterré vivant, d'être agressé par des animaux : insectes, vers, chats, chiens noirs. C'est dire que le sentiment de malheur est patent et que cette insécurité qui accompagnera le sujet durant toute sa vie sera libérée par des doses d'*Arnica 30 CH*.

Les rêves d'eau et de chute concernent des sujets inquiets d'abord pour leur santé. Les cardiaques ont souvent besoin d'un diurétique pour améliorer le rendement des contractions affaiblies et inefficaces du myocarde (Arsenicum album, Digitalis, cactus). Certains sont affectés par des conjonctivites, rhinites obstructives ou toux quinteuses avec hypo-ventilation (Allium cepa, Arsenicum album, Mephitis) et se sentent enfoncés dans des noyades (torrents de larmes !).

D'autres sont hyporéactifs, indolents, victimes d'une viscosité physique et psychique : ils s'accordent l'illusion d'occuper de hautes situations (Ammonium mur, Kali carb., Sulfur, Thuya). Thuya rêve qu'il tombe d'endroits élevés : déprimé, se sentant toujours coupable et menacé, il sanctionne sa nuit par de grandes émotions. Mercurius, toujours présent dans le signe d'eau, purifie son corps et surtout sa tête des sueurs huileuses, aigrelettes qui l'accablent jour et nuit.

Les rêves de feu sont le prolongement inconscient d'agressions cutanées ou métaboliques. Durant la nuit, la physiologie se ralentit et la chaleur du lit aggrave l'épiderme. La fonction respiratoire peut être altérée (Laurocerasus). Les apathiques anxieux rêvent de feu. Anacardium or, Hepar sulfur sont souvent amorphes pendant le jour, leur instinct justicier éclate pendant la nuit, sous la forme de rêves de feu, contrepoids des actes manqués du jour. Tous les prurits peuvent s'accompagner de rêves de feu.

Un malade se présente à moi couvert de psoriasis depuis le cuir chevelu jusqu'aux orteils. On sait l'embarras du médecin qui affronte cette maladie : c'est l'image d'une affection inconnue, d'un échec thérapeutique certain et celle de l'impuissance de la médecine dans l'approche des maladies cutanées. Habituellement ce genre d'affection bénéficie de l'iode marin et du soleil ; ils amènent une heureuse sédation de l'affection, qui repart de plus belle en hiver. Dans le cas cité il y avait inversion des modalités traditionnelles, de quoi accroître la confusion des esprits. C'est ce genre de situation qui appelle à grands cris la solution individuelle de l'homéopathie. Cette affection avait choisi de s'aggraver en été et de s'améliorer en hiver ; ce patient faisait en outre des rêves de feu (objectivation des démangeaisons qui survenaient à la chaleur du lit) : une dose de *Sulfur* amena la guérison définitive de ce psoriasis.

Les rêves de poursuite sont surtout le fait des structures phosphoriques, déminéralisés, vite accablés par le découragement. La timidité, le manque de confiance en soi, une frilosité permanente, quelques tendances aux idées fixes font de Silicea un personnage désarmé le jour et poursuivi dans ses rêves (et parfois somnambule). La perception de la fragilité de sa structure s'exprime pleinement, tandis que Sulfur, auto-intoxiqué brassant de grands projets parfois utopiques, se voit poursuivi dans des épisodes temporaires de découragement.

Mme Hor, cinquante ans, hongroise, est affligée d'une affection très pénible : un angiome, tumeur congénitale vasculaire horrible qui affecte la face et surtout la langue et une partie du palais. Sa langue double de volume ; elle est parcourue par d'importants boyaux veineux violacés. A l'âge de dix ans, on avait tenté (pour des raisons qui s'apparentent plus à la mode qu'à la logique) de faire une radiothérapie. Elle se présente dans le contexte vasculaire de la ménopause pour une augmentation de volume de la langue qui atteint deux centimètres et provoque de grandes difficultés de déglutition. Elle ne supporte pas la chaleur, n'a pas soif, tolère mal les cols serrés : son remède de fond serait, à n'en pas douter, *Lachesis,* mais elle présente un rêve répété caractéristique : elle vole dans les airs. Les remèdes de la langue sont *Fluoric acide, Hammamelis, Luesinum* (monstruosité anatomique), mais nous choisissons *Apis,* à cause du vol dans les airs. Résultat étonnant : la langue s'affaisse, la déglutition est rendue possible avec *Apis* qui fait disparaître le rêve (on trouve d'ailleurs souvent pour ce genre de rêve *Atropine sulf.,* substance habituellement utilisée pour les ballonnements intestinaux), ce qui laisse penser que, à chaque état, la physiologie fondamentale peut trouver une réponse, et que les rêves ont des racines physiologiques : ici les gaz emprisonnés provoquent le rêve de vol dans les airs.

Les rêves d'animaux sont significatifs de l'émoi psychique et de l'inquiétude biologique (face à un microbe, une inflammation). Ils sont présents dans les désordres intestinaux, les agitations endocriniennes (thyroïde, pancréas). Une patiente de type Phosphorus présentait des rêves de chevaux, de ruades, en périodes nocturnes d'hypoglycémie dans un diabète mal équilibré. (L'enfance, l'adolescence perturbées rêvent beaucoup d'animaux), cette aptitude étant liée à l'accélération de la croissance par l'hyperfonctionnement thyroïdien. Toutes les visions sombres d'animaux agressifs symbolisent la crainte de la vie, avec comme chef de file Arnica, tandis que la présence sournoise des serpents dans les rêves est le fait d'Argentum nitricum et surtout de Lac caninum dont l'administration libère le rêve et tous les symptômes concomitants.

Les rêves où l'on vous querelle sont le fait d'Arnica, ceux des *querelleurs* sont le fait de Nux vomica ;

Les rêves de mort : n'avoir pas enterré définitivement un mort c'est rester encore sous son influence (Arnica, Arsenicum album, Thuya) par l'affliction ou la culpabilité. Il s'agit de situations lourdement affectives. Mais la physiologie homéopathique a ses subtilités. Mme Lachesis à la ménopause rêve de mort, de cadavre, de cimetière. Cette grande intolérante à la chaleur supporte mal les dérèglements de sa ménopause. Elle s'accommode bien du froid de l'hiver et se sent mal au printemps (excitation thyroïdienne) : la nuit, elle assiste à sa propre mort, elle étouffe, et son drap est linceul. D'ailleurs, cette femme ne

110

supporte aucune constriction autour de la taille et du cou, de façon permanente.

Pour Anacardium, le rêve de mort est un règlement de compte d'un sujet passif qui rend sa justice à travers des vécus imaginaires. Thuya n'aime pas dormir sur son côté gauche : il rêve d'enterrement quand le sommeil s'effectue sur sa mauvaise latéralité. Dépressif, obsessionnel, Thuya est un viscéral inquiet, indécis, lourdement attentif aux bruits et aux contractions de son côlon. Ce mélancolique persécuté, sans autre préoccupation que le retour obsessionnel sur soi, se sent parasité par tous les bruits de brassage abdominal avec des illusions de pulsation vivante, de corps étrangers ; pendant la nuit, il se sentira envahi par des rêves de mort lente, de décomposition, de fin polluante.

Les terreurs nocturnes chez les enfants appellent Kali bromatum, Cina (verminose) ; Stramonium, bien connu par la violence de ses colères, dort à plat ventre, a peur de la nuit et réclame une veilleuse. Il a besoin parfois de la main de sa mère pour s'endormir. Mais il se réveille terrifié, ne reconnaît plus son entourage, achève de longs discours incohérents.

Syndrome précieux, fondamental ou accessoire, le rêve fait partie d'un art médical qui n'a pas échappé au psychanalyste et au médecin homéopathe qui, lui, s'appuie sur d'autres signes concomitants. Production individuelle hautement hiérarchisée, le rêve sert à l'information des signaux de détresse : son remède réintroduit le réarmement structural, apaise les intensités conflictuelles. Il épaule les traitements analytiques et ouvre sans pénibles remous les voies de la libération individuelle.

La vie génitale et ses reflets

Il ne s'agit pas de compléter ici l'observation du patient dans son lit et de promener des regards indiscrets sur l'intimité sexuelle. C'est un domaine délicat d'interprétation, et il faut beaucoup de tact au médecin pour que ce dialogue n'agresse pas la dignité personnelle. Les fonctions génitales sont en relation avec l'identité psychique et sexuelle du sujet, et l'on peut apprendre beaucoup des réactions générales du sujet à travers cette circonstance (le bien-être n'appelle aucun commentaire ;

l'épuisement consécutif à l'acte sexuel est plein de sens). On doit rester très prudent dans les appréciations de la fonction génitale. L'humanité ne se livre pas en confession et Kinsey, qui sélectionnait son public, ignorait que les performances sont excessives et les insuffisances à peine avouées. Avec une grande précaution psychologique on peut apprendre que les difficultés sexuelles sont plus facilement surmontées chez la femme que chez l'homme où la défaillance fonctionnelle s'accompagne de désespoir et de rapides entrées dans des états dépressifs.

Dans le domaine de l'adolescence, l'homéopathie se révèle bénéfique : maladresse et insuffisance traduisent un manque de confiance en soi, soit par surtension intellectuelle (elle compromet le désir et abrège l'exécution), soit par complexité d'expression affective qui semble concerner les jeunes générations (le sexe faible est plus audacieux, le sexe fort un peu féminisé et les premières rencontres sont d'une haute fragilité).

Des remèdes comme *Lycopodium, Gelsemium, Natrum muriaticum, Phosphoric acid,* sont des corrections de défaillances et de dépression en régularisant les énergies incertaines et en dominant le trac. A tout instant, la défaillance ou l'exaltation sexuelle indique d'autres perturbations : le remède homéopathique n'est jamais spécifique d'une insuffisance organique : par lui, l'individu compris, restauré, retrouve ses moyens et sa physiologie.

La période prémenstruelle de la femme est un grand carrefour d'observation : c'est un regard plein d'intérêt pour atteindre et percevoir la complexité de nos compagnes ; certaines seront déprimées avant les règles (Conium, Sepia, Causticum, Natrum muriaticum) ; Pulsatilla aura la larme facile ; certaines seront hyperactives et deviendront les déesses du ménage (Chamomilla, Actea racemosa, Nux vomica) ; d'autres ressentiront un grand froid intérieur (Pulsatilla, Silicea) ; certaines sursauteront au moindre contact (Silicea).

Désirs et aversions alimentaires

Bien que subjectifs, ce sont des guides précieux de l'individualisation : ils ne sont pas seulement l'expression d'instincts, mais des désirs profonds de tout l'organisme, des échos du psychisme, lorsque les tendances paraissent irraisonnées. Ce sont des symptômes « bien vivants » qui mobilisent souvent la mimique dans les expressions d'attirance ou de refus. Les désirs échappent, chez l'enfant, aux rigueurs de l'éducation.

Lorsqu'ils sont nets, caractéristiques, les désirs alimentaires sont des éléments convergents du diagnostic. Les désirs de boisson ou d'aliments chauds nous mettent sur le chemin de la personnalité de Chelidonium, Arsenicum album, Lycopodium, Sabadilla. Le dégoût de gras est formel pour Pulsatilla, Ptelea, Cyclamen. L'attirance pour le sel est plus signifiante que les désirs de sucre, qui se multiplient avec les régressions morales. Natrum mur est un voleur de sel : il aime le poisson, mais présente une aversion pour le pain. Thuya rajoute du sel avant même de goûter. Phosphorus et Medorrhinum en sont friands. L'attirance pour les aliments fortement assaisonnés est caractéristique de Phosphorus, Nux vomica, Sulfur et Sepia. Sulfur et Nux vomica sont attirés par les boissons alcoolisées. Sulfur est friand de lait, de farineux, de crèmes sucrées, source automatique de flatulences. Ferrum metallicum et Mercurius solubilis adorent le pain et le beurre. Le désir d'aliments acides place en vedette Hepar sulfur, Medorrhinum, Lachesis et Antimonium crudum.

On verra que certains états sont influencés par la consommation d'acides (états spasmophiles). Ils sont les représentants d'une constitution bien connue pour l'acidité de leurs propos, et leur goût pour ce genre de saveur.

Phosphorus n'aime pas le gras ; il est terriblement attiré par les aliments frais, les boissons glacées, les crèmes glacées. Calcarea carbonica aura une attirance pour les œufs sous toutes leurs formes.

Mme Ignatia est un personnage paradoxal célèbre, défini par l'inconstance de ses désirs alimentaires. Un jour elle supportera à grand-peine une tranche de jambon et une pomme vapeur, et le lendemain, dans de bonnes conditions de compagnie, elle affrontera sans dommage une choucroute grasse.

Mme G., de Nantes, est un être curieux et attachant, exceptionnel, par une sensibilité qui lui fait ressentir des tremblements de terre à deux mille kilomètres de distance. Elle ne supporte pas les liquides, qu'elle régurgite très vite, mais son petit déjeuner du matin consiste en un potage bien épais, où la cuillère se tient à la verticale. Ses manifestations émotionnelles sont troublantes et disproportionnées. Elle sombre dans de grands sanglots ou des rires incoercibles sans proportion avec la cause déclenchante. Elle présente une aversion totale pour l'odeur du tabac qui lui provoque rapidement des migraines, comme d'ailleurs tous les stress de la vie quotidienne.

Certains sont victimes de migraines si leur estomac est vide ou si la faim n'est pas satisfaite à des heures régulières — les hépatiques doivent manger à des heures très précises (Lycopodium, Sanguinaria). Malaises et agitation frapperont Iodium, Valeriana, qui ne sauront sauter un repas. Anacardium, Actea racemosa, Kali phos. apaisent leurs maux physiques ou psychiques en mangeant. Ignatia, Lycopodium, Phosphorus, Psorinum se lèvent la nuit pour manger, et cela favorise leur sommeil. Certains se maintiendront dans la maigreur avec un appétit au-dessus de la moyenne (Iodium, Natrum muriaticum, Silicea, Cina). Gelsemium et Apis n'auront pas soif pendant la fièvre ; certains rechercheront de grandes quantités de boissons. Bryonia, Natrum mur, Arsenicum album, Lycopodium rechercheront de petites quantités de liquides en espaçant les prises, pour calmer leurs symptômes gastriques douloureux.

Enfin, certains seront irrésistiblement attirés par des aliments qui leur causent d'évidentes incommodités sans les détourner de leurs coupables penchants. C'est le cas d'Ignatia, Chamomilla, Argentum nitricum et Sulfur, qui sont régulièrement incommodés par le sucre, dont ils sont friands.

Votre corps est un baromètre général

Certaines circonstances de l'environnement, certaines périodes de la journée, de l'année, des expositions au froid et à la chaleur, entraînent des réponses globales et convergentes de malaise. L'information éclaire la sensibilité de l'organisme entier et non pas d'une de ses parties.

Il y a des moments dans la journée où l'ensemble des malaises se manifeste, correspondant aux dérèglements de nos horloges biologiques (voir « Rythmes biologiques »). Les climats et les saisons sont l'occasion de défaillance des grandes fonctions (Lachesis n'aime pas le printemps et l'automne).

L'adaptation aux sites géographiques aussi est pleine d'enseignements et les plaisirs sensoriels de l'azur ensoleillé et des plages de loisirs sont compromis par des intolérances spécifiques. A la mer, Arsenicum album ne supporte pas le vent, les embruns l'angoissent. Natrum mur, Magnesia mur, Sepia dorment mal au bord de mers iodées et reviennent insomniaques après un séjour de vacances. Medorrhinum et Bromium améliorent au bord de mer les troubles de certains asthmatiques allergiques.

La voie royale du diagnostic, les secrets de votre psychisme

Dans l'art homéopathique, on commence par l'intérêt pour le pouvoir moléculaire ; on est séduit par la pharmacologie de l'infiniment petit, puis on découvre l'unité de la physiologie humaine et on débouche enfin sur le signe le plus élevé de l'individualisation : *le signe mental*. Ce chemin, enseigné par Hahnemann, à travers l'obscurantisme de son époque, renouvelle la définition et la vocation du médecin, dans son dialogue avec l'humanité par le canal de la maladie.

Dans la pratique quotidienne, la priorité médicale est orientée vers la pathologie d'organes, et la thérapeutique exclut les symptômes psychiques, car ils alourdissent les rapports humains, et on reçoit mal cette subjectivité qui aurait tendance à masquer certains signes pathognomoniques de la maladie que l'on voudrait rapidement arracher dans l'unité de temps consacré au malade. S'il fallait mettre l'âme à nu, alors que le corps reste entaché de tant de mystères ! L'interrogation psychique est difficile à introduire dans la nomenclature quantifiée des actes médicaux. Pour Natrum mur et Phosphoric acid qui s'expriment par monosyllabes, la consultation sera courte et l'information abrégée. Pour Lachesis à l'éloquence débordante, une consultation sera à peine suffisante. Par ailleurs, aucune formation ne prédispose le médecin à cette capacité d'analyse ; seuls sa formation personnelle, son éducation, le fruit de ses lectures, sa sensibilité, l'enseignement de la vie avec son vaste champ d'expérience lui permettent de pénétrer dans la psychologie humaine.

L'approche psychologique du malade est la clef de voûte de l'individualisation, la voie royale du diagnostic, l'instance solennelle qui élève le signal de conscience au rang de valeur déterminante dans le choix du remède. Au paragraphe 211 de *L'Organon,* Hahnemann écrit : « L'état moral du malade devient souvent, dans la sélection du remède homéopathique, l'élément le plus déterminant parce qu'il constitue une des manifestations les plus caractéristiques et les plus essentielles de celles qui, entre toutes, doivent le moins échapper au médecin habitué à faire des observations exactes. »

« En homéopathie, écrit encore Thomas Pachero, on ne considère pas la séparation du psychisme et du somatique, de l'esprit et du corps. Les symptômes mentaux, qui constituent le patrimoine de la psychiatrie et que la médecine moderne psychosomatique réclame avec urgence qu'on introduise dans la clinique, sont le plus intime de l'homme, ce qui appartient aux directives inconscientes et aux tendances biologiques les plus profondes, comme la raison intime et le sens de la pathologie. »

Pour Guermonprez, il n'est pas possible de traiter un malade chronique sans faire appel aux signes psychiques. Il appuie, fort justement, cette position sur le fait qu'il lui paraît impossible de développer une affection chronique de longue durée sans que le psychisme soit envahi et modifié profondément par l'emprise de la maladie. Les lésions profondes engagent lourdement le psychisme.

Pour notre part, il nous paraît peu vraisemblable que la part limitée et fonctionnellement présente de nos quatorze milliards de neurones puisse se désintéresser de toute vigilance à l'égard de la manifestation aiguë ou chronique de toute maladie. Les protocoles expérimentaux d'Hahnemann sont des démonstrations de la psychopharmacologie des remèdes. Ils sont, à tout moment, des indicateurs du double niveau de notre représentation psychosomatique ; la maladie est l'image d'un discours intérieur. L'homéopathie ne supprime peut-être pas « stricto sensu » la maladie : elle supprime les réactions de la maladie et de l'organisme et permet à celui-ci de mieux se défendre et de changer la nature de son investissement réactionnel.

Hahnemann a clairement perçu le psychisme dans la totalité du malade, et s'il avait vécu quelques années de plus, nous aurions bénéficié d'un code de caractérologie clair et défini pour chaque remède, avec ses indications physiques et les références à la double structure consciente et inconsciente, qui aurait servi de base aux disciplines psychiatriques. Il convient de parcourir certains livres sur le comportement de la personnalité pour bien mesurer toute la faiblesse de nos connaissances à travers le cadre nosographique des différentes perturbations, découvrir enfin que la personnalité est inséparable de sa base organique, en relation avec l'hérédité.

Jamais méthode thérapeutique ne connut autant d'interprétations. Pour certains, la médecine infinitésimale était une possibilité originale et à moindre frais de traiter les organes malades en découvrant les affinités tissulaires. *Aeculus* agirait sur la circulation veineuse, *Arsenicum album* agirait sur les lésions sèches de la peau, etc. Hahnemann combattait ces pratiques et les appelait « amphibies, sans culottes et demi-homéopathes ».

Pour d'autres, l'accès au signe mental est décisif pour la prescription, c'est le signe privilégié que la maladie révèle à la vie. L'irritabilité matinale, l'exigence affective d'un Lycopodium, l'appréhension sociale de Gelsemium, l'écrasement découragé devant la vie de Sepia, la tristesse viscérale de Sepia et Natrum muriaticum, l'élégance, le sens social et l'élan généreux de Phosphorus pour la misère d'autrui sont des révélateurs d'identité. Le signe psychique est un élément du décor du malade, il ne doit pas interdire l'exploration de l'ensemble.

Les symptômes psychiques appartiennent à des modèles expérimentaux. Ils apparaissent, au cours de l'expérimentation, à de très hauts niveaux de dilution : ils sont à l'extrême de véritables défis aux lois de la chimie, mais le dernier mot reste à l'expérience. La jalousie de Lachesis, la rancune de Nitric acid, la précipitation anxieuse d'Argentum nitricum, la peur de la mort d'Arsenicum album sont le fait de très hautes dilutions (30 CH).

Mlle L. a une telle anxiété avec peur de la mort qu'au théâtre elle choisit sa place près des travées de dégagement. Elle se refuse à occuper le centre du rang, « de peur, dit-elle, qu'on ait du mal à déplacer mon corps en cas de malheur » et, dans le silence de notre réflexion, elle se lève : « Docteur, veuillez m'excuser, il m'est insupportable de voir votre tableau de travers » (anxiété, besoin de contrôle et de vérification : c'est l'image, pour Arsenicum album, d'un manque de confiance en soi et d'une angoisse non maîtrisée).

M. P., trente-quatre ans, originaire de l'île Maurice, se présente avec une coronarite gravissime, obstruction presque complète de la coronaire droite qui lui vaut une place en liste d'attente chez le professeur Guilmet, pour transplantation de cœur. La vogue de ce genre d'opération ayant brusquement décru, on est un peu surpris de voir ce patient gravement atteint chercher les secours d'un homéopathe, les cardiologues considérant à tort que le stade avancé de ces maladies concerne davantage la médecine « orthopédique » et anticoagulante plutôt que la médecine de l'homme total. Nous avons d'autant moins de scrupule à lui accorder nos soins que l'invitation au lit chirurgical se fait attendre et que le malade entend la refuser. Les crises de coronarite se renouvellent chaque nuit, mettant le malade et son entourage dans un émoi compréhensible. Les vasodilatateurs sophistiqués n'y font rien, et le corps médical est obligé de reconnaître que quelques implications psychosomatiques se sont fâcheusement introduites. La gravité organique de cette atteinte cardiaque confère tout naturellement l'angoisse de mort, mais loin de se recroqueviller ou de s'immobiliser, ce patient asthénique calmait ses palpitations par de grands mouvements et de fébriles déambulations à travers la chambre. Avec *Aconit,* ce malade — lisez bien — n'a plus eu de crise depuis quatre mois et la modification — même partielle — du traitement amène la réapparition des crises. *Aconit* a agi sur le désinvestissement psychoconstrictif bien plus que sur l'affection cardiaque.

Pulsatilla : un exemple de psychisme à l'image de sa physiologie

Anemone pulsatilla est appelée la fleur des vents ; c'est la noble expression donnée à la variabilité de cette délicate créature, rayonnante de douceur, à qui l'Antiquité a offert la légende de faire jaillir les larmes de Vénus, le plus émouvant de ses symptômes. L'univers psychique et physiologique de Pulsatilla sera toujours escorté de larmes, sa seule défense. Un peu asthénique, passive, Pulsatilla souffrira d'une circulation veineuse défectueuse, aggravée par la chaleur et son économie souffrira toujours d'un ralentissement glandulaire marqué. (Tous ses malaises auront comme point de départ la puberté.) Sa personnalité dégage une certaine passivité générale, un caractère doux et accommodant, qui fera de Pulsatilla une princesse au charme effacé, vite en pleurs, dont la délicate pudeur s'accommodera mal d'un temps et d'un monde qui transgressent les valeurs morales. De grands problèmes de retour veineux développeront une insuffisance glandulaire avec règles toujours tardives, libérant à peine les surcharges qui s'installent. C'est pourquoi Pulsatilla recherche l'air frais, le mouvement qui lui fait grand bien ou, à la rigueur, se réfugie dans les pleurs qui améliorent toute son économie. Pulsatilla se caractérise par une aversion totale pour les aliments gras, les cuisines lourdes. Elle gâche les grands repas de famille, car toute faiblesse accordée aux nourritures riches sera impitoyablement sanctionnée par une sensation de lourdeur gastrique et de nausées ascendantes.

Pulsatilla, insuffisante veineuse et hormonale, apparaîtra comme l'image de la douceur d'une gentille personne pleine de charme, résignée, silencieuse, un peu soumise, laissant la compétition aux autres pour se réfugier dans la mélancolie. Elle aura souvent l'aversion pour le mariage par méfiance du sexe opposé, avec ce noble attachement aux valeurs morales qu'on n'aime pas transgresser.

C'est une réfugiée un peu immature de l'adolescence qui accepte de se plier avec docilité sous l'autorité de sa mère. La maturité de Pulsatilla sera à l'image incertaine de ses règles. La peur d'être négligée, abandonnée, délaissée ou mal aimée, associée à sa pudeur naturelle, ne lui autorise pas de grandes audaces et souvent elle accepte passivement une domination.

Ainsi *Pulsatilla* deviendra un remède à vocation veineuse, ovarienne, hépato-digestive, drainant les muqueuses, libérant les céphalées et les douleurs articulaires mouvantes, et son indication apparaît à partir de son comportement et de sa délicate physiologie. Après le passage de personnages violents, autoritaires comme Mme Chamomilla ou M. Nux vomica, elle offre un peu de repos au médecin. Le diagnostic jaillit parfois en quelques secondes, apporté par la mère : « Que d'eau doit-elle renfermer pour pleurer pareillement ! » (les pleurs de Pulsatilla !).

Je me rappelle, par contre, l'extrême difficulté et diversité que m'offrit une malade : Mme L., de Clermont-Ferrand : elle présente une agitation et des troubles psychosomatiques certains, avec dérèglement thyroïdien. Deux métabolismes de base viennent confirmer la chose : + 130 %, + 110 % ; le traitement thyroïdien est inopérant et l'individualisation se révèle difficile ; examen complémentaire, fixation radioactive de l'iode : négative ! Échange de lettres avec le chef de clinique qui, sans contester les métabolismes, reconnaît les paradoxes du laboratoire. Cette malade revient peu améliorée par un premier traitement : reprise de l'observation qui est la règle devant l'échec de tout homéopathe ; à ce moment-là, la malade se plaint de peu uriner et, me dit-elle en souriant, « j'urine peu et je pleure certainement davantage ». Cette introduction décisive de *Pulsatilla* a normalisé le métabolisme de base en quelques semaines.

Mme C., soixante-dix ans, mère d'une respectable famille, tient un rôle majeur dans une grande maison où enfants, petits-enfants et large société tiennent place. Son assurance est grande et elle résout en solide femme d'expérience de nombreux problèmes sociaux. Elle se plaint d'un prurit de la commissure interne des paupières absolument rebelle à tous les antihistaminiques. Elle me récite à quelques mots près la pathogénésie de Pulsatilla. Ce prurit est aggravé le soir, amélioré par des compresses froides, au grand air, et s'accompagne de brûlure des paupières : Pulsatilla ; et dans l'intimité d'une fin de consultation, cette femme, qui dirige deux maisons et une importante collectivité familiale, me dit : « Suis-je bête, docteur, lorsque mon mari me fait une remontrance, je m'enferme pour pleurer tranquillement ! » La sensibilité larmoyante de Pulsatilla est une constante référence à l'approche de son identité.

Détection de l'émotivité

L'atteinte de l'affectivité peut par son intensité mobiliser, bouleverser, mettre à nu les défenses ; elle dispute à la raison la maîtrise des émotions. Si nous sommes capables de connaître la « marée » de nos désirs, nous devons faire face à l'océan de ses obstacles.

L'émotivité dérègle l'état affectif, l'équilibre physique, et déclenche l'action : la peur et la colère sont les deux épreuves principales de l'atteinte émotionnelle primaire.

La peur est une brève et intense mobilisation énergétique qui s'atténue avec l'organisation de la défense. Elle entraîne des modifications de vasodilatation (la peur rouge) ou de vaso-constriction (c'est la pâleur). Elle s'accompagne de modifications des glandes sudoripares, salivaires et même endocrines. Le premier remède de la peur est *Gelsemium,* lorsque celle-ci est accompagnée de tremblements, de défaillance des jambes et de stupeur cérébrale. A partir d'une certaine excitation cérébrale et si la peur se prolonge, des désordres vont se matérialiser : spasmes de la musculature lisse lorsque la dépression s'installe : Pulsatilla, Kali bromatum, Actea racemosa. Si le sujet maintient son tonus, s'il se libère par le mouvement, il s'agitera (Magnesia phos.) ou explosera (Colocynthis, Stramonium). Les pleurs prolongés mettent en tension le système artériel (Cactus) et aboutissent à l'épuisement cérébral (Kali phos., Phosphoric acid, Picrid acid, Cocculus) (lenteur de la tête et des jambes).

Avec Opium, les effets de la peur concernent l'inhibition, la sidération, le refus de parler ou se prolongent par la perte des règles (Apis). Ainsi se dessine l'évolution en degrés de la peur : Gelsemium vers Opium, vers Phosphoric acid (indifférence à tout, refus de vivre).

La sensibilité aux réprimandes

La susceptibilité c'est la vive mobilisation de l'amour-propre qui fige dans une attitude ombrageuse ; la pâleur s'installe chez le bilieux à l'irritabilité refoulée et pourra déclencher de terribles colères secondaires.

Staphysagria est un remède éclatant du XXᵉ siècle où la violence des relations humaines fabrique sans nuance des exécuteurs ou des exécutés. C'est le remède de la vexation, du dépit amoureux (par prurit cérébral), de la tracasserie administrative des victimes de la névrose hiérarchique (le chef de service qui en fait voir de toutes les couleurs), de toutes les offenses tenaces. Nux vomica est un irascible qui allume les conflits : c'est l'agresseur impulsif. Staphysagria est trop digne (ou pas assez puissant) pour se battre ; il rentre chez lui révolté et tremblant, les traits vivement marqués de l'abattu qui va sombrer dans l'indifférence (entrecoupée de vives réactions explosives à l'égard du conjoint). Les symptômes objectifs de Staphysagria sont ses éruptions (après offense) et la « nervosité » de son appareil urinaire. L'agression cérébrale se prolonge curieusement par un besoin fréquent d'uriner, une pression de vessie soulagée par une émission d'urine claire. Au XIXᵉ siècle, le sujet Staphysagria dépressif, sombre et solitaire, était présenté comme un individu constamment sous l'emprise d'idées fixes sexuelles.

Au stade freudien « anal » de la première enfance, s'installe de l'incontinence ou une constipation volontaire. Staphysagria a gagné une solide réputation auprès des adolescents aux yeux cernés, à la puberté lourdement assiégée par les évocations psychosexuelles. A l'âge adulte, ce remède était consacré à tous les refoulements, aux abstinents de la vie sociale (marins aux longs cours, femmes fidèles ou veuves sages, religieux, soldats écartés de leurs foyers ; autant d'indications qui peuvent faire sourire dans notre temps). Mais Staphysagria a gagné les galons suprêmes face à toutes les humiliations ou insatisfactions, avec ce symptôme moderne de la boulimie nerveuse, cette fuite en avant vers l'aliment pour ignorer ses propres problèmes, avec l'air cerné, ravagé, des mal-aimés, et ce geste permanent vers la cigarette qui leur noircit les dents et les poumons.

Tout le monde est sensible à la réprimande : les grands susceptibles ont des racines psychophysiologiques qui les relient à la Sycose ; cet état se caractérise par des productions cutanées, kystiques, tumorales cutanées, par l'excès, mal contrôlé, de la productivité cellulaire ; l'hypertrophie à l'échelon mental est précurseur des idées fixes et des états obsessionnels : c'est pourquoi le médecin homéopathe recherchera auprès des représentants de la Sycose (Thuya, Natrum sulfuricum, Staphysagria, Medorrhinum) les liaisons entre l'intensité du psychisme et certains signes inquiétants de la désorganisation cellulaire.

La susceptibilité d'Aurum est la cuirasse des grands autoritaires pour qui tout est sans appel. Argentum nitricum ressasse constamment les coups reçus et pour la puissante Lachesis, la susceptibilité peut être l'occasion d'une rigoureuse réaction (passage à l'acte, lettres, appels, messages tranchants comme l'épée).

La susceptibilité émotionnelle peut se traduire par un relâchement des sphincters chez Opium, Ignatia, Argentum nitricum et surtout Gelsemium qui s'oblige à remuer pour ne pas ressentir les battements de son cœur.

Face au stress, la réaction se fait contre soi ou les autres. On peut s'exciter, se spasmer et le sommeil s'échappera d'un cerveau échauffé (Ambra grisea, Coffea, Ignatia). Les sphincters se relâchent par les coups de l'anxiété (Gelsemium, Argentum nitricum). On se fâche violemment (Colocynthis, Aurum, Nux vomica, Staphysagria). La réaction va jusqu'à la dépression, l'épuisement (Ignatia, Natrum mur, Phosphoric acid, Kali bromatum, Zincum).

Colère et impulsivité : Ces reliefs de l'affectivité entraînent la perte de la maîtrise de soi dans les conduites humaines. La colère, état affectif violent, tend à abattre au plus vite la résistance rencontrée. Elle déploie une force ivre de supériorité et de puissance avec le goût de la représaille, l'impulsion à blesser l'autre, la rage et l'impuissance. On deviendra fier, redresseur de torts, sans pouvoir rien redresser. Les répercussions sont importantes sur le plan physique (pâleur ou congestion). Elles vont de la sécrétion sudorale aux spasmes de la musculature lisse, jusqu'aux désordres vasculaires et l'épuisement cérébral.

Les colères peuvent être rouges chez les sujets à forte tonalité vasculaire. Elles sont promptes et terriblement explosives chez Aconit, Aurum, Hyosciamus, Stramonium et surtout chez l'irascible Nux vomica, représentant éclatant de l'humeur hyperréflective et hargneuse ; l'épouse, victime coutumière, baissera préventivement la tête en disant « qu'il a toujours raison ». La colère peut être blanche chez les bilieux (Lycopodium), ou les grands nerveux (Staphysagria). Elle peut s'accompagner de grossièreté et de jurons pour Cereus serpentinus 9 CH (variété de *Cactus*), Anacardium or, Chamomilla. La colère s'accompagne d'envie de briser, de casser chez Pulex (la puce) avec congestion de la face. Stramonium convient bien aux enfants à la fois peureux et coléreux, prompts à frapper, à mordre, à proférer des injures. Lycopodium est particulièrement irritable au réveil ; il ne parle pas, n'aime pas qu'on lui parle, et les échanges doivent être très prudents durant la première demi-heure.

La jalousie : C'est un état dominateur intense, qui provoque la refonte profonde de l'affectivité. C'est une disposition rapidement morbide ; en dominant l'esprit, elle aliène le sujet et le jette dans une lourde exclusivité. La jalousie appartient — paraît-il — à l'enfance, mais lorsqu'on mesure l'extraordinaire fréquence qui frappe les adultes, on peut parler d'enfances systématiquement prolongées. La jalousie mobilise la défiance, l'astuce, la critique aiguë et la crainte permanente de se voir négligé. Les remèdes homéopathiques sont intéressants par leur petit nombre et leur haut pouvoir d'identification.

La jalousie peut être à composante circulatoire : aiguë, intense : Apis (orage vasculaire) ; subaiguë, tenace : Pulsatilla ; chronique au troisième âge : Lachesis.

La jalousie de l'enfance entraîne une intense mobilisation active réflexe par aberration violente (coups, injures) : Hyosciamus : champion de l'agressivité, du coup bas, de la cruauté gratuite ; Stramonium : colère et injures très violentes, avec toutefois la peur de l'obscurité ; Calcarea phos. : jalousie par insécurité au milieu d'un groupe, d'une famille importante.

La jalousie réflexe ou l'échec des vaincus : Ignatia : soupirant par perte de l'être aimé ; Nux vomica : habitué à la victoire, il est battu sentimentalement (mais cela ne durera pas...) ; Thuya : jalousie de la femme, rivalité dans le don de soi et l'offre de son corps ; Phosphoric acid : on sombre dans l'indifférence en regardant au loin l'être perdu.

Sans oublier pour toute forme de jalousie le remarquable désensibilisateur : Staphysagria.

La réaction larmoyante : Pleurer est une manifestation de la sensibilité qui libère les tensions psychiques : chacun y met sa manière. Les mauvais esprits diront qu'ils sont un secours, un appoint non négligeable pour le métabolisme. Chez Graphites, tout est désespérément sec : la peau est dure, épaisse et sans sueur, et les muqueuses oculaires sont d'un grand recours pour une économie bloquée, en laissant sourdre des larmes physiologiques. On pleure au moment des règles (Pulsatilla, Ignatia, Natrum muriaticum, Phosphorus), mais c'est sans conteste Pulsatilla qui glane à tout âge les palmes de l'écoulement lacrimal. L'enfant Causticum pleure au moindre ennui, au moindre embarras ; il sera toujours inquiet au crépuscule et son insécurité se traduit par de l'incontinence nocturne.

Le refus de pleurer ou l'allergie à la consolation est une attitude hautement révélatrice de la dimension humaine : chez les grands solitaires indifférents (Sepia), ombrageux, orgueilleux (Natrum muriaticum), chez les émotifs qui ruminent (Ignatia) enfin chez les sujets fragiles (Calcarea phos., et surtout Silicea), mal assurés, mais têtus, qui se refusent douloureusement à recevoir la pitié.

Le refuge de la solitude : On est surpris par le développement et le maintien de cette tendance à tout âge ; on ne regarde plus autrui, on se sépare du prochain, on vit comme à distance, on se rétracte, on se retire dans l'isolement ou l'hostilité glacée. Le désir de solitude est total chez Natrum muriaticum ; il faut l'interpréter chez Lycopodium, qui se sécurise par la discrète présence d'un tiers. Sepia devient solitaire et indifférente par épuisement (elle ne sait pas pourquoi elle n'est plus attirée par ceux qu'elle devrait aimer). Anacardium or hait les gens, Baryta carb., saisi par la vieillesse, les appréhende ; le sillon de son dernier chemin semble tracé. Nux vomica s'abstient de fréquenter les autres, qu'il pourrait agresser sans les connaître, tant est grand son désir de contredire. Ambra grisea perd tous ses moyens devant les étrangers.

Platina a l'habitude de contempler de toute sa hauteur. Une hypersensibilité de soi va la conduire à l'égocentrisme, à l'orgueil, à une hypertrophie de soi avec un certain dédain des autres. C'est un personnage asthénique, excessif, spasmé, un peu simulateur, se fabriquant des réactions exagérées. Cette tonalité hystérique semble concerner le refoulement de ses propres désirs d'expansion. Très sensible à l'esthétique et à l'harmonie des couleurs, elle évolue mal dans un monde de planification démocratique. Elle se pare de bijoux ou de vêtements précieux, parce qu'elle redoute de passer inaperçue. Mais derrière le déguisement ou l'attitude provocante, ce personnage fuyant ne se laisse pas approcher ; jouer, afficher un rôle, permet d'éviter la vraie rencontre avec autrui. Platina, grande séductrice ? Plutôt refus profond d'être femme. Elle nie le besoin de l'homme parce qu'elle sera déçue par lui de toute façon. « Le comble de l'orgueil, c'est de se mépriser soi-même. » La solitude, pour Platina, c'est le droit supérieur d'être inégal au grand nombre.

Avoir besoin des autres, c'est avant tout apaiser ses peurs, ses phobies (Arsenicum album, Lycopodium), mais c'est aussi répandre sa sympathie et être à l'écoute des problèmes humains. C'est la mission toujours réussie de l'élégant Phosphorus, qui sait porter haut sa sensibilité et son altruisme : toujours présent à l'écoute des autres (l'élégant protecteur des chiens perdus, sans collier).

Les peurs irraisonnées : Ce sont les grandes défaites de l'émotivité, les fuites sans appel devant la signalisation inconsciente du danger. Face à cette tonalité psychique, l'homéopathie s'applique à renforcer les structures mal assurées.

Peur de l'obscurité : Aconit, Gelsemium, Causticum, Stramonium ;

Peur des espaces étroits (d'étouffer), des ascenseurs : Aconit, Argentum nitricum, Lachesis ;

Peur des tunnels : Arsenicum album, Pulsatilla ;

Peur de la foule : Aconit, Argentum nitricum ;

Peur d'être seul : Arsenicum album, Argentum nitricum, Lycopodium, Phosphorus ;

Peur des couteaux : Alumina 30 CH.

J'ai guéri deux cas d'impulsions à tuer à la vue de la lame d'un couteau : circonstances particulièrement dramatiques car mettant en présence des êtres qui s'aimaient sincèrement. Un jeune fermier décrochait son fusil à la vue de la lame brillante d'un couteau et en menaçait sa femme. Un maçon italien pacifique adorait son épouse et se mit à souffrir de semblables impulsions. Ces impulsions tragiques surviennent brusquement. Un interrogatoire attentif nous permit de découvrir que ce maçon passa de l'équilibre à l'aberration meurtrière, quinze jours après des travaux dentaires (la mise en place d'un amalgame d'aluminium). La prescription d'*Alumina 30 CH* et l'ablation du matériel dentaire a guéri cet état pathétique. Ces considérations peuvent laisser le lecteur incrédule. L'expérience montre cependant des allergies individuelles croissantes aux corps étrangers dans le corps représentés par les métaux, et dont la désensibilisation peut se faire à dose infinitésimale : exemple de modification de libido, chez des femmes porteuses de stérilet de cuivre *(Cuprum 30 CH)*.

La perception du temps vécu individualise, bien entendu, les hautes instances de l'anxiété. Le temps passe trop lentement d'abord pour Argentum nitricum : le roi de l'anxiété par les aiguilles de l'horloge ; son anxiété allonge le sablier du temps. Glonoin est dérythmé par les violents afflux de sang au cerveau et ses pensées sont trop rapides. Medorrhinum et Nux vomica font tout avec hâte ; ils recherchent l'excès de travail pour justifier « qu'ils ont trop à faire ».

Le temps passe trop vite pour Cocculus ; à cause de sa lenteur, de son inefficacité et de son hypersensibilité. Theridion et Thuya sont des accélérés agités désordonnés, hâtifs et peu efficients.

Les pensées de mort représentent le plus haut échelon de l'intimité humaine ; dans les fibres les plus secrètes de la personnalité s'abritent les instincts de conservation, les dégoûts de la vie, les pensées et les peurs de la mort ; bien entendu, cette pensée escorte la morbidité de la dégradation organique. Les atteintes successives du corps alimentent la conscience de la mort. Les grands remèdes structurés de la matière médicale, dont le génie infinitésimal s'est inspiré d'une lourde toxicologie (arsenic, phosphore, mercure, les venins), renferment cette notion de mort dans leur image défensive, et les intoxications accidentelles (ou volontaires) par doses pondérales d'arsenic témoignent que l'angoisse de mort la plus aliénante était bien, selon la loi de similitude, celle d'Arsenicum album. Mais il est très curieux de voir le sentiment de mort accompagner systématiquement des états aigus banals, épisodes fébriles banals, malaises passagers, circonstances insignifiantes qui laissent éclater les pensées de mort. Belladona, Aconit, Cactus sont des remèdes végétaux à action vasculaire instantanée : les états aigus qui les concernent sont accompagnés de pensées de mort. Aconit est phobique de la mort imminente ; chaque sensation de constriction réveille chez Cactus la peur secrète de la mort (et ces deux remèdes sont hautement actualisés dans le syndrome de spasmophilie, état constitutionnel d'hyperexcitabilité neuromusculaire qui fait exploser les tendances névrotiques du XXe siècle, avec peur imminente de la mort, en provoquant de spectaculaires admissions hospitalières.)

Les pensées de mort d'Arsenicum album traduisent une angoisse existentielle très profonde. Elle existe chez l'enfant lorsqu'une affection asthmatique raccourcit le souffle et contraint à une vigilance aiguë, à des précautions. Les élans de la vie sont freinés. On limite ses jeux ; on ne court plus dans la cour de l'école ; on sécurise sa vie quotidienne par des rituels d'ordre, de ponctualité, véritables antennes tendues vers le danger : affaires et objets personnels seront soigneusement rangés. Ce souci d'ordre qui va jusqu'à l'extrême rigueur vestimentaire, contrastant singulièrement avec l'enfant de type Sulfur ou Thuya qui sécrète le désordre à chaque pas. Il lui restera la supériorité cultivée de l'esprit sur l'insolente santé physique des autres. L'univers de l'adulte sera occupé par la méticulosité, le perfectionnisme, le pessimisme foncier, la crainte des situations dangereuses. Il sent, « de toutes les agressions extérieures, la plus inexorable de toutes : la marche inexorable du temps », et l'impitoyable perception de la mort, seule vérité ici-bas !

Les dispositions constitutionnelles définissent en quelque sorte un squelette biologique de la personnalité, intimement lié à ses aspects psychologiques. C'est l'ouverture vers la trame intérieure qu'un sujet verra modifiée par le parcours de vie et les empreintes de son parcours de vie. Ce cadre est parfois significatif et les études de Vanier ont dessiné le Carbonique comme sujet ordonné, lent dans son action et sa réflexion. Son autodiscipline le prédispose à la plénitude équilibrée de ses forces psychiques et physiques. Son penchant à la régularité, au rythme, à l'ordre, le rend gardien de l'équilibre matériel.

Ce ponctuel, sobre, soucieux de sécurité et de finesse d'exécution jusqu'au moindre détail, est un homme de raison, sans illusions, allergique aux constructions imaginaires. Ce responsable s'affirme par la fermeté de ses assertions et se retranche dans un univers sans expression. Sa droiture exclut la fantaisie et son verbe n'est pas l'image d'un jaillissement continu. Si les émotions n'ont pas de prise sur lui, sa vie intérieure et sa mémoire vont singulièrement se dégrader au troisième âge.

Le Phosphorique est le sujet de tous les élans, création, affection, intellectualité ; sa structure émotionnelle le prédispose à une fatigabilité rapide. Il entreprend sans terminer. Le regard qu'il promène sur la vie est l'image de sa perception subjective. Sa fine sensibilité le prédispose à de larges effractions ; imaginatif, artiste, il a le plaisir de l'ébauche sans la résistance pour achever. Ce cyclothymique est vite emballé et vite déprimé. Il se réveille souvent plus fatigué qu'il ne s'est couché, et surtout il présente une hyperesthésie à la douleur.

Le Fluorique a une mobilité et une labilité significatives indécision, instabilité, caractère désordonné et fantasque, son intelligence intuitive l'oriente vers une assimilation sous-jacente, les constructions s'écroulent au même rythme que l'abondance de projets.

Son instabilité met en danger les responsabilités que la société peut lui confier. Son horreur des contraintes, de la monotonie, lui fait voir le monde à sa façon, avec le souci de modifier tout ce qui a été correctement mis en place par le Carbonique. Ce goût des réalisations immédiates et irréfléchies, cette ignorance des règles de la vie font de lui un instable, en proie à diverses phobies (peur de l'orage dans la nuit, de manquer d'argent). C'est l'image d'une dystrophie morphophysiologique étendue au mental.

Les comportements mentaux sont les signaux d'une énergie mouvante impalpable, que l'on saisit par l'intensité et la qualité ; les causes d'agressions psychiques viennent prendre le même rang que les agents microbiens spécifiques et, pour Selye, certaines maladies « n'ont pas de cause simple, mais dépendent des constellations pathogéniques d'événements », avec en tête les facteurs sensibilisants, les stress émotionnels.

Pour Hahnemann, l'intensité d'un choc psychique sur un terrain prédisposé déclenche la maladie lésionnelle : des chagrins profonds mettent sur la voie de la cancérisation du corps.

Les signes mentaux sont ceux qui personnalisent le patient au plus profond de lui-même : ce sont les symptômes humains les plus purs, les plus intimes, en harmonie profonde avec la loi de similitude. Le signe mental est le choix, la recherche d'une

129

certaine indépendance de la personnalité, l'appréciation d'une façon de réagir propre à chacun. Le fonctionnement de notre pensée est lié à la prise de conscience de l'existence et à sa défense vis-à-vis du monde extérieur. Pour le professeur Baruk, le développement de la personnalité chez l'enfant est marqué par l'intégration des processus affectifs élémentaires vers des actes organisés et polarisés.

Les stades de ce développement montrent la pression de l'affectivité et de l'émotivité sur la volonté et la profondeur des phénomènes affectifs qui semblent un des attributs de la matière vivante, même élémentaire et non organisée. L'être humain sent et souffre et désire avant de comprendre et d'agir.

Kent et Hering ont mis en évidence, après Hahnemann, un mouvement général de la santé et de la maladie qui procède du haut vers le bas, du centre à la périphérie, du cortex cérébral vers les parties les plus externes. « Le principe d'unité est la base de chaque être, de chaque mesure fixe, de chaque étalon. Chez l'homme, le siège du gouvernement du système nerveux se trouve dans son encéphale, et c'est de là que chaque nerf et chaque cellule sont gouvernés. De ce centre toute action qui s'opère se traduit en bien ou en mal, en ordre ou en désordre. » « C'est à partir de lui que la maladie commence, comme de lui part toute guérison » (Kent).

Mais le recours au psychisme est une opération à risques, la prudence devant les passions s'impose ; l'art du médecin doit s'exercer avec tact, sous peine de sombrer dans les à priori personnels ou les réponses inspirées. L'art de la récolte est difficile : il y a beaucoup de jardins secrets et de façades trompeuses. Une fracture ou une luxation de cheville n'implique pas le recours au signe mental !

Hahnemann évoquait la totalité de l'information et la sélection des signes. Dans une affection mentale, la déformation des symptômes est grande et le recours aux signes généraux, désirs et aversions aux signes physiques est *la règle*. Les affections organiques de longue durée modifient le psychisme et le symptôme mental prend toute sa priorité : la direction réactive de l'être humain s'appuie sur l'expression sensible.

L'homéopathie est l'art de négocier les symptômes avertisseurs

130

d'un psychisme qui précède, escorte ou révèle les autres symptômes du corps.

Le monde psychique existe, ainsi que le droit à la paix intérieure. « Un accordeur de piano a rendu l'harmonie à l'instrument, écrit Kent. Il n'a rien ajouté, rien enlevé, et cependant il lui a rendu l'harmonie. Et pourtant un changement s'est produit. Inconnu pour celui qui ne pense pas, mais visible pour l'œil intérieur. »

L'art de soigner n'est pas seulement celui de raisonner, de penser, mais aussi de déchiffrer les messages cachés d'un dialogue. Or, le symptôme objectif « signifié » n'est que l'émergence d'une vérité plus profonde, d'une face cachée, de l'inconscient opposé au manifesté, d'une affirmation exprimant parfois son contraire.

Hahnemann est incontestablement un précurseur de la psychosomatique moderne en ce sens que l'accès à la vie interne est indispensable à l'art de guérir ; mais les signes affectifs sont des éléments de protocoles expérimentaux qui ne nécessitent pas d'être convertis en une théorie psycho-analytique. Notre attitude n'est pas une simple psychothérapie puisque le remède est le vecteur essentiel de la thérapeutique. C'est la totalité des symptômes qui a permis à Hahnemann d'accéder aux états d'âme, aux passions et même aux rêves, et de provoquer d'authentiques guérisons mentales.

A la recherche des causes : Depuis que...

La cause des troubles est une préoccupation de la recherche médicale, ses démonstrations les plus sûres concernent la lutte antimicrobienne, inaugurée par la démarche de Pasteur. Mais la maladie ne se résume pas à une lutte contre les agresseurs venus du dehors : le tableau d'une affection chronique se dégage de toute cause première et le malade, responsable de son mode de vie, a abandonné l'interrogation réfléchie sur soi ; il interroge la science sur les causes externes de la maladie.

La fonction médicale éloignée de celle de l'assureur-conseil, se limite à l'investigation biologique et aux unités de mesure scientifique.

En homéopathie, la relation causale, l'étiologie sont une

131

enquête primordiale qui ne s'écartent jamais de l'identité du patient. Tout n'est pas relié au présent contemporain. L'approche de la maladie se fait toujours par la recherche d'une rupture initiale d'équilibre, par un événement, une agression, et notre société nous inonde d'une notion nouvelle : le stress, mal mystérieux de civilisation, qui prend une extension considérable dans les dérèglements de la santé. Il existe une relation indissoluble entre le malade et sa maladie, les microbes les plus redoutables comme ceux de la diphtérie, le streptocoque hémolytique peuvent être trouvés dans le pharynx d'innocents promeneurs sans que l'on détecte la moindre maladie. Il faut une fragilisation première, un événement pour que la maladie s'ébranle ; et le stress est une réponse d'adaptation à une cause extérieure propre à chaque personne, c'est la cause première du dérèglement physiologique et le professeur Selye écrira : « L'homme moderne doit apprendre à s'adapter, sinon il sera voué à l'échec professionnel, à la maladie, à la mort. » « Ma vie est à la merci du premier fou qui saurait me mettre en colère », disait un médecin.

Le concept du stress a du mal à s'installer dans notre horizon rationaliste. Pourtant, stress rime avec détresse, et les épines irritatives de la vie quotidienne ont des effets pathologiques à distance. L'homme est de plus en plus condamné à la lutte ou à la fuite (*flight or fight*), et il perd les processus coordonnés de sa régulation. Les changements de fonction, les déracinements, les atteintes au rythme biologique dans les conditions de travail (les séparations, les divorces, la retraite, l'agression administrative, la sursaturation intellectuelle des dirigeants), tous ces facteurs vulnérabilisent le point le plus faible de chaque individu, et déclenchent des maladies à distance, bien plus que les causes médicales recensées. Le panorama pathologique est en pleine mutation ; les grands fléaux maîtrisés laissent en vedette des causes de décès qu'aucune prévention efficace ne saurait écarter : le cancer, l'athérosclérose, la bronchite chronique, le rhumatisme, l'hypertension artérielle, la sénescence.

Dans le monde homéopathique, la notion de stress, le « depuis que » est l'instance privilégiée solennelle de la dégradation biologique et le remède infinitésimal peut remonter le cours de l'histoire.

132

« Depuis la mort de mon mari », « depuis ma dernière opération », « lorsque j'ai été cambriolé », ces causalités deviennent les fissures de l'équilibre psychosomatique, passage inaugural de la santé vers la maladie.

Une religieuse resta ensevelie sous les bombardements du Havre, en 1944, pendant trois jours ; quelques mois plus tard, un tremblement s'installa. Elle se présenta en 1972 à notre cabinet et à partir des symptômes observés, elle reçut des doses répétées d'*Arnica 30 CH* qui mirent fin à son pénible état...

Une patiente affable, sensible, intériorisée, nature exceptionnellement douce, vient se plaindre d'un vertige de Menière, avec d'insupportables bourdonnements d'oreilles. L'événement est survenu après une brusque colère. La guérison fut obtenue par *Aconit*, remède de brusque congestion cérébrale.

Les stress répétés de la vie moderne bénéficient chez les intériorisés de l'incomparable *Ignatia*.

Quand on comprend l'univers psychique précédemment décrit, on se rend compte que la vie est un cortège d'agressions, bien plus redoutables que les combats microbiens, et lorsque deux êtres cherchent à se nuire sous un même toit, ils peuvent se détruire dans un impitoyable homicide qui échappe à toute notion de justice. L'enquêteur médical a donc grand intérêt à analyser causalité et environnement.

Signes étiologiques

Suite de mauvaises nouvelles : *Gelsemium, Ignatia, Opium.*

Suite de chagrin : *Ignatia* +++, *Aurum, Causticum, Cocculus, Natrum mur., Phosphoric acid, Staphysagria.*

Suite de colère ou de contrariété : les hyper-réflexifs : *Aconit, Chamomilla, Colocynthis, Ignatia, Nux vomica, Platina, Staphysagria, Ipeca.*

Suite de pleurs : *Aconit, Ignatia, Natrum mur., Opium, Phosphoric acid.*

Suite d'humiliations : *Staphysagria.*

Suite d'excès sexuels : *Lycopodium, Nux vomica, Phosphorus, Sepia, Staphysagria.*

Suite de reproches : *Opium* (se renferme).

Suite de surprises agréables : *Coffea.*

Suite d'abus de boissons alcooliques : *Asarum, Nux vomica, Lachesis, Selenium, Sulfur, Sulfuric acid.*

Suite de pertes de sommeil : *Cocculus, Nux vomica.*

Suite de peurs : *Aconit, Ignatia, Lycopodium, Natrum mur., Opium, Phosphoric acid, Pulsatilla, Silicea.*

Suite d'émotions fortes (guerre, décès, trauma d'enfance) : *Arnica.*

Suite de déceptions amoureuses : *Ignatia, Hyosciamus, Natrum mur, Apib.*

Suite de surmenage intellectuel : *Kali phos., Selenium, Picric Acid, Argentum nitricum, Sepia, Silicea.*

Perte de fluides organiques : *China* (opération).

Épuisement après le coït : *Calcarea carb., Selenium, Conium, Phosphorus* et *Phosphoric acid, Kali phos., Staphysagria.*

Ainsi l'homéopathie, thérapeutique de l'unité de l'homme, sait neutraliser les effets du stress. Si d'un côté on préconise les méthodes qui privilégient la détente psychologique, le retour à la relaxation, au yoga, au training autogène de Schultz, avec l'appoint de la vitamine C, du magnésium et des tranquillisants, de l'autre côté l'homéopathie, véritable théorie du comportement, individualise le parcours de l'être humain en l'aidant d'abord à se connaître, à dédramatiser les conflits, à dépasser en quelque sorte ses propres stress. A travers la diversité humaine, elle enseigne un art de vivre face à toutes les hypertrophies.

Nux vomica : l'agité des temps modernes

Un des maux qui affectent notre civilisation, la singularise, c'est l'agressivité. Ce courant d'excitation est, paraît-il, indispensable à la réussite et à la compétition. Elle est donc promise à une brillante promotion, et Nux vomica est le champion le plus représentatif de cette forme d'inflation.

D'emblée, en franchissant le seuil de la porte, le personnage se présente : impatient, jamais content, tendu par l'effort, il donne l'image d'une irritabilité et d'une violence qu'il ne saura maîtriser. Il n'aime pas attendre et il se fâche avec le premier

134

venu ; le moindre obstacle du jour sera motif à explosion ou à querelle. Il reconnaît son intolérance, mais c'est auprès de l'innocent, de l'étranger qu'il jettera ses flammes et son courroux. Lorsqu'il est maître d'un volant ou d'une machine, la moindre provocation le jettera dans la fureur et le règlement de comptes. C'est l'opposant obstiné à tous les autres, le sourcil en bataille, le timbre haut, dans les querelles qui s'allument. Sa femme dira de lui, dans un sens évident de conciliation : « Il a toujours raison... »

Nux vomica est bien reçu dans la société, car, si l'on doit supporter son ton de commandement, il sait se vouer au travail : c'est l'hyperactif qui se tue à la tâche. S'il fait des reproches aux autres, c'est qu'il est lui-même rempli de zèle dans l'action. C'est l'homme qui injecte toute sa chaleur, sa puissance, dans l'effort du jour ; c'est l'homme intraitable des dossiers. Mais pour couvrir le présent, suivre le moindre détail, il doit stimuler sa mémoire : alors il fume, il se dope, il cherchera tous les stimulants pour alimenter son ardeur. Le voilà en face de la civilisation et de ses excès : ses drogues seront la bonne chère, la sédentarité, les excès de toutes sortes, le téléphone à chaque main pour transmettre les commandements et franchir les obstacles. Et pour éperonner le temps, il se tournera vers tous les stimulants de la pharmacie : ceux qui fortifieront son foie, son estomac, son cerveau, toujours taxés de quelque paresse.

Mais sa fatigue accroît son autorité, ses exigences, ses impulsions : il perd souvent la proportion des faits qu'il dramatise et tout lui paraîtra insupportable, en tout cas motif à explosion devant un entourage silencieux et soumis.

L'ardent deviendra dégoûté, maladroit, colérique, gémissant. L'ordonnateur attentif des grands programmes s'irritera pour des vétilles, pour des « queues de poires », affirmera son épouse. Mais le génie de Nux vomica ne concerne pas que le sexe masculin. Notre civilisation fait perdre à la femme ses exquises rondeurs et le charme de son caractère. Ce n'est souvent plus la douce compagne : elle fume le cigare, mène l'action, dirigera l'entreprise. Elle semble prendre ce qui commence à faire défaut à l'homme : sa virilité. Et la voilà présente dans les grands immeubles de la cité, si riches en compétitions et en intrigues, en vainqueurs et vaincus ; dès qu'une intrigue aura laissé sur le carreau quelques gens bien honnêtes, souvent Nux vomica est passé par là !

Ce sujet actif est le portrait du nerveux, bilieux, et bien entendu, fonctions hépatique et nerveuse seront les points faibles de sa constitution. Il dormira très mal après s'être tué au travail durant le jour ; il ne saura pas trouver le repos de la nuit ; ses membres tendus s'agiteront avant et pendant le sommeil. La nuit, il continuera à négocier les affaires du jour, la compétition continuera dans l'inconscient : il négocie, il conclut, il se bat, il se querelle. Il se réveille à 4 heures du matin et se rendormira à l'heure précise où le réveil sonne. Le matin sera l'instance la plus pénible : fourbu, nauséeux, la bouche pâteuse, le réveil sera silencieux, morne et hargneux et l'entourage sait qu'il ne faut prendre aucun risque dans cette heure peu glorieuse de la vie de Nux vomica.

Aussi ne sera-t-on pas surpris qu'une petite sieste de dix minutes, un petit somme sur un fauteuil dans sa voiture à l'arrêt, le remette rapidement en forme.

Nux vomica est frileux, il prend facilement froid et craint les courants d'air, mais il redoute aussi le bruit, la lumière, les odeurs fortes, la douleur, et l'on recherchera en vain la petite concession dans son univers d'intolérance.

A table, il recherchera les aliments excitants : alcools, bière, vin, café, les mets gras ou épicés, tout ce qui pourra lui injecter ardeur et chaleur ; il ne dédaigne pas les millésimes et, lorsqu'il se verra affligé d'un de ses fréquents rhumes de cerveau, il saura choisir l'alcool de qualité qui composera son grog, en s'envelop- pant d'épaisses couvertures pour combattre les frissons qui l'assaillent.

Nux vomica souffre de son tube digestif : il aura des lourdeurs à l'estomac une heure après avoir mangé ; une pierre semble occuper la place et il se sentirait bien s'il pouvait vomir, ce qu'il cherche à faire bien souvent. Son ventre lui paraît ballonné, le foie engorgé et les gaz nombreux ; mais sait-il que depuis trop longtemps les relations avec le vin et l'alcool sont en cause et que les abus se sont lourdement accumulés dans son corps et dans son cerveau ; la nausée en haut, les hémorroïdes en bas, voilà de quoi alimenter la mauvaise humeur, et l'on se retournera vers le pharmacien pour solliciter le stimulant merveilleux (un de plus) pour ses fonctions alourdies : n'est-il pas le consommateur idéal, l'oreille attentive aux publicités flatteuses, celles qui entendent limiter l'irréparable outrage des ans et promettent une vitalité glorieuse.

En dépit de fonctions régulières, l'intestin ne paraîtra jamais libre, on s'irritera à pousser, à lutter contre les obstacles, alors qu'un peu de détente nerveuse faciliterait bien des choses et écarterait la dépendance de nombreux laxatifs ou adjuvants de la digestion.

Nux vomica connaît toutes les contractions, toutes les excitations. Son dos est constamment contracturé et libérera douleurs et gémissements au réveil. Il aura de nombreuses crampes de bonne heure dans son lit et ce spasmé, intoxiqué, sera affligé par l'aggravation matinale de tous ses maux : le vertige, la migraine, la nausée, les contractures, la mauvaise humeur, tout se déclenche sans ménagement au réveil.

L'homme aux sens aiguisés aura un appétit sexuel flatteur qui sort de l'ordinaire, qui le conduira de la conquête irrésistible à l'usure et parfois aux échecs désespérés, le poussant aux plus noires idées et à l'abandon du sens de la vie, si les instruments paraissent compromis. Ainsi apparaît Nux vomica, l'homme de tous les instincts et de tous les excès, le sujet au diapason toujours élevé, le bouillant combattant qui semble conduire la vie à la pointe de l'épée avec le mépris de la fatigue, la violence du vainqueur, et c'est bien un horizon humain qui apparaît derrière les besoins formulés par le corps. L'homéopathie distingue et valorise toujours la compréhension d'un homme derrière sa revendication.

Chamomilla : l'intolérance à la souffrance

Si l'être humain sait mal s'interroger dans la quiétude de son existence, il est une circonstance qu'il ne sait pas analyser ou affronter : la rencontre avec la douleur et la souffrance exprimée de son corps. Il exigera sur-le-champ les secours extérieurs, le raffinement de la science et du progrès pour mettre à l'écart cette fâcheuse sensation douloureuse. Pour lui, les signaux du corps, tout ce réseau mystérieux d'informations qui circulent entre notre vie organique et notre système nerveux, toute cette réalité vécue de ce processus de défense ne doit obéir qu'à une seule loi : l'effacement autoritaire et immédiat. C'est cette règle qui établit l'éclatante identité de Chamomilla. Son comportement devant la douleur n'est pas un banal chapitre de physiologie générale, c'est un éclairage éclatant autour de la réponse hautement personnalisée d'un homme : c'est un signal d'identité qui exprime les tensions psychiques et musculaires de la vie moderne.

Chamomilla semble posséder, comme Nux Vomica, une puissante sève vitale, une excitabilité immédiate et une bruyante impatience. Son système nerveux semble s'enflammer au moindre contact de la douleur et son moral sera toujours l'écho violent de cette sensibilité, lorsqu'un faible signal deviendra un incendie, une insupportable souffrance. C'est en tout cas l'explosion de l'excitabilité générale et le déclenchement de conduites querelleuses ou agressives ! « C'est plus fort que moi », dira Chamomilla et, quand il souffre, il se mettra spécialement en colère contre ceux qui ne souffrent pas. Non seulement la douleur est intolérable, à nulle autre semblable, mais on perd, à cause d'elle, le contrôle de soi et les délicatesses du vocabulaire. La femme, affolée par ses douleurs, subira une inquiétante métamorphose ; elle perd le savoir-vivre et les bonnes manières, son ton et son langage viendront assassiner l'image d'une exquise féminité, et, pour peu que le sujet soit un buveur assidu de café, on va rapidement essuyer la tempête de l'esprit survolté. « Plutôt mourir que souffrir » : c'est la devise de Chamomilla et, chez le dentiste, l'anesthésie générale sera sa première préoccupation.

L'enfant Chamomilla est de l'avis général, et plus spécialement de son entourage, un enfant « pénible à vivre ». Son réveil n'est pas heureux, il s'agite les poings tendus, il apostrophe, il injurie à la moindre provocation. Sa mauvaise humeur s'accompagne de querelles et de fureur verbale et même de menace de mort. Dans l'équilibre fragile des cités dortoirs, l'écho de sa douleur et de ses cris va précipiter le monde au balcon, et le dentiste, peu flatté par cette clientèle, sera devant un choix impérieux : trouver l'anesthésique puissant ou sauvegarder sa réputation en l'adressant à un confrère.

Non seulement l'enfant Chamomilla gémit, crie et frappe, mais il semble avoir, à tout instant, de nouveaux désirs. C'est l'enfant capricieux qui accompagnera de cris perçants sa moindre demande et refusera ce qu'il souhaitait quelques instants auparavant. Il deviendra méchant lorsque son désir n'est pas comblé sur-le-champ. Il frappera la mère, le médecin, lancera des objets au visage et sera le champion du coup de pied, de la ruade et du crachat, et de l'offense à la moindre plaisanterie, au moindre sourire innocent. Non seulement il remplit la pièce de ses cris perçants, mais il s'agite en tous sens et bouscule tout sur son passage, et voilà apparaître le salut momentané de cet orage menaçant. Lorsque l'enfant Chamomilla est porté au bras, bercé, conduit en poussette ou en voiture, le miracle s'accomplit pour Chamomilla : il se calme peu à peu ; lorsqu'un rythme régulier, modérateur et monotone rencontre sa route désordonnée et survoltée, le calme revient. La femme agressive se calme sous le casque du coiffeur, l'homme violent s'apaise et s'endort dans une salle de spectacle si le film ou le conférencier lui paraît sans attrait. La tempête sous le crâne s'est apaisée !

Les troubles de la dentition, les états fébriles sont les hauts niveaux des paroxysmes douloureux chez Chamomilla. C'est dans la première partie de la nuit, de 21 heures à minuit, que les hostilités se déclenchent. La tête est souvent couverte de sueurs chaudes dans le premier sommeil et brusquement, entre 21 heures et minuit, l'orage éclate : la douleur dentaire de la dent gronde sous la gencive, elle va embraser et colorer la joue en contact. Elle ne sera apaisée que par le contact du froid. C'est d'ailleurs au cours de la dentition que l'on voit apparaître les troubles gastriques ou intestinaux avec coliques, diarrhée verdâtre et venteuse, de très mauvaise odeur et agrémentée d'humeur exécrable.

La douleur abdominale et génitale va être une de ces explosions déjà décrites et la révélation d'une humeur insupportable à la période menstruelle. Les pacifiques doivent quitter les lieux, l'époux doit savoir esquiver les combats, car Mme Chamomilla ne supporte plus rien à l'époque des règles et elle perd toutes ses bonnes manières, son savoir-vivre, sa féminité. Dans les grands ensembles professionnels, l'humeur de Chamomilla sera perçue au rythme du calendrier, le sang-froid se perd et les persécutions s'exercent à tous les étages. Les règles seront abondantes, de sang noir, avec des sensations de crampes et de douleurs, de tiraillements qui la mettent au bord de la syncope et qu'elle qualifie de « véritables accouchements » ! La courtoisie se transforme en une furieuse intolérance et le vocabulaire n'est plus celui d'une grande dame. « C'est plus fort que moi », répète-t-elle.

A l'hôpital, dans l'instance solennelle de l'accouchement, Mᵐᵉ Chamomilla laissera de « cuisants » souvenirs au sein du personnel hospitalier, car l'enfantement sera pour elle la confirmation biblique : « Elle enfantera dans la douleur. » Elle réclamera avec autorité la piqûre, malmènera le petit personnel et le secours médical toujours incompétent ! Les contractions irrégulières du col à l'accouchement laisseront de beaux souvenirs à l'interne de garde et bien des hôpitaux de l'Assistance publique seraient heureux de manier la dose infinitésimale de *Chamomilla* plutôt que les grands anesthésiques impersonnels ou sophistiqués.

L'homme n'échappe pas à cette définition vigoureuse de Chamomilla, car la vie moderne fabrique et encourage les incendies vasculaires et psychiques. L'homme au volant de sa voiture peut passer de la décontraction à la violence homicide. Il entrera dans les voies de fait, les réactions intempestives (queues de poisson), les jurons bien sentis lorsqu'on l'aura délogé de la maîtrise de son volant ou de la quiétude de son rythme de conduite.

Semblable à Nux vomica par ses nerfs à fleur de peau, Chamomilla sera la nuit gagné par l'angoisse, la peur de l'avenir et l'insupportable accélération psychique que lui impose la vie. Le jeune candidat aux examens, fort buveur de café, sera gagné par l'agitation et la fébrilité. Son excitation cérébrale l'exposera à la maladresse, au mauvais choix du sujet, tandis que le sujet Gelsemium, paralysé par le trac longtemps avant l'examen, aura des besoins trop fréquents de libérer sa vessie ou son intestin.

Ainsi apparaît ce Chamomilla dont le comportement sera toujours marqué par le refus de la douleur et l'exigence du calmant immédiat. Si l'on n'est pas surpris par la vigueur de ce comportement psychique, on peut s'interroger sur ses indications et ses correspondances thérapeutiques. On sera étonné de découvrir à chaque pas clinique ou biologique que l'identité toujours dominante du remède couvre avec précision les besoins du corps ; image de cette mystérieuse vigilance humaine dans les processus d'alarme et de défense, regard aussi sur cette étonnante organisation humaine toujours personnalisée dans ses manifestations.

Les indications thérapeutiques de Chamomilla

1) *États d'excitation nerveuse* aggravés par la surtension psychique ou les états douloureux — sujet nerveux aux réflexes prompts, très sensibles au froid mais rapidement en sueur (sous l'influence de la colère) —, tension nerveuse exagérée chez les buveurs de café : intolérants à tout et à tous — « Je ne supporte plus rien. »

Insomnie des sujets irritables à la moindre provocation — Colère des jeunes enfants, cauchemar des jeunes enfants.

2) *États inflammatoires ou infectieux de la sphère rhinopharyngée :* angine, otite, enrouement avec une exclusivité : la douleur dentaire battante calmée par les boissons froides.

3) *État inflammatoire de la sphère digestive :* diarrhée, colique venteuse, gastro-entérite (après fluxion dentaire) avec grande flatulence et gaz nauséabond. Diarrhée verte ou à l'aspect d'œufs brouillés.

Syndrome douloureux menstruel lié aux cycles menstruels, aux circonstances d'accouchement, ou inflammations chroniques de l'utérus avec la très mauvaise humeur avant et pendant les règles. Remède de spasme utérin.

Syndrome douloureux des muscles et des tendons : douleurs lombaires insupportables accompagnées de crampes, avec agitation des membres pendant la nuit forçant à sortir du lit et à marcher.

Lycopodium : le grand seigneur distant

Lycopodium est un modèle célèbre parmi les polychrestes de la littérature médicale homéopathique. Les polychrestes sont des remèdes complets, véritables remèdes de la personne destinés à une large utilisation à des fins de réhabilitation profonde de la

141

santé : leur prescription s'appuie sur l'ensemble des signes physiques et surtout psychiques. Leur emploi est du domaine du médecin d'expérience toujours attentif à la valorisation de l'information mentale, consciente ou inconsciente. Véritable clé du destin particulier d'un homme, leur mauvais emploi est une atteinte à la valeur de l'homéopathie. Lycopodium correspond bien à cet aspect synthétique de l'observation médicale qui s'élève de la physiologie à la pathologie en développant un puissant profil humain. C'est un remède clé du parcours évolutif depuis l'enfance jusqu'au troisième âge, qui fait du médecin le guide des grandes instances biologiques ; il est surtout un point de rencontre de la médecine, de la génétique, voire de la psychanalyse, ouvrant la richesse de la loi de similitude aux hautes destinées humaines.

Cette fougère herbacée n'a aucune vertu dans la pharmacopée traditionnelle : cette poudre prétendue inerte est utilisée pour enrober les pilules afin qu'elles ne se collent pas les unes aux autres, avec un très léger pouvoir laxatif.

Homéopathiquement, c'est, avec *Natrum Mur* et *Sepia,* un des remèdes spécialement adapté aux maladies qui évoluent lentement et ne trouvent aucune réponse dans les thérapeutiques à vocation organique.

Lycopodium : image de l'insuffisance hépathique

C'est le reflet d'une malnutrition centrée autour d'une déficience du foie, du tube digestif ; une laborieuse assimilation aboutit à une intoxication qui altérera la personnalité, l'intelligence, la volonté. Le malade n'a pas d'appétit ou bien il a des fausses faims, une boulimie constante entre les repas ou la nuit. Dès qu'il mange, il ressent une satiété subite, il se sent rempli, ballonné. Pourtant, il doit manger régulièrement à l'heure, sinon le mal de tête le gagne. Il ne digère pas les aliments gras : les huîtres, les oignons, les choux.

Son insuffisance biliaire va ralentir son transit intestinal : les selles, dures dans la première partie, seront plus pâteuses ensuite. Les urines peuvent être rares (riches en dépôt d'acide urique).

142

Une aggravation se manifeste de 16 à 20 heures, car les produits de l'absorption alimentaire commencent alors à prendre le chemin du foie par le travail laborieux de l'assimilation. Le foie est à ce point le centre de la perturbation que le sujet sera marqué par la latéralité droite de cet organe : il ne saura se coucher sur le côté droit et toutes les affections localisées à droite ou évoluant de droite à gauche (migraine, angine) sont l'indication de ce remède.

Ce remède à vocation digestive et urinaire est le reflet d'un affaiblissement et d'une intoxication générale. Lorsque l'organisme est encombré de déchets non assimilables, il organisera des manifestations à distance : des migraines, du rhumatisme, des affections cutanées qui ne seront résolues que dans une thérapeutique d'ensemble. *Lycopodium* est un important remède contre le coryza chronique chez un enfant hépatique : le traitement local des affections oto-rhino-laryngologiques sans liaison avec l'unité du corps est un échec. Cette difficulté d'assimilation (sauf pour les sucreries dont il raffole) entraîne une faiblesse générale physique qui va alourdir sa conscience et sa volonté d'action. Sa mémoire comme sa capacité sexuelle s'affaiblissent en aggravant l'anxiété du sujet liée à une démission de soi et à une haute conscience des valeurs d'ici-bas.

Les indications thérapeutiques de Lycopodium sont les suivantes :
— insuffisance hépathique chronique ;
— constipation avec flatulence ;
— troubles de l'appétit chez le jeune enfant ;
— hypercholestérolémie ;
— troubles de la vésicule biliaire ;
— hémorroïdes ;
— coliques hépathiques ;
— eczéma ;
— excès d'urée ;
— artériosclérose ;
— lithiase rénale ;
— lithiase biliaire

143

Lycopodium : image d'un moi fragile et sensible, le déprimé intellectuel, moral et sexuel

A partir de l'altération hépathique il faut savoir s'élever vers la riche expression de cet Alceste difficile et passionné, avide de compréhension et d'approbation, exigeant pour les autres et pour lui-même, véritable « révulsé » de l'intérieur ; corde sensible, blessée, cassée qui aura du mal à panser ses plaies et s'enfoncera dans une *solitude* autant appréhendée que recherchée.

L'appréhension semble liée à la déficience de la fonction hépathique. Le sujet craint constamment l'incident fâcheux : il anticipe lourdement sur les difficultés de la vie, il craint d'oublier. Il redoute l'effort mental, bien que son intelligence se situe aux plus hauts échelons de l'activité consciente.

C'est le remède de la perte de la confiance en soi, car le support de la santé est à ce point insuffisant qu'il développe tristesse, mélancolie, angoisse de l'avenir et parfois altération de la mémoire (il prend un mot pour un autre, il oublie des mots en parlant, des syllabes en écrivant). Lorsqu'une personne intelligente se sent incapable de poursuivre ou d'entreprendre, on se trouve dans la signalisation typique de Lycopodium, si les autres signes sont présents. Ce sujet est marqué par une hypersensibilité excessive : le sujet Lycopodium est découragé, triste, pessimiste, de mauvaise humeur au réveil, il n'aime pas parler dans la première demi-heure, il mobilise de façon solitaire sa volonté altérée dans le départ d'un jour où des événements fâcheux ne manqueront pas d'arriver. L'enfant au réveil est grognon, irritable, repousse ceux qui l'approchent.

Souvent en proie aux crises d'acétone, sa mauvaise mine contraste avec sa vive intelligence. Elle lui offre une facilité que sa fragile résistance ne peut lui offrir. Adolescent, souvent fort en mathématiques, prompt à se sentir agressé, il aura un vif souvenir des châtiments et des injustices, et il fera déjà l'apprentissage de la solitude.

L'adulte, misanthrope au sens aigu des responsabilités, verra le doute et l'incertitude lui tenir compagnie ; son visage, très marqué par les rides, témoignera de sa lucidité pour les grands problèmes et les errements de la société. N'accordant à ses semblables qu'un intérêt glacé, il préfère résoudre ses problèmes dans l'abstrait et dans la logique. Son costume physique n'est pas à la hauteur de son intelligence. Prêtre de l'idée, facilement offensé, cet homme intelligent et sensible a peur de ses semblables comme de lui-même, car le doute intransigeant et la rigueur intellectuelle l'habitent. Rétracté par nécessité, il devient une sensibilité blessée qui sent lourdement le poids des situations alors que Sulfur optimise tout. Être puissant et fragile, Lycopodium est l'image de ces riches personnalités que l'homéopathie peut négocier avec souplesse et persévérance.

Lachesis : puissante nature

C'est sans doute la plus brillante illustration du pouvoir infinitésimal qui transforme le pouvoir mortel d'un venin en un prestigieux serviteur thérapeutique quotidien. La toxicologie aiguë (mort par le venin en quelques minutes) est devenue une énergie domestiquée, révélant l'originalité de l'infiniment petit.

Lachesis mutus ou *Trigonocephalus* est un imposant serpent d'Amérique du Sud, qu'il convient de ne pas fréquenter ; les homéopathes sont pourtant en leur bienfaisante compagnie chaque jour : Kent écrira cruellement : « Lachesis semble convenir à l'humanité tout entière, car celle-ci est pleine de venins comme les serpents, tant par ses dispositons que par ses caractères. » La Bible fait état des relations troublantes d'Eve et du serpent.

Le sein de la reine d'Égypte, Cléopâtre, fit une rencontre tragique avec une vipère, mais l'histoire ne rapporta aucun témoignage de cette illustre expérience et la première rencontre thérapeutique fut décrite par Constantin Hering. En mission de botanique en Amazonie, il assomma le serpent d'un coup sur la tête, exprima la glande à venin et en prépara une trituration qu'il expérimenta sur lui-même. Son premier geste, son premier signe fut de sentir une constriction qui l'obligea à dégrafer son col de chemise, avant de tomber dans le délire.

L'action de ce serpent se porte sur le cerveau, entraînant des troubles psychiques (excitation puis hallucination) et surtout sur le sang, provoquant ce que l'on redoute du serpent : des hémorragies, des thromboses, des troubles de la perméabilité capillaire avec ecchymoses noires ou violacées.

C'est l'action hémolytique destructive des serpents, poison authentique du sang.

Par ses vertus sur le sang, sur le système nerveux, *Lachesis* est un grand remède de ménopause. Lachesis connaîtra agitation (le soir) et dépression (le matin).

Dans l'agitation tout se fera en hâte, la loquacité apparaîtra, entraînant le déchaînement libérateur du verbe et de l'écriture, avec la fuite des idées, l'inquiétude soupçonneuse, la jalousie, voire la paranoïa.

La sensibilité au contact est considérable : on supportera mal les cols serrés, la ceinture, la gaine, le poids des couvertures, les bains chauds, la chaleur, le soleil qui augmentera la congestion et l'excitation cérébrale.

La chaleur, du printemps à l'automne, augmente les maux de tête au paroxysme ; ceux-ci seront améliorés au grand air qui active les échanges.

L'alternance de dépression et d'excitation sera très nette : le matin le découragement sera total, le soir l'excitation sera sans bornes, étourdissante et épuisante pour le conjoint.

Cette aggravation se justifie par l'intoxication, pendant le sommeil, du centre de la respiration ; par contre tous les écoulements améliorent son état : il est courant de constater que l'écoulement nasal, l'apparition des règles, de larges soupirs sont toujours bienfaisants pour Lachesis, qui en profite pour s'exprimer par une parole généreuse et des écrits sans fin.

A la ménopause, on retrouve le pacte thérapeutique renoué entre la femme et le serpent. Les excitations psychiques naissent à partir des bouffées : c'est la naissance intempestive du soupçon, de la jalousie, du regard malveillant vers la jeunesse montante, du glas sexuel objectivé par les lits séparés et la compétition cruelle entre les femmes.

Au retour d'âge (expression populaire), Lachesis souffrira de bouffées, de palpitations, d'étouffements (couchée sur le côté gauche). Une soupape physiologique se ferme et une chaudière cérébrale s'allume.

146

Le soir, une suractivité de l'intellect, de l'imagination s'installe — on bavarde, on saute d'un sujet à l'autre, on a tendance à boire en dégrafant ses cols de chemise. *Le matin,* c'est le dégoût de la vie, l'errement sans but, le chagrin, la peur de la mort.

Le *corps* se modifie, le visage aussi, on a tendance à se couperoser, s'empourprer facilement, la migraine sera pire au réveil.

On rêvera d'enterrements, de serpents, de rêves amoureux, avec la peur de suffoquer à l'égard de tout ce qui approche du cou, de la taille, de la poitrine, des narines ou même de la bouche. Chaque détail troublant de la vie quotidienne, chaque chuchotement sera passé au filtre d'un impitoyable soupçon, car Lachesis est souvent affecté d'un puissant sentiment de jalousie qui lui insuffle ardeur et pugnacité.

Toutes les localisations seront à gauche. L'angine violacée avec difficulté de déglutition débutera à gauche, la phlébite, les troubles vasculaires seront plus marqués à gauche (gorge, sein, ovaire, cœur, jambe gauche).

Lachesis est une très puissante nature qui mettra dans la solitude sa force au service des grandes causes. Elle se tournera vers l'action, vers Dieu ; les grandes affaires sociales ou syndicales témoignent de cet étonnant dynamisme alternant qui confère à ce remède une puissante vocation régulatrice qu'on retrouvera dans les indications suivantes :

— ménopause, bouffées de chaleur ;
— alcoolisme ;
— troubles de l'humeur et persécutions ;
— syncopes, insolation ;
— congestion cérébrale ;
— vertiges et maux de tête du matin ;
— angine à gauche ;
— rhume des foins et asthme « à la ménopause » ;
— maux de tête après suppression d'écoulement ;
— ecchymoses, troubles capillaires ;
— acné rosacée ;
— ulcères de jambe à gauche ;
— insomnie de la ménopause.

LES CONCEPTIONS DU TERRAIN
ET LES MALADIES CHRONIQUES

C'est l'acheminement logique d'une investigation supérieure qui veut bien considérer l'homme autrement qu'un élément dans la théorie des machines. Pour l'école officielle, la cause extérieure, l'agent pathogène, va affronter un organe et déterminer la maladie : conception avantageuse qui raccourcit la pensée et écarte, dans cet antagonisme, le terrain même du combat, ce « ring » qui va être le témoin successif de l'accidentel, du fonctionnel multiple, puis du lésionnel. Ainsi, dans le déroulement de notre vie, le lésionnel serait le point de départ de l'acte médical. Evidemment, dans le silence du laboratoire, le chercheur pense au mystère de notre patrimoine héréditaire, à la superposition des effets, mais son orientation ne peut plus se dégager du cadre étroit, fragmentaire, que la science lui impose. Est-ce qu'une maladie chronique se définit par le temps de patience que le malade doit concéder à la dégradation de ses organes ?

En présence d'une maladie chronique, il ne faut pas seulement considérer les symptômes observés. Il faut faire un diagnostic en « profondeur », établir la genèse et l'enchaînement des étapes de la maladie. Hahnemann avait défini la maladie comme le « dynamisme réactionnel global d'un homme par l'intermédiaire de ses symptômes ». C'est l'addition de ces empreintes dynamiques qui s'inscrit dans nos tissus, et c'est l'approche du mystère du corps qui doit nous ouvrir la conduite préventive de la santé. Sans cette direction, ce n'est ni l'équipement ni la vitesse des ambulances qui nous rapprocheront de notre lieu de salut. Est-ce utile de raisonner sur la nature des maladies, alors que les agents infectieux, parasitaires, toxiques, se découvrent chaque jour à nos yeux ? Hélas ! les agents infectieux ont la fantaisie d'apparaître ou de disparaître de l'actualité, d'être des feux follets et de devenir des germes résistants ou des virus mutants. Les causes premières toxiques s'imbriquent tellement, que la somme est bien autre chose que la liste des composants. Seule persiste, inexorablement, la maladie névrotique, dégénérative, qui ne nous offre plus de fil conducteur.

Les sources de la maladie

Hahnemann nous a proposé une conception étiologique indirecte de l'état morbide, une approche du conflit à explorer à l'intérieur du malade, et non pas auprès de la seule cause pathogène externe.

Cause pathogène externe
+
Homme-milieu   —   Entité individuelle :
avec ses possibilités   la maladie
pathogènes

Hahnemann, en s'opposant à la désignation nominale des maladies et au « découpage » des organes malades, a voulu faire une science originale, indépendante du cadre étroit de la pathologie. Il ne contestait pas la nécessité de la pathologie, mais soulignait son insuffisance. Chaque organisme a un côté faible, se prêtant plus particulièrement aux attaques, et ce sont les changements intérieurs du corps qui sont la base, la source de la maladie. S'il est attaché aux symptômes objectifs, sensoriels, subjectifs, c'est que l'ensemble de cette symptomatologie pouvait réaliser l'image vivante d'un conflit. Pour René Leriche, la douleur est le quatrième acte d'un drame qui se passe dans la profondeur de nos tissus. Elle apparaît malheureusement au malade comme le stade réel initial de ses propres ennuis.

« La maladie ne doit plus être pour nous, écrit R. Leriche, la traduction d'une souffrance d'organe, ce qui est le point de vue pragmatique de la clinique. Notre époque, éprise d'objectivité et de graphisme, a commis l'erreur de ne pas comprendre que toute maladie est d'abord d'ordre végétatif et qu'entre le fonctionnel végétatif, entre l'anatomique tissulaire, entre le subjectif et l'objectif, il n'y a qu'une différence : celle de la personne de l'observateur. L'un est analysé par le malade, l'autre par le médecin. Mais tous deux sont des faits aussi réels l'un que l'autre. Le subjectif n'est que la signalisation par le malade lui-même d'états organiques, inaperçus du médecin parce qu'inapparents. D'excellents esprits tiennent la lésion pour un fait premier en date et seul analysable, sans lequel il n'y a pas de maladie. Je ne crois pas qu'ils aient raison de restreindre ainsi les messages de la vie et de ne pas chercher comment se construit la lésion.

« Dans l'éblouissement des merveilleuses révélations du génie pasteurien, nous avons cru, il y a un demi-siècle, que toute maladie nous venait du dehors. L'homme subissait la rude loi des infiniment petits. Tout se réduisait à l'inoculation, la multiplication des germes. Le microbe était tout, pensait-on, allant plus loin que Pasteur lui-même, et l'homme n'est que bien peu de chose : une victime résignée ou révoltée. La cause, la plupart du temps, se borne à mettre en branle la réaction tissulaire. Si celle-ci est aussitôt corrigée, rien ne se passe : l'inoculation avorte. Quand l'organisme se refuse ainsi, la maladie n'apparaît pas. »

Plus près de nous, le docteur Koupernik commente la notion de causalité : « Dans le *panta rhei* héraclitien qu'est l'existence humaine, il est très rare qu'on puisse revenir sur une cause et, en l'extirpant, guérir le mal. Certes, l'on peut et l'on doit enlever un corps étranger, affamer ou tuer le staphylocoque responsable d'une septicémie, soustraire à une intoxication, lever la compression d'une artère rénale qui crée une hypertension. Mais en dehors de quelques exemples, la recherche de la cause est vaine. Ayons le courage et la patience de l'expliquer à ceux qui nous écoutent, au lieu d'opposer à leur quête pitoyable et frénétique le silence irrité de l'homme qui sait qu'il ne sait pas. »

Ces avis autorisés ne résument-ils pas la sage position de Hahnemann, dans une époque prépasteurienne où le génie d'anticipation consistait à faire l'approche doctrinale du terrain face aux causes présentes et futures ?

Le malade et sa constitution

Nous ne sommes pas indistinctement exposés à toutes maladies (Salmanoff). Dans l'homme malade, il y a un premier médecin : sa constitution propre. A une cause unique, des réponses différentes vont se dessiner. Un même streptocoque peut provoquer un panaris, un érysipèle, une arthrite, une péritonite, une thrombophlébite. A un microbe, l'homme dynamique répondra par une fièvre dynamique de courte durée. A ce même microbe, le sujet à enfance triste répondra par de la tuberculose ou une névrose d'angoisse. L'homme d'affaires est victime d'ulcère d'estomac, l'enseignant subit des spasmes de la vésicule biliaire, dans les efforts contenus de sa pédagogie, puis sombre dans l'état dépressif, désespoir des attentions mal soutenues ou des écoutes bloquées.

La forme de défense du malade engage d'abord sa personnalité, sa constitution, le tissu sur lequel les événements de la vie vont s'inscrire.

La constitution est l'étude d'un bâti morphologique stable présentant des caractères héréditaires fixes. Elle relie les matériaux fondamentaux de la construction visible humaine. C'est l'étude de l'habitat, du cadre vivant humain. Elle est l'appréciation de la solidité foncière, du soubassement même de la vie.

La vocation de la biotypologie est l'étude du type humain vivant ; elle établit les corrélations entre la forme, la physiologie et le psychisme, à la recherche d'une certaine unité de l'homme, à partir de son extrême diversité. Elle est la recherche d'un nombre limité de types reconnaissables et descriptibles ; puis elle s'efforce d'établir la correspondance d'un tout à partir d'une de ses parties : par exemple, l'élargissement de l'étage maxillaire, la présence d'un double menton, définit un fort appétit de la vie, la prédominance de tendances digestives, matérielles, acquisitives, reproductrices, expansives. Kreschmer a établi une correspondance entre la morphologie corporelle, les états de conscience et les dispositions pathologiques. Remontant aux sources de la typologie hippocratique, il fait du sujet bréviligne, épais,

151

« circonférentiel », un sujet d'adaptation sociale aisée et réaliste, passant facilement de la gaieté à la tristesse, réagissant rapidement à l'ambiance environnante. Le sujet longiligne est excessif dans ses jugements, froid, replié sur lui-même, peu adaptable, secret et paraissant habité par une affectivité secrète, mystérieuse ou torturée.

La biotypologie a su s'écarter de l'hippocratisme primaire ou de simples dispositions caractérologiques. Les écoles française, de Sigaud et de Corman, italienne, avec Pende et Viola, ont introduit la connaissance hormonale dans les synthèses métaboliques qui aboutissent au bâti morphologique apparent.

L'homéopathie ne s'engage pas dans une physiognomonie spéculative. Les traits du corps ne sont pas les vecteurs de la vérité du malade, ou des remèdes qui le concernent. A partir de la connaissance infinitésimale, à partir de la molécule, elle s'élève vers des horizons élargis de l'homme, sa diversité, et c'est dans un souci d'ordre, de rangement, de synthèse qu'elle s'est ouverte à la connaissance constitutionnelle structurale : la recherche d'un type morphologique réceptif et sensible à un remède donné. Chaque morphotype présente une sensibilité particulière à la maladie.

Cette rencontre clinique passionnante est un complément à la connaissance génétique et immunologique. Elle ne veut pas définir les erreurs de codage qui conditionnent à la naissance certaines maladies de système (allergie, maladies du tissu conjonctif, polyarthrite, hypertension) ; elle s'applique à dessiner les lignes de force, de faiblesse de notre économie, notre sensibilité à différents accidents de parcours ou à des situations à haut risque. Derrière le sens secret, déposé des écritures du vivant, c'est la possibilité d'une meilleure orientation thérapeutique.

Les homéopathes français restent fidèles à la description de trois morphotypes, exposés par Nebel, et décrits par Léon Vannier.

A chaque silhouette se rattache une certaine forme de sensibilité à la maladie, justifiant le grand intérêt du monde homéopathique médical. Elles font appel à un élément stable permanent de la morphologie, la silhouette squelettique. Le carbone, le phosphore, le fluor sont en rapport avec la dynamique de la vie : ils sont présents dans l'appareil locomoteur, ostéo-articulaire. L'os, la dent sont une combinaison de sels de chaux (carbonate, phosphate, fluor). Chaque modèle physique sera concerné par une morphologie, une statique, un dynamisme physiologique et psychique et des déviations pathologiques s'inscrivant dans une logique d'évolution.

La constitution carbonique

Morphologie

C'est un musculo-digestif, bréviligne, trapu, à large carrure, développement en largeur avec squelette épais, aux articulations serrées, rigides. L'extension forcée de l'avant-bras sur le bras n'atteint pas la ligne horizontale. Sa démarche est régulière, lourde, cadencée. Ses gestes sont sobres, utilitaires et précis, les dents carrées, blanches, tardivement cariées, les arcades dentaires supérieures et inférieures exactement en contact.

Physiologie et comportement

C'est un sujet assimilateur, voué à la mise en réserve lente et régulière. Tout lui profite, et la sédentarité sera redoutable. La peau est pâle, le derme épais et mou. Les hydrates de carbone (sucres) se transforment directement en graisses. Ses grosses capacités digestives l'exposent à une surassimilation sur un fond d'hypothyroïdie qui résume ses tendances lymphatiques.

A travers sa mentalité on découvrira qu'il est ordonné, méthodique, réalisateur, froid, patient, opiniâtre. Il parle peu et seulement de ce qu'il connaît bien, respecte l'ordre social et matériel, écoute et exécute les conseils qu'on lui donne.

C'est un sujet à conduire par la raison et le sentiment de responsabilité. Endurant, opiniâtre, il a un sens élevé de la discipline, de l'ordre, de la justice.

Il accepte les métiers manuels pénibles, demandant des gestes ponctuels.

C'est un ouvrier propre et ordonné.

C'est un employé méticuleux et soucieux du rangement.

C'est un intellectuel rationnel, logique, rassurant par la sobriété et la précision de ses exposés. C'est un cadre supérieur apprécié, mais c'est parfois un haut fonctionnaire de l'Etat, rigide, un homme de justice sévère, abrité derrière la loi.

Évolution morbide

Il aura tendance à l'infiltration, à l'insuffisance thyroïdienne, à l'artériosclérose, à la rétention de cholestérol et à l'acide urique et l'urée.

Il est voué à l'obésité, aux troubles digestifs, au *ralentissement global*. Sa libido s'affaiblit, sombrant dans la monotonie. La femme peut être frigide, avec tendance à la stérilité, avec règles abondantes.

L'infiltration calcaire peut se déceler à la radiographie. Elle imprègne les vaisseaux, formant des plaques d'athérome.

Il aura une tendance très marquée pour l'arthrose vertébrale avec « becs-de-perroquet » apparents en radiographie. Rigidité, ralentissement sont les effets à long terme de sa tendance à la mise en réserve.

La première enfance inaugure le stade carbonique. Il a d'abord fait l'admiration de l'entourage, de sa famille, par ses formes. C'est l' « Angelot » blond aux yeux bleus, rond et avenant ; mais son teint est pâle, sa peau est molle et moite. Il transpire abondamment de la tête : il est calme ou passif. On le gave ou il se gave ; il dort dès qu'il ne mange pas. Il se refroidit facilement, il présente des troubles digestifs : diarrhées de mauvaise odeur, acides avec odeur sure de toutes les sécrétions du corps. Des éruptions apparaissent, de type eczéma humide. Les affections rhino-pharyngées s'accompagnent de volumineuses tuméfactions ganglionnaires, évoquant un lointain tableau morbide nutritionnel baptisé scrofule.

L'enfant est frileux, replié, sédentaire, lent à comprendre et à s'adapter. C'est un sujet peu chahuteur, « reposant », qui verse mollement dans l'effort. Il n'aime pas qu'on se moque de lui et la repartie lui fait défaut. La prédominance des instincts, le sens de

154

la mise en réserve l'orientent vers un lymphatisme de confort qui l'engourdit un peu.

Imperméable à ce qui est nouveau, ou trop rapide, il est sauvé par le sens de l'ordre, la régularité, une ponctualité méthodique et une mémoire de qualité pour tout ce qui est concret. Il relâche rapidement son attention et devient paresseux par fatigue. Le carbonique mal assuré se laisse envahir par l'appréhension, la pusillanimité et s'afflige d'un franc complexe d'infériorité.

Parcours et horizon

Le sujet carbonique est un assimilateur ; il offre une solide et rassurante image qui n'est pas exempte d'inquiétude. Les règles de la vie sont marquées par l'expression des forces d'expansion de conservation, mais aussi par de salutaires réactions de mises à l'abri (Corman). Une expansion sans contrôle, une assimilation continue est un parcours lourd de risques et le carbonique est parfois privé de vigilance par défaut de sensibilité. Il souffre peu et les événements biologiques ne le marquent pas ; son expansion se poursuit sans contrôle, son assimilation digestive se développe sous le poids de l'habitude. Sa bonne humeur, sa sociabilité, son optimisme lui donnent une identité radieuse. Il semble dominer mieux que tout autre ses ennuis de santé et vivre debout toutes ses affections et de ce fait, il est peu attentif aux conseils médicaux et, dès que le malaise disparaît, ses bonnes résolutions s'atténuent ; n'a-t-il pas meilleure apparence que le médecin ?... Le carbonique a une faible conscience des situations pathologiques : aucun mal de tête n'accompagnera l'hypertension ; les facteurs de risques des grandes affections dégénérescentes se développent dans l'ombre (néphrite, diabète, état vasculaire, cancers) ; toutes tendances morbides peuvent se développer dans un silence total. Prudence, conscience et réglage de l'assimilation sont les règles du carbonique.

C'est entre quarante et soixante ans, et souvent à l'âge de la retraite, que le sujet est exposé à tous les risques. L'infarctus, qui n'aura jamais été précédé de sensations prémonitoires, sera massif et de pronostic sombre. Ce sujet rassurant, rayonnant, passera de la santé à la maladie sans transition, et les échéances sont bien lourdes. Le chirurgien sera surpris par l'importance des lésions qui n'auront pas mobilisé la sensibilité du patient et assombriront le pronostic.

L'assimilation, l'expansion du carbonique sont donc des situations à risques ; si la maladie ne frappe pas, il est voué à une certaine sclérose vasculaire et psychique, escortant une existence centrée sur l'instinct et les réalisations trop concrètes. Par contre, le carbonique à expansion contrôlée, qui sait dominer ses instincts, est une structure riche en puissance. Sachant maîtriser ses passions, choisir ses influences, approcher de l'équilibre par une certaine sobriété, il développe une grande résistance à la maladie, il sait mettre de l'ordre dans ses instincts et la gestion de son existence. Ne s'engageant jamais à la légère, il atteint des rangs sociaux élevés. On le voit s'élever vers l'horizon des hautes destinées, apprécié par sa fermeté, sous une apparente rondeur, et son visage a souvent la même couleur que la décoration convoitée et arborée à la boutonnière, récompense d'une pleine vie sociale.

La constitution phosphorique

Morphologie

C'est un sujet frêle, grand, élancé, souple, élégant, gracieux, expressif et distingué. L'extension forcée de l'avant-bras sur le bras atteint l'horizontale.

Il a présenté, durant son adolescence, des allongements de la forme et son développement vertébral est imparfait ; il se tient mal, se courbe, sa ligne statique donne l'image d'une charpente mal tenue. Une minéralisation insuffisante l'exposera à de fréquents problèmes dentaires (caries centrales) et à des rendez-vous assidus chez le dentiste.

Physiologie et comportement

Ce sujet « tout en longueur » est un nerveux sensible, émotif, riche en imagination, à extériorisation courte et bruyante, mais son comportement n'est pas régulier ; la fatigabilité est le frein naturel à son enthousiasme, à son inspiration ; sa perception de l'imaginaire est élevée, son excitation créatrice n'a d'égale que ses longs passages à vide. Heurté par la réalité des faits, il ne sait pas terminer, fuyant la régularité et les rythmes contraignants.

Le sujet aura à affronter dans l'enfance d'interminables problèmes ORL, marqués par des rhino-pharyngites et un absentéisme scolaire, aggravés par une mauvaise résistance à l'ambiance climatique. C'est un sujet avide d'oxygène et d'air (le phosphorique « brûle ») ; il présente la particularité de ne pas tolérer les atmosphères confinées et de prendre froid à l'ouverture des portes. C'est un rhéostat mal réglé, en conflit toujours avec ses muqueuses du rhino-pharynx, et avec son foie, son assimilation digestive.

Les réactions hépatiques et intestinales (diarrhées) surviennent au moindre écart alimentaire, à partir de la plus insignifiante intoxication. De silhouette assez peu résistante, le phosphorique achève mal ce qu'il entreprend avec un brillant enthousiasme ; il échouera si l'épreuve est de longue haleine ou si les obstacles sont nombreux sur le parcours.

Le phosphorique est fébrile, enrhumé, migraineux, en proie à de petits malaises physiques (il sent son cœur !), hypersensible à la douleur. Ce sont des sujets à humeur changeante. Tristes ou gais, impressionnables à la moindre émotion, ils s'investissent dans un imaginaire qualitatif qui peut, par excitabilité sensorielle naturelle, conduire au fantasme ou à la fantaisie sans frontière. En eux se succèdent le meilleur et le pire. Tour à tour excellents ou médiocres, leur vulnérabilité apparaît à partir de leur surexcitation et de l'insuffisance de leur résistance générale.

Parcours et horizon

Une délicate recherche d'identité s'élabore à travers les difficultés de croissance chez le Phosphorique : sa sensibilité est source d'épanouissement ou de rétraction. Elle peut l'élever ou le confiner à des niveaux médiocres. Initié précocement à la douleur, aux difficultés à peine perçues par le Carbonique, c'est un enfant à ne pas rudoyer ou contraindre, cherchant au contraire

157

la mise en confiance et l'encouragement, car nombreuses seront les effractions à son moral et à sa sensibilité. Sa vive curiosité intellectuelle peut être un gouffre pour son imagination : il est avide de connaissance mais il faudra éviter les spectacles effrayants ou agressifs (télévision), éviter l'enseignement de longue durée, car sa fatigabilité est grande. Il faut savoir le familiariser avec l'obscurité, source d'inquiétude ; certains enfants redoutent le noir, les couloirs, l'allongement des ombres au crépuscule.

Les structures phosphoriques sont régulièrement confrontées avec la fatigue, qui limite leur champ d'expansion et les font s'orienter vers des périmètres sélectifs, des points d'appui ou des refuges pas nécessairement bénéfiques ; la sensibilité, source de fécondation, devient l'occasion de larges blessures mal cicatrisées, participant à la rétraction ou tout au moins à la complexité du personnage. Le noble idéal, à peine entrevu, se fragmente et naufrage : c'est l'abandon sans ressort, la déchéance sans lutte.

Si l'on peut admirer chez le phosphorique son imagination créatrice, ses motivations élevées et son fantastique besoin de croire et d'estimer, il faut redouter chez ce sujet influençable un certain refus du réel concret, de la compétition, le lâcher prise rapide pour glisser dans le rêve ou la marginalité. Sur le plan physique on relève régulièrement des troubles vertébraux de croissance, les états de décalcification ou de la spasmophilie ; les troubles digestifs chroniques, les troubles neurovégétatifs, cardiaques et surtout les maladies du système nerveux, avec l'obsession de la dégradation corporelle (par narcissisme désespéré).

La constitution fluorique

Morphologie

Elle est marquée par l'asymétrie, l'irrégularité de la silhouette physique et l'inclination vers le désordre psychique. La structure physique est dominée par l'hyperlaxité ligamentaire, qui confère une souplesse exagérée et une instabilité d'attitude. Les mains sont flexueuses, hyperextensibles.

L'extension de l'avant-bras se fait au-delà de l'horizontale, dans un angle obtus ouvert en arrière.

Les dents présenteront un émail de mauvaise qualité et auront tendance à chevaucher. Canines et prémolaires en malposition nécessiteront des appareils orthopédiques. Le maxillaire supérieur se mettra en avant et les arcades dentaires ne seront jamais alignées.

L'enfance est marquée par le danger des intelligences trop précoces, des acquisitions trop rapides, des besoins de s'agiter avec l'horreur de la contrainte et le refus de l'ordre.

Physiologie et comportement

L'hyperlaxité ligamentaire, l'instabilité de l'attitude auront pour correspondance un comportement fluctuant, mal déterminé, esquivant les interdits, avec le goût du paradoxe, des réactions imprévues, indécises et soumises à des changements permanents. L'horreur de la contrainte se traduira par le besoin de changer de direction, de lieu, de situation et même de compagnie, avec des points de réalisations géniales précédant des échecs retentissants : c'est un maintien instable sur le plan physique, psychique et moral. Mais le côté souple, séduisant, parfois très brillant du personnage, spécialement en société, saura habilement dissiper ses tendances pathologiques. Elément liant, souple trait d'union entre les gens, il paraîtra d'une exceptionnelle intelligence mais il abandonnera ses actions d'une façon imprévue et irrationnelle.

Il s'agit donc d'un rythme vital de grande amplitude sans aucune continuité. Sans solide encadrement, il mettra en danger les sociétés, les groupes, les économies dans lesquels il s'insère.

Sous l'aspect flatteur du polémiste, du contradicteur brillant, se dissimule une agitation désordonnée de l'esprit, une excitation malsaine de l'activité cérébrale, un penchant vers la survitalité.

Le terrain : parcours prévisible de la santé vers la maladie

La vie ne s'inscrit pas dans un cadre inerte : elle s'exprime par la richesse des possibilités réactionnelles, par le dynamisme de chaque individu à travers son histoire morbide et souvent elle est un lien cohérent entre le passé et la marche vers l'avenir : sur la toile d'impression du bâti morphologique vont se superposer les écritures du vivant. C'est la notion du terrain morbide qui apparaîtra en 1828, dans le second ouvrage théorique de S. Hahnemann, *Doctrine et Traitement homéopathique des maladies chroniques.* Il note que « les maux qui semblaient déjà éteints venaient à reparaître. Le remède dont on s'était bien trouvé la première fois réussissait d'une manière beaucoup moins complète et, quand on le répétait une troisième fois, il était couronné d'un succès moins marqué encore »... Il comprend que la loi de similitude appliquée en instance première peut se suffire, mais qu'une stratégie doit être élaborée lorsque les événements morbides se superposent dans la vie d'un malade. Une otite aiguë se définit par une agression microbienne ; une otite chronique ou récidivante, c'est un point faible de défense par lequel s'engouffre l'agresseur, c'est un film déterminé d'évolution. Alors Hahnemann élargit le champ d'application ou principe de similitude, il apporte à la méthode un renforcement de doctrine. L'homme de la réaction infinitésimale, cellulaire, tissulaire, individuelle, va partir à la recherche des causes profondes de la maladie, procéder à un immense classement des catégories humaines, suivant leur aptitude morbide. Il analysera les parcours à la recherche de l'unité de la maladie après celle de l'homme. (« On n'a jamais sous les yeux qu'une portion du mal primitif. ») Les antécédents du patient, les maladies passées ont des liens obscurs. Les symptômes extériorisés par la maladie du moment ont des racines plus profondes ; à travers les signes qui émergent en surface, il faut étudier ce qui perturbe notre économie en profondeur, comprendre le cheminement horizontal qui nous relie avec nos racines héréditaires, nos dispositions biologiques, nos acquisitions pathologiques successives. Il donnera ainsi au médecin le goût de la recherche en profondeur, celle qui l'élèvera au rang du médecin de la prévention, ce jardinier de la plante humaine respectueux de l'écologie et de l'ordre de la création.

La médecine du temps d'Hippocrate était d'essence humorale : Pasteur a balayé la conception humorale en identifiant les causes extérieures au malade : les microbes. Tout semblait venir de façon éclatante de l'agression externe et la notion du terrain tomba en déchéance : on faisait bien allusion à un terrain névropathique, neuro-végétatif ou endocrinien et la labilité de ces valeurs est devenue flagrante avec le découpage de la recherche scientifique qui encourage les couloirs étroits de la connaissance.

Avec Hahnemann, les homéopathes sont restés fidèles à la *notion de véritables dispositions morbides* de l'économie vivante, à la notion d'une chaîne évolutive de maladies canalisées par l'hérédité, avec ses propres combinaisons de possibilités.

La « diathèse » est en quelque sorte une manière spécifique de répondre à un stress ou à un ensemble de stress, une orientation morbide latente qui attend des occasions favorables pour se manifester, une aptitude de l'économie à développer une certaine tonalité réactionnelle prévisible dans chaque processus.

Et Hahnemann distribue autour de ces grands ensembles morbides l'appellation de *psore, sycose, luetisme,* complétés ultérieurement par le *tuberculinisme* de A. Nebel.

La psore

Pour Hahnemann la *psore* était une maladie à miasmes ou à virus universel qui se définit bien plus nettement comme une auto-intoxication chronique avec surcharge, sédentarité, alimentation de mauvaise qualité, abus divers (alcool, tabac, assujettissement médicamenteux). Cette intoxication se traduira au niveau de l'épiderme par de nombreux symptômes cutanés, dermatoses de toutes sortes qui sont l'image d'un constant effort de dépuration périphérique. Ces reflets cutanés sont l'image d'une défense active et on aura la surprise d'assister à des alternances morbides, comme si l'incendie suspendu en un point reprenait son cours dans une autre partie du corps : un simple prurit anal effacé énergétiquement (par des corticoïdes) deviendra une crise d'asthme, à l'asthme succédera une migraine, une poussée rhumatismale, une élévation de tension, voire un trouble de l'esprit. Ce conflit humoral sans focalisation lésionnelle stable deviendra une maladie à facettes multiples et le plus grand danger pour le médecin est de traiter ces manifestations comme des maladies séparées. Ce contentieux métabolique prendra

161

l'allure d'un tableau allergique à épisodes variés, et on comprend le danger des médecines hautement spécialisées qui ont perdu le regard sur l'unité de la maladie.

La dermatologie prend les plus grands risques à méconnaître le sens de certains symptômes cutanés, sans réfléchir aux rebonds internes, aux renvois en profondeur sous forme de céphalées, d'hémorroïdes, de troubles intestinaux, de bronchites, de douleurs cardiaques et d'état rhumatismal, voire d'état dépressif succédant à la suppression de ces signes cutanés.

Pour Hahnemann, la santé est une recherche d'état d'équilibre, négociée autour d'une bonne qualité des émonctoires naturels (foie, intestins, reins), et la manifestation cutanée sera le premier signal de défaillance des filtres naturels, le miroir de nos désordres. Dans la citadelle du corps c'est aux frontières que les foyers s'allument

Le destin chaleureux de Sulfur

M. Sulfur a peu de chance de passer inaperçu au niveau de la société ; son image jupitérienne, faite de rondeur, témoigne de sa réussite, de son rayonnement. Il communique sa chaleur à son entourage et à tous les projets ou initiatives sociales qu'il anime : son esprit pratique, son souci de la considération, voire son matérialisme, ne sont pas pour déplaire, bien au contraire. Son visage est un peu trop coloré, ses oreilles rougissent rapidement dès que monte la chaleur d'une pièce, tout est rouge comme le symbole du ruban à la boutonnière auquel secrètement il aspire La réussite en société l'attire (présidence, notoriété politique, Lyons Club, conseil général, les honneurs de la politique de la chambre ou du Sénat). Son optimisme rassure, il sait vivre dans le présent et sait payer de sa personne dans des élans chaleureux. Cet hyperactif sanguin va pécher par sédentarité et par goût impénitent pour les faiblesses de la chair, les plats en sauce, les douceurs, les alcools et les vins capiteux et un certain plaisir des sens ; chef par vocation, il présente de vifs et brefs accès de colère, rapidement oubliés (vite impressionné, vite calmé). Il a tendance à somnoler dans une pièce chaude, s'assoupit devant un poste de télévision pour mal s'endormir ensuite, car la chaleur du lit l'incommode, ses pieds cherchent les endroits frais et la chaleur est un insupportable encouragement aux démangeaisons brûlantes qui affligent sa peau. Toute rougeur s'accompagnera de brûlure à la chaleur du lit, et son sommeil aura l'agitation d'un encombré circulatoire qui a du mal à trouver son repos.

L'enfant Sulfur est un sujet généreux, un peu malpropre, boutonneux, et qui semble se satisfaire de tout ce qu'on lui présente dans son assiette ; optimiste, hâtif, désordonné, il croit tout savoir sans se donner beaucoup de peine. Il a beaucoup d'imagination et peu de continuité, il s'agite mais il affabule, il s'excite en désordre ; en tout cas sa propreté n'est due qu'à un tenace harcèlement de la part de la mère. Rien n'est tout à fait propre autour de lui ; c'est l'enfant traîne-poussières qui paraît crasseux à travers ses éruptions, l'écoulement catarrhal des yeux, du nez qu'il tripote consciencieusement avec ses doigts. Il est très sensible aux odeurs, mais est peu soucieux de négocier les siennes par une hygiène régulière, c'est le hippy adolescent aux cheveux filasse et à l'acné rebelle.

A l'âge adulte, Sulfur s'installe dans son destin circulatoire : varices, hémorroïdes, surcharges digestives, rénales, poussées de tension accompagnées de constantes manifestations cutanées. L'asthme, l'eczéma, les migraines viendraient alterner avec les poussées rhumatismales ou les crises de diarrhée salutaires. Il commencera à se plaindre du dos en se levant d'un siège ou en sortant de sa voiture, car il n'aime pas rester longtemps debout : visiter un musée est un calvaire physique, la réception avec le petit verre à la main lui donne le plaisir du verre, mais pas celui de rester immobile. Il grossit, sa tension s'élève, son visage se dilate et s'empourpre proportionnellement à son expansion sociale. Il aime les honneurs et la société. Les mises en garde du médecin seront mal observées et le regard sur le voyant des lipides, du cholestérol, de la glycémie l'impressionne peu (toujours au-dessus, ces chiffres ne semblent inquiéter que le médecin).

Sa physiologie, son équilibre moral ou physique dépendent de la qualité de ses émonctoires. Leur activité lui feront voir la vie en rose ou le précipiteront dans un noir pessimisme.

Il alternera curieusement des phases de jovialité étourdissante, brillant en société de tous ses feux, et offrant à sa compagne la phase dépressive, découragée, voire anéantie, insoupçonnée, qui suit les phases d'euphorie. Lorsque Sulfur entraîne son monde d'une façon trop enthousiaste, il y a lieu de craindre des phases dépressives. Mais l'âge arrive. Il commence à avoir les jambes lourdes, il s'assoupit et se ralentit : la femme présentera un tableau semblable avec en prime la rondeur et la générosité des bouffées de chaleur intenses, instantanées, gagnant la périphérie, le sommet de la tête et les jambes, consacrant par tous les temps les intolérances à la chaleur de Sulfur.

L'arthrose l'enraidit, l'hypertension de l'âge moyen, la sclérose vasculaire l'accompagnent désormais. Un tel tableau, traité par des doses régulières de Sulfur et allégé par le drainage des filtres naturels du corps (rein, intestins, foie), permettrait d'allonger leur espérance de vie et d'amoindrir la prime d'assurance qui, au début du siècle, tenait compte des traitements homéopathiques. De nos jours, les lourdes techniques du « check-up » apportent beaucoup moins qu'une solide connaissance du terrain psorique.

Le tuberculinisme

La grandeur, l'originalité de la conception structurale, s'exprime à travers la notion de tuberculinisme. La contestation de vocabulaire qu'elle a entraînée est bien moins importante que sa réalité clinique, sa signification, qui en font un outil très précieux de l'enfance et de l'adolescence. Voir et interpréter l'unité, identifier le sujet à travers la cause que l'on recherche c'est un haut niveau d'observation que le docteur Guermonprez a magistralement défini : « Reconnaître un tuberculinique c'est déjà l'avoir à moitié guéri. »

L'ensemble du corps de santé scolaire et de la pédagogie du primaire et du secondaire tirerait un large profit de la connaissance du tuberculinisme. Ce n'est ni la tuberculose-maladie, ni la primo-infection. Elle fut appelée ainsi par Léon Vannier, qui l'abritait dans la frêle et longiligne constitution phosphorique. Sa sensibilité, sa fragilité, ses épisodes de santé pourraient aboutir à la maladie pulmonaire. Elle est, à travers son essence, l'image la plus délicate et la plus élevée de l'individualisation. Elle ne se plie pas à la plasticité du milieu. Si l'espèce humaine échappe à la pollution, à la robotisation, si elle se renouvelle dans le domaine de la création sensible, intellectuelle et artistique, c'est au tuberculinisme qu'elle le doit. C'est par l'originalité et l'indépendance de sa perception que l'homme peut s'opposer à la standardisation des besoins créés par les cerveaux qui dirigent notre société de consommation. Une expérimentation pharmacologique est toujours couronnée de 60 % à 70 % de bons résultats (assurés par les carboniques) ; les tuberculiniques (phosphoriques) alimentent les 30 % des opposants irréductibles à l'asservissement ou à l'expérience collective : rien ne limitera leur identité ou leur individualité, car entre psyché et soma s'est interposée : la *sensibilité,* non pas seulement cette exquise disposition mentale, mais une réceptivité exceptionnelle, marque de la richesse de la personnalité que notre maître H. Bernard a décrite dans sa *Doctrine homéopathique.*

Le tuberculinique va se montrer tout de suite « plus réceptif » qu'un autre à l'action des agents extérieurs, aux bruits, à la lumière, à la musique : manifestations auxquelles les enfants carboniques sont insensibles. Ces enfants vont rapidement faire des intolérances lactées par insuffisance digestive... Notre petit phosphorique est vif, agité, et dort mal la nuit. Il ne se rendort qu'après un biberon dont il a besoin, ce qui est la première manifestation de la faim des phosphoriques, entre les repas et la nuit. Révélant leur tendance hyperthyroïdienne, ces enfants grandissent démesurément, au cours d'un long épisode fébrile, qui nécessite l'alitement. L'enfant phosphorique est sensible aux manifestations artistiques : peinture et surtout poésie et musique. Le développement de son intelligence le poussera à rechercher le « pourquoi » des choses, *questions incessantes* sur tout ce qui frappe ses sens et son imagination précocement développée (les images de télévision ont un pouvoir d'évocation et d'excitation chez l'enfant tuberculinique où l'éveil est particulièrement précoce). Très doué pour les lettres, il est plus rebelle aux mathématiques, quoique son intelligence apprécie vivement la précision et la logique des raisonnements, qui peuvent parfois le séduire. Il soutient brillamment les thèses les plus diverses, toujours avec conviction ; il s'enthousiasme pour les carrières qui exigent une véritable vocation, chérissant l'action missionnaire ou la vie monastique. Il est curieux de constater qu'un saint

165

François d'Assise, qu'un saint Jean de la Croix, et nombre de ces grands mystiques présentaient les signes morphologiques des phosphoriques. Par contre, l'Eglise choisit ses prélats chez les endoblastifs actifs (Sulfur gros), qui sont des administrateurs et des modérateurs.

« L'éveil de l'intelligence de l'enfant turberculinique est un bouillonnement. Il ne faut pas le décevoir, et combien est délicate son éducation, il faut le heurter le moins possible. Heureusement que le raisonnement a de la prise sur lui, comme chaque moyen qui s'adresse à son intelligence, son jugement, son affectivité » (Henri Bernard).

Comme on le constate, le sujet tuberculinique se caractérise par son affectivité, son enthousiasme, mais aussi par sa fatigabilité nerveuse et par son hypersensibilité. Il présente souvent une céphalée d'études qui appelle un remède constitutionnel. Non moins importante est la variabilité des signes. D'abord, il se réveille plus fatigué qu'il ne s'est couché : la remontée matinale en surface nécessite le palan, il sera éprouvé par les variations de sa santé physique. C'est une victime de l'alternance, il se sentira euphorique, productif pendant quelques heures, quelques jours, puis glissera dans des faiblesses inexpliquées, semblant obéir à une rythmologie obscure, dont il est seul à détenir la clef : il va maigrir, il transpire rapidement au moindre effort. La spécialité du tuberculinique est la fragilité de ses muqueuses. Doté d'un foie insuffisant, négociant laborieusement son métabolisme, ses défenses sont toujours mal assurées. La déshydratation, la déminéralisation s'installent et des pointes fébriles apparaissent, que l'on attribue aux poussées de croissance ou aux populaires virus intestinaux.

Sa fragilité, son manque de résistance l'identifient au bâti osseux du phosphorique : c'est le champion de l'absentéisme scolaire en raison d'un fléau irréductible de la pédiatrie : la rhino-pharyngite de l'enfant. On peut se laisser courtiser par l'immunologie, on peut souscrire aux thérapeutiques coûteuses par les anticorps, mais, avant de sombrer dans la défaite face aux staphylocoques, streptocoques et autres germes divers, il faut comprendre les faiblesses de la structure plutôt que de combattre à chaud les processus inflammatoires. Le médecin pourra se rendre maître à 90 % des rhino-pharyngites de l'enfance ; il

166

interprétera les signes avant de les combattre, il ne deviendra pas le prescripteur zélé et las des « gouttes nasales »... Il cherchera à assister et ne pas anéantir les « voyants lumineux » de cette structure affaiblie.

Plus le nez s'encombre, plus le foie est en cause avec la faiblesse de son pouvoir désintoxicant ; pour combattre l'enchifrènement il faut réarmer la cellule hépatique, les muqueuses affaiblies, avec *Lycopodium*, *Pulsatilla* et *Silicea*, et le médecin conscient de la structure connaîtra des joies thérapeutiques de haut niveau. Vite exalté, déprimé, sans endurance, avec une capacité idéatoire élevée, rêveur, intuitif, mobile, impatient, notre tuberculinique offre de passionnantes approches psychologiques, et vous deviendrez le protecteur de cette essence humaine bâtie de façon exquise autour de la fragilité et de la sensibilité.

Fébrile, enrhumé, migraineux, son comportement traduit son instabilité existentielle et son goût de changement. Cet inquiet à l'imagination active deviendra irritable en prenant conscience de ses difficultés. Il sera agité, ne sachant pas où porter son activité. Le malaise sera à l'intérieur (il a soif d'air, de liberté) autant qu'à l'extérieur (il prend froid et s'adapte mal). Son esprit est peuplé par une surabondance d'impressions sensorielles qui le maintiennent éveillé tard ou l'absorbent de pensées lascives pubertaires, et le matin il a toutes les peines du monde à s'éveiller et à faire surface. Le fin niveau de sa sensibilité, son excitation sensorielle l'exposent aux intensités douloureuses, aux variations thermiques mal supportées (chaleur, soleil, froid, orages, printemps). Sa physiologie est mal assurée : son psychisme, son humeur sont très mouvants. Le besoin de bouger, de voyager, est très vif, à l'inverse du Carbonique, qui aspire à la stabilité de son périmètre, et si le voyage est impossible pour des raisons matérielles c'est le saut autorisé dans l'imaginaire, le phantasme. Dans ce schéma corporel mal assuré, la confiance aura du mal à s'arrimer. La riche imagination créatrice se fragmentera, les « vues » en négatif seront plus nombreuses que les intentions constructives. Les crises d'adolescence seront parfois marquées par des glissements vers la drogue et des faiblesses sans appel. Le phosphorique tuberculinique étalera une grande vulnérabilité ponctuée de surexcitation et de vive opposition à l'entourage.

La psychasthénie, la névrose d'angoisse et surtout la mélancolie sont plus à redouter que le tableau toujours possible du délire des grandeurs de l'élégant raté, inadapté, médiocre irréductible et sans gloire !

La sycose

La sycose, deuxième intoxication métabolique, est l'empreinte d'une biologie déficitaire encouragée par une civilisation qui accepte sans réaction la décadence lente de son mode de vie et de sa culture. L'élan de la réaction centrifuge et bénéfique de la psore va s'atténuer, s'éteindre ; elle porte de moins en moins vers la périphérie. L'infiltration interstitielle va se traduire par une rétention aqueuse, un épaississement du corps, un psychisme déficitaire centré sur l'agitation stérile, anxieuse, et la tendance aux *idées fixes*.

Thuya, chef de file historique de la sycose, est le fruit de la géniale observation de Hahnemann. Amené à donner des soins à un jeune séminariste qui se plaignait d'écoulements de l'urètre, Hahnemann se rendit à l'évidence : que l'homme était sincèrement tourné vers les pensées de Dieu et éloigné des tentations de la chair. L'homme ne s'accordait que quelques instants de liberté pour méditer en déambulant dans le cloître et avait l'habitude de mâchonner des feuilles de thuya, aux puissantes essences, et l'idée d'expérimenter *Thuya* à l'échelon infinitésimal apparut à Hahnemann. Il observa des écoulements, des infiltrations lentes de la peau par rétention hydrique, l'apparition d'une cellulite douloureuse, la production de verrues, végétations, taches rubis « lie-de-vin » dans la région génito-anale, la modification des cheveux (secs, cassants) et des ongles (stries friables), et surtout une aggravation générale par l'humidité avec tendances aux sueurs grasses, visqueuses, d'odeur fade.

L'Antiquité avait créé le terme de sycose en désignant des excroissances de chair envahissant les parties garnies de poils et localisées au niveau des parties sexuelles. Toutes ces manifestations apparurent comme des manifestations de maladies transmises par voie sexuelle. La blennorragie et la persistance de l'écoulement urétral ou vaginal traduisaient le passage à la maladie chronique. Après la mort d'Hahnemann on s'aperçut que d'autres causes reproduisaient le même tableau ; toute agression à action lente, répétée, modifiant l'économie, devenait sycotisante : vaccins répétés, introduction de sérums alimentaires, intoxications déclenchant des réactions allergiques immédiates sur des sujets sensibles, véritables organismes sentinelles. La sycose est une dégradation progressive du milieu intérieur, tolérée parce qu'ignorée. Hygiène alimentaire défectueuse, suralimentation, cultures de sol alourdies par l'adjonction d'engrais potassique, déficit magnésien accentuant la rétention potassique, vie moderne et pollutions atmosphériques de toutes sortes (détergents chimiques polluants, benzopyrène, dérivés du soufre, mazout, le tétraéthyle de plomb, produits capillaires et industriels, additifs alimentaires), la liste des poisons de l'environnement est inépuisable, et tous les contrôles de l'État sont insuffisants, mais la gravité réside dans l'absence d'effets polluants immédiats, qui en feraient de salutaires signaux de danger.

La vie moderne, les agents pharmaceutiques, les thérapeutiques aux longs cours (les tranquillisants consommés par deux Français sur trois engendrent la plus large part de la sycose, véritable maladie moderne « iatrogène », c'est-à-dire introduite par le médicament, et qui oblige le corps à lutter sur deux fronts, celui de la maladie et celui des méfaits des thérapeutiques de longue durée). La sycose ne se mesure pas : tous ses agents échappent au contrôle. Récemment, dans l'ouest de la France, un trafic de laboratoires pharmaceutiques portant sur un milliard de francs de vente sans factures et animé par des hommes sans conscience a permis l'accroissement pondéral des animaux d'élevage par adjonction d'antibiotiques et d'œstrogènes. Il n'est pas surprenant d'observer à partir de ces pratiques coupables l'alourdissement de la silhouette masculine, une certaine féminisation des formes ; enfin, l'action favorable des doses de folliculine 9 H sur l'obésité (la dose faible ayant l'avantage de déplacer, de chasser la dose forte) témoigne de ces apports nocifs sur la forme du corps.

M. P., de santé très robuste, fait une chute de cheval : fracture, hospitalisation, guérison anatomique. Apparition au cours des suites opératoires d'un eczéma suintant inconnu jusqu'à ce jour. Raison : transfusion.

M. Jean Marc C., journaliste, se fait opérer d'une hernie inguinale : d'indispensables transfusions lui occasionnent eczémas, arthralgies, symptômes jusqu'à ce jour inconnus. L'admirable lien de vie qu'est la transfusion devient une source nouvelle de pathologie.

Mme D... se présente, il y a deux mois, avec le visage sombre des candidats à l'admission à la cure de sommeil ; son histoire pathologique étant un modèle d'objectivité, elle mérite d'être contée. Chef d'agence dans une compagnie de voyages, elle ne présentait, jusqu'au 20 décembre, que des troubles gynécologiques simples, une obstruction de la trompe, qui s'opposait jusqu'à ce jour à toute maternité. Tenue de convoyer un groupe de touristes de son agence, elle est obligée de satisfaire aux exigences de la vaccination pour l'Afrique : variole, choléra, fièvre jaune. Le carnet jaune international de vaccination partage, avec les titres d'identité, la panoplie du voyageur moderne. Le besoin, de nos jours, est de partir le plus loin possible dans les pays les plus reculés ou les plus primitifs. Bref, il faut présenter ses biceps légalement à cette vaccination, qui est le laissez-passer de la grande escapade vers les loisirs. Notre patiente débarque en Afrique, où une épidémie d'amibiase impose un traitement préventif parallèle à celui du paludisme endémique (faute de ne pouvoir dégager les causes et les effets, le voyageur de demain a intérêt à s'interroger sur les effets d'une survaccination). Un état dépressif foudroyant s'installe chez notre patiente, que des doses de *Silicea* et de *Natrum mur* guérissent en 15 jours, avec les remerciements de notre patiente, qui s'est rendu compte (elle, mais pas tous...) que ces doses infinitésimales lui ont épargné un séjour infiniment moins divertissant en clinique.

Les premiers signes de la sycose sont l'insuffisance rénale débutante, la rétention hydrique, qui se traduit par l'apparition de sueurs aux parties découvertes, sous la forme de fines gouttelettes à la lèvre supérieure, des œdèmes apparaissent aux mains, avec le fameux signe de la bague, l'impossibilité de libérer l'alliance ou de fermer la main au réveil (*Natrum sulf, Aranea diadema*). La main froide et moite indique un trouble lymphathique de rétention hydrique ou d'éliminations périphériques encombrée.

170

Alors l'œdème persistant apparaît aux chevilles, le bassin s'arrondit par adiposité. C'est la fameuse et irréductible culotte de cheval chez les hydrogénoïdes. Bien entendu, la rétention d'eau va s'aggraver la nuit, par immobilité. L'eau se dépose dans la région lombaire, rénale, dans les membres inférieurs, infiltrera les tissus conjonctifs, les aponévroses, les ligaments, les tissus périarticulaires, et l'état rhumatismal se caractérisera par l'aggravation au réveil et aux premiers mouvements.

L'aggravation par l'humidité fera des sujets sycotiques d'authentiques baromètres, et Natrum sulf sentira le changement trois jours avant tout le monde.

La dépression à idées fixes de la sycose

Le versant psychique de cette intoxication est un chapitre passionnant de la psychophysiologie : une viscosité psychique se superpose à la viscosité physiologique. A l'état normal notre cerveau a la maîtrise des idées et des images, quelle que soit leur intensité. Lorsqu'une idée envahit le champ de conscience, elle devient l'idée fixe, véritable corps étranger qui va exalter l'anxiété et à l'extrême limite peut devenir obsession et mobiliser une lutte d'expulsion émotionnelle avec le doute installé et le contrôle angoissé de l'emprisonné cérébral ; c'est la transformation du danger, notion émotionnelle simple, en tension psychologique permanente.

Alors apparaissent les dangers des répétitions, des automatismes, des représentations mentales qui s'introduisent dans la conscience morale en culpabilisant le sujet. C'est le fléchissement du contrôle supérieur de la volonté et l'aliénation passive.

La défense psychique se fera nécessairement sans ordre, le réel s'éloignera et l'invasion imaginaire s'installe ; la rumination apparaît, ainsi se développe une catégorie de malades : les hypochondriaques, présentant une préoccupation chronique, centrée sur leur état de santé et la perception des moindres sensations émanant du corps. Ces malades deviendront des comptables pointilleux de leurs corps, portant d'immenses espoirs sur le corps médical, s'en retirant déçus et multipliant leurs expériences. Les mass média qui font voler les victoires

171

médicales et les conquêtes de la science, de clocher à clocher, les rendent encore plus amers et déçus, car la réponse à leur problème individuel n'est jamais faite. Cette situation s'aggrave par une curiosité médicale indécente, qui nourrit bien plus la peur de la maladie qu'elle n'alimente les secrets de la santé.

Thuya occidentalis, roi de la sycose

Lourd, indolent sur le plan physique, Thuya sera hâtif, impatient, fébrile, précipité, à l'image de son comportement inquiet. Il est terriblement émotif, impressionnable : la musique militaire à l'occasion des revues du 14 juillet, un spectacle triste ou mélodramatique feront jaillir les larmes de ses yeux.

Son visage paraît pâle, cireux, transparent, et la peau du visage huileuse et malsaine ; une transpiration abondante apparaît au début du sommeil. Chez lui tous les écoulements seront à surveiller et à interpréter dans le cadre de sa diathèse. Écoulement épais, verdâtre, de mauvaise odeur, provenant du sinus, du nez ou des bronches (catarrhe humide). Diarrhée jaillissante, éclaboussant la cuvette, précédée d'un grondement intestinal qui inquiète le malade et lui fait croire à des mouvements vivants de l'abdomen. Écoulement par l'urètre ou le vagin, douleurs dans les organes génitaux, à gauche chez la femme, avec sueurs fadasses ou fétides des organes génitaux, modification du jet urinaire avec persistance de goutte terminale.

Plus les vaccinations se répètent, plus les écoulements s'allongent, plus le psychisme hypochondriaque s'étend. Les idées fixes de Thuya ont un centre ombilical : il cristallise l'obsession de la pathologie des organes génitaux cachés et les sensations, les écoulements ont le sens de la culpabilité par ce péché génital : la femme sans règles imaginera une authentique grossesse (son ventre s'épaissira comme au sixième mois), et le secours viendra de l'exorciste, du psychiatre plutôt que du gynécologue accoucheur.

La lourdeur du corps fait craindre la fragilité des supports : on se croit en verre et on craint de se briser. Parfois, on est à la limite de l'authentique état obsessionnel, avec sentiment d'incomplétude, contrôles répétés et vérifications incessantes (idées fixes d'hygiène).

Mme M... est une réfugiée musulmane d'Afrique du Nord : son état est typiquement justiciable de *Thuya* ; c'est pourquoi, en fin de consultation sur un problème d'obésité spongieuse qui la mine, elle me confie que, depuis 1962, elle dort mal, est en proie à des idées obsessionnelles. Cette femme exemplaire à l'égard de ses devoirs maternels — sept enfants — a dû faire face à l'exil, à l'embarquement dans le port d'Alger, et elle a passé une nuit sur les quais, entourée par sa nombreuse famille : fatigue coupable car elle s'endort malgré son souci de vigilance et, en se réveillant, un enfant manquait à l'appel. Effroi, recherche ; enfant retrouvé mais culpabilisation qui se prolonge jusqu'à ce jour ; une dose de *Thuya* a effacé son problème et lui a fait perdre vingt kilos.

Mme M... est mère d'une enfant poliomyélitique âgée de quinze ans, enfant unique qu'elle a élevée avec de grandes difficultés, puisqu'elle est sous armature orthopédique. Nous soignons depuis quatorze ans l'enfant, à qui un équilibre musculaire convenable a été rendu. Mais la mère vient un jour m'exposer son propre problème, ses irrégularités menstruelles et son désir impossible à réaliser d'avoir un autre enfant... Le dialogue, bien entrepris, aboutit à une typique confidence de Thuya : « Je ne peux avoir d'enfant, je n'en veux pas, je n'en mérite pas, etc. D'ailleurs je suis coupable ; deux mois auparavant je l'ai laissée choir d'une table (elle avait huit mois), et je suis sûre que sa polio est liée à sa chute. »

Thuya 9 H, 15 H, 18 H, 30 H amène une guérison définitive de cette malheureuse aberration.

Quelques détails curieux : Thuya trouve que les plats ne sont jamais assez salés et a un grand désir de thé.

L'aggravation physique de Thuya se traduit toujours par la pesanteur du psychisme : quand le niveau physiologique baisse, l'état obsessionnel s'élève. L'entourage dira de lui : « Il se fait des montagnes d'un rien. »

La sycose aggravée : l'érosion physique et psychique de *Nitric acid*

Les acides sont des agents irritants, corrosifs et toxiques. L'atténuation médicamenteuse leur confère des vertus thérapeutiques originales. Au stade acide, on assiste à des dégradations tissulaires, une débilité irréversible et une tendance aux ulcérations cutanées ou muqueuses. C'est le stade des épuisés atoniques qui se décompensent et se remettent mal des dommages tissulaires subis.

Nitric acid est le grand remède des ulcérations cutanées dont le premier aspect est de produire des douleurs piquantes comme des esquilles enfoncées dans la partie malade ; prurit et ulcérations se situent au point de rencontre des muqueuses et de l'épiderme (bouche, nez, anus). Hémorroïdes, crevasses, fissures sont toujours très douloureuses, et il est singulier de découvrir une certaine symétrie de localisation : ulcération des gencives, langues, pharynx — fissures anales. Cette dégradation du revêtement cutanéo-muqueux s'accompagne d'une émaciation et d'un déclin nutritionnel ; les muqueuses digestives se déshydratent, le sujet se plaindra de renvois aigres, de perturbations intestinales (diarrhée), de sueurs acides. Le malade maigrira, malgré une faim conservée ; il recherchera des excitants mal digérés (gras, hareng, sel et saumure).

Mais il ne sera pas rare de percevoir sur la peau les outrages et les signes des réparations anarchiques : polypes, verrues, sur le nez, le larynx, le gland, les paupières, les organes génitaux, avec la caractéristique d'être prêts à se fissurer et à saigner à la moindre occasion. Mais la dominante physiologique et mentale de *Nitric acid* est la *causticité !*

La sycose est un stade de décompensation psychique ; le refuge de l'idée fixe qui apparaît chez Thuya va trouver chez Nitric acid un stade de fixation obsessionnel, sèchement agressif et colérique. Adulte ou homme du troisième âge, il s'agit d'un sujet d'autant plus sthénique et irritable qu'il réagit vivement à la douleur, dynamisant à l'échelon mental son affaiblissement physique, et sa phrase révélatrice sera « tout le monde m'en veut ».

Mélange de Staphysagria et de Nux vomica, sa revendication est aussi autoritaire que son voisin vasculaire Aurum ; c'est le patriarche sec, souvent irréprochable dans l'éducation et la protection familiale, qui fera valoir de façon vindicative à la retraite les sacrifices consentis et jamais acquittés en retour par les siens. Il multipliera les conflits, s'enfermant dans une émaciation douloureuse, un visage affaibli mais un regard toujours puissant.

Le versant psychique de Nitric acid est parfois la dissociation psychique avec repli profond de la personnalité et rupture du comportement rationnel : le sentiment de persécution est aussi obsédant chez Nitric acid que son prurit cutané. Bien entendu, à toute question directe, la réponse ne viendra jamais ; mais il y a des sorties de secours pour l'observateur expérimenté.

Mme L..., trente-huit ans, souffre d'un état chronique avec comportement névrotique assez compréhensible. Elle présente une amibiase chronique avec recto-colite hémorragique soignée difficilement par des thérapeutiques lourdes. Lorsque les épisodes digestifs s'améliorent, des céphalées apparaissent, aggravées par un syndrome menstruel et une sensibilisation à sa propre folliculine. Il faut préciser que son niveau d'intelligence est élevé, autant que le poids de ses frustrations personnelles. Son poids, trente-huit kilos, témoigne d'une cérébralisation exacerbée par une détresse physiologique. Nous l'interrogeons sur le chapitre si important qu'est la période prémenstruelle : c'est la pierre d'achoppement de la confidence. A travers quelques questions banales, nous l'amenons à exposer ses problèmes relationnels avec les autres personnes. « Avant mes règles ma tristesse est profonde, je me replie sur moi-même et j'ai parfois l'impression que les autres parlent de moi. » Le doigt sur la gâchette de Nitric acid est en place, et le résultat est à la hauteur de l'immense espoir que l'on met dans ce remède infinitésimal.

Hypothèse d'école formulée par Hahnemann, la sycose n'est pas une confortable description intellectuelle autour d'une morphologie. C'est un chapitre de pathologie franche qui succède à l'équilibre longtemps maintenu de la psore, c'est la voie ouverte à la limitation de l'autodéfense naturelle et à un vieillissement prématuré bien supérieur à la sénescence physiologique. C'est un état qui immobilise lentement le sujet dans une appréciation

inquiète de son schéma corporel et une pusillanimité obsession-
nelle. Cette forme de dépression se manifeste de plus en plus
avec la promesse de longévité. A l'homéopathe le mérite
d'évoquer la sénescence en termes de qualité de vie.

LES RYTHMES BIOLOGIQUES

Faut-il concevoir la santé et la maladie comme le maintien de séquences rythmées de la vie cellulaire et la rupture de cet équilibre ?

La connaissance rythmique est devenue une nouvelle branche de la recherche médicale, actualisant la recherche ancienne d'Hippocrate, d'Aristote, de Pline, de saint Augustin et de tous ceux qui ont recherché les lois qui régissent l'univers. L'activité rythmique est une propriété fondamentale de la nature vivante. Les sciences quantitatives savent interroger les phénomènes. Grâce à l'anatomie, à la physiologie, on sait déterminer le *lieu* des réactions ; par la physiologie, la biochimie, on sait analyser le *comment ;* et, tout en restant discret sur le pourquoi, on introduit enfin le *quand,* c'est-à-dire l'espace-temps dans la compréhension des phénomènes vivants.

Le contrôle des fonctions rythmées a toujours été un temps important de l'examen médical clinique, nous permettant de porter un jugement sur l'état de santé. La connaissance du rythme cardiaque, la fréquence, la qualité et l'amplitude du pouls ont été fondamentales dans l'observation de la médecine orientale. On ne négligeait pas d'observer la fréquence, la forme et la régularité du rythme respiratoire. La médecine de l'Inde accordait une importance particulière à l'alternance de la respiration nasale, de même qu'il est établi de nos jours par les recherches en *acupuncture* que l'utilisation rythmique du diaphragme assure la bonne contraction de la vésicule biliaire et empêche la stagnation biliaire, génératrice de calculs.

177

La succession régulière des périodes de veille et de sommeil au rythme du jour et de la nuit, le rythme de la montée et de la baisse de température au cours de la journée, le rythme menstruel, l'ordonnance rythmée des processus de digestion : ces faits d'observation ont toujours été retenus par la médecine empirique traditionnelle comme des repères non négligeables de la physiologie.

Le rythme est une variation régulière et prévisible dans la biologie de la cellule, c'est une propriété qui relie la vie au temps ; il s'agit bien d'une structure temporelle et non d'une mémoire du temps. On connaît les variations de la floraison, les rythmes annuels de la nature et des animaux (l'hibernation), des poissons (le saumon, l'anguille) : fertilité et rythmes sexuels sont ponctués dans la nature par le rythme des saisons et les périodes d'éclairement. Les rythmes appartiennent à la matière vivante. L'être unicellulaire possède une cavité, la vacuole, dont la contraction rythmée va lui assurer vie et évacuation des déchets. On va découvrir que le mouvement des feuilles, l'ouverture ou la fermeture des fleurs, la croissance des plantes obéissent à des rythmes réguliers d'environ vingt-quatre heures que l'on a appelés *rythmes circadiens.*

La médecine a longtemps négligé les idées relatives à la chronologie du déroulement des processus biologiques, s'attachant trop au caractère spatial de la vie, à l'examen des structures sous l'ultra-microscope.

Certes, on s'interrogeait sur la dimension des phénomènes périodiques en médecine, en dehors des rythmes du jour et de la nuit. On connaît beaucoup de maladies dont les symptômes éclatent à certains moments de la journée ou à certaines périodes de l'année, c'est le cas des maladies dites périodiques : péritonite, fièvre, œdèmes, troubles articulaires et surtout dépressions mentales qui se manifestent à des intervalles réguliers pendant des années sans cause apparente.

Les travaux d'Halberg (U.S.A.) et de Reinberg (France) sur les invertébrés, les mammifères, l'homme ont établi les bases d'une chronobiologie scientifique qui introduit le temps comme dimension biologique : pour chaque fonction du corps existerait un rythme circadien coordonné, reçu dans le bagage génétique et indépendant des facteurs externes. Ainsi cellules, organes, fonctions, glandes endocrines seraient dotés d'un rythme de fonctionnement propre, autonome, sans gêner la coordination globale de l'organisme : sécrétions et éliminations humorales sont soumises à l'activité rythmique (urée, chlore, potassium, magnésium, phosphore, acide urique) et surtout l'hormone surrénalienne très importante dans le maintien de la santé.

La résistance aux agressions n'est pas la même dans la journée : lorsqu'on soumet un lot de cobayes à l'intoxication par l'arsenic à des heures variables, le taux de survie est différent. A 18 heures, il y a 80 % de mortalité dans un lot de cobayes. A 20 heures, il y a 92 % de survivants dans un autre lot.

Chez l'homme, un antihistaminique pris à 7 heures provoque un effet modéré mais de longue durée, tandis que le même ingéré à 19 heures a une action brutale, mais qui ne dure que quelques heures. Des convulsions déclenchées par les mêmes bruits se manifestent au maximum à 20 heures et au minimum à 8 heures.

Le grand problème soulevé par la connaissance des rythmes biologiques est la détermination du temps *favorable* pour l'application d'un remède et la connaissance de la phase critique ou l'*aggravation* du patient à traiter, son niveau de moindre résistance. C'est un horizon considérable qui se déploie dans la recherche médicale, c'est la recherche du niveau *qualitatif* dans la thérapeutique. Il est intéressant de savoir que la prise d'un sédatif ou d'un hypnotique ne doit pas être tardive, elle est plus favorable à 18 heures, moyenne à 21 heures, et pleine de danger pendant la nuit ; comme la prise d'alcool le matin ou à jeun est pleine de risques, parce que la muqueuse gastrique est à nu, et qu'il existe un rythme circadien de l'alcool.

La prise de corticoïdes ou de bêtabloquants (contre l'hypertension) est plus efficace le matin et limite les effets secondaires de ces substances (en particulier le faciès lunaire pour la consommation de cortisone échelonnée dans la journée). La cellule cancéreuse se caractérise entre autres par le raccourcissement de son temps de vie, de sa division en d'autres cellules dangereuses : ce temps de division, de mitose cellulaire est maximum entre 12 et 16 heures, l'heure où sont trop souvent programmées les interventions chirurgicales.

Un rythme biologique peut être assimilé à une fonction sinusoïdale, le sommet de la sinusoïde désigne le sommet de

179

l'amplitude de la fonction, la courbe inverse négative désignant le plus bas niveau ; peut-être en est-il autant dans les variations de notre humeur, parfois impulsive, agressive et sans signification ? La cyclothymie, maladie faite de courants d'hyperactivité, d'hyperidéation suivie de phases dépressives avec abattement total, de survoltage et de dévoltage, n'est-elle pas une forme clinique de ce courant sinusoïdal qui traverse de façon ordonnée la matière vivante ? L'irritabilité de celui qui a faim correspond au pic le plus bas des réserves glucosées de son sang ; l'agressivité ou le silence obstiné de certains au réveil correspond au pic le plus bas de certaines hormones du cerveau, les catécholamines...

A partir de notions claires de métabolisme de substances bien déterminées, force est de reconnaître que notre rythme vital correspond à une sommation de nombreux rythmes correspondant aux différentes fonctions et que le milieu environnant peut introduire des perturbations rythmiques. L'inné et l'acquis sont voués à la rencontre, et l'on définit comme *synchroniseurs* les facteurs puissants du milieu environnant, physiques, matériels et psychiques susceptibles de les modifier : d'abord le rapport lumière-obscurité (c'est-à-dire soleil-lune), les rythmes alimentaires, ceux du travail et les modifications imposées par les règles socio-économiques. Toutefois, derrière les faits, la réalité rythmique du sujet demeure ; les maladies du pollen frappent à la fin du printemps, mais c'est la réceptivité sous-jacente qui donne au pollen la possibilité de déclencher chronologiquement la maladie.

L'application des rythmes biologiques à une chronobiologie thérapeutique, à la détermination d'un temps optimum pour chaque médicament est sans doute le progrès thérapeutique le plus significatif de l'avenir médical. Elle permet d'augmenter l'efficacité d'une médication, d'en réduire la posologie et d'en diminuer les fameux effets indésirables si critiques dans les traitements à long terme. C'est la ponctualisation optimale de l'effet thérapeutique, mais les résistances sont importantes sur le plan économique. Selon Reinberg, la mise au point de thérapeutiques originales coûte de plus en plus cher, et, en développant la chronopharmacologie, un laboratoire doit multiplier par 4 le coût de ses recherches, ce qui rend inaccessible le chemin des sommets ensoleillés en thérapeutique et le progrès se limitera à des étapes très ponctuelles de la biologie.

Par ailleurs, la connaissance approfondie du moment favorable des remèdes n'éclaire pas sur la réceptivité morbide du patient receveur, son portrait biologique étant dégradé répondra par réaction ou par défaillance à l'instrument sophistiqué de la chronopharmacologie. N'a-t-on pas vu des irradiations médullaires par agents physiques évoluer de façon désastreuse, par méconnaissance de l'heure favorable d'un organisme affaibli ? En quelque sorte, à la précision analytique, chronobiologique de l'instrument thérapeutique, le corps malade aux rythmes émoussés n'offre-t-il pas une image, une synthèse lourde d'ombres et de risques ?

Cette notion de rythme, ce retour du semblable dans des espaces de temps semblables — comme l'a formulé Klages — semblerait davantage concerner les sciences humaines et les beaux-arts que la médecine.

Cristoph Wilhelm Hufeland, correspondant et ami intime de Hahnemann, publia en 1797 à Vienne un livre intitulé *L'Art de prolonger la vie* où l'on pouvait lire : « Cette période de vingt-quatre heures, donnée par la révolution de notre planète et que tous ses habitants éprouvent, est discernée particulièrement dans l'économie physique de l'homme. » Cette période régulière est apparente dans toutes les maladies et toutes les autres courtes périodes, si merveilleuses, de notre histoire physique, sont en réalité déterminées par elle. C'est pour ainsi dire l'unité de notre chronologie naturelle. Les deux pôles de l'art homéopathique sont l'*expérimentation* du médicament infinitésimal sur le sujet sain et l'expérience clinique des tableaux cliniques observés, dans la totalité de leurs symptômes. D'un côté un terrain pathologique expérimental où s'allument, dans des temps précis, des réactions organisées de défense ; d'autre part, un recueil statistique des phénomènes observés : la céphalée occipitale avec lourdeur congestive, apathie, abrutissement s'appellera *Gelsemium* (si elle s'aggrave à la chaleur et s'accompagne de lourdeur des paupières). La céphalée occipitale s'accompagnant de grande frilosité s'appellera *Silicea* (le malade se sentira bien en enveloppant sa tête pour avoir plus chaud). Celle qui partira de l'occiput pour se loger au-dessus de l'œil droit aura comme remède *Sanguinaria* (migraine congestive qui survient une fois par semaine le jour de repos et qui s'accompagne d'intolérance absolue à l'odeur des fleurs). La céphalée occipitale dont le trajet rejoindra l'occiput à l'œil gauche, accompagnée de palpitations et améliorée la tête haute, s'appellera *Spigelia*. Toute migraine correspondant à une statistique clinique sera corrigée par le modèle médicamenteux expérimental responsable de ce trouble précis.

Mais la valeur de la localisation spatiale, le signe « local » fidèle pour le clinicien, s'efface au profit de l'observation générale du malade et l'étude de *ses défaillances globales* associées au moment précis où elles l'assaillent. C'est-à-dire que la dimension rythme : l' « heure du symptôme », va solenniser la clinique et faire apparaître la logique des défenses et des défaillances. Un symptôme homéopathique est exploitable par sa localisation, par son horaire, la qualité des sentiments exprimés et les signes concomitants qui l'escortent ; il gagne dans l'intégration du sujet observé ce qu'il perd dans la spécificité de son anatomie ou de sa physiologie.

Une céphalée congestive battante ne veut rien dire, mais, lorsqu'elle est aggravée par le moindre bruit, la moindre lumière, survient à 15 heures, s'accompagne de sécheresse des muqueuses et de dilatation pupillaire, elle trouvera son salut dans *Belladona*. La céphalée matinale qui s'accompagne d'irascibilité ou d'humeur explosive s'appellera *Nux vomica*.

L'expérimentation de Hahnemann était fondée autant sur la chronobiologie du remède que sur le rythme physiologique de l'individu, et l'étude ponctuelle de ses heures de défaillances.

A. Reinberg propose une méthode « autométrique » en observation humaine : ce serait le prolongement du *Connais-toi toi-même* par des mesures et des observations faites par le sujet lui-même, par des mesures de force musculaire, de début respiratoire ou de tests psychophysiologiques, et cela en normalisant et en standardisant les conditions expérimentales. Cette démarche, appliquée à l'étude de l'asthme, aux modifications de rythmes de travail, préface l'*individualisation de l'observation* en médecine humaine bien différenciée de l'expérimentation animale.

Chaque expérimentation médicamenteuse a fait disparaître un pic d'hyperactivité des ferments cellulaires (les enzymes) et l'heure d'apparition du symptôme traduit l'instant de moindre résistance de l'expérimentateur.

Aggravation :

De 1 heure à 3 heures du matin : Arsenic album (son métabolisme, sa thermorégulation et son psychisme sont au plus bas, ce qui se traduit par la *peur de la mort*) ;

De 2 heures à 4 heures du matin : les malades justiciables du radical kali (potassium) se réveillent avec angoisse respiratoire : Kali carb, Ammonium carb, l'élément potassium est un constituant des cellules, des muscles (cœur) et des globules rouges. Cette heure correspond au taux le plus bas des éliminations urinaires du potassium et des dix-sept cétostéroïdes (hormones surrénaliennes) : ce qui explique les défaillances ultimes et la mort survenant à cette heure chez les grands décompensés cardiaques.

Au réveil, nous retrouvons le cortège :

— *des intoxiqués* de la stase portale, alourdis, maussades, irritables : Lycopodium, Nux vomica, Sepia ;

— *des colitiques,* réveillés par le grondement de l'intestin : Natrum sulf, Podophyllum, Sulfur ;

— *des enraidis rhumatismaux :* Bryonia, Rhus tox ;

— *des cardiaques,* angoissés par l'idée de l'énergie à déployer chaque jour : Lachesis, Naja, Carbo vegetabilis ;

— *des déprimés profonds,* où chaque effort physique s'accompagne de la peur de vivre : Phosphoric acid, Aurum, Thuya ;

A 10 heures : Natrum mur, le déminéralisé profond se sent accablé par l'effort qu'il ne sait pas assumer en raison des faiblesses de son équilibre minéral et hormonal.

A 11 heures : Sulfur, Ignatia, Gelsemium ont de réelles défaillances soit par hyperglycémie passagère, soit par spasmodicité et blocage viscéral émotionnel, qui leur fait apparaître le besoin de se calmer en mangeant.

A 15 heures : Belladona.

De 16 à 20 heures : le grand seigneur hépatique Lycopodium, en mauvais équilibre digestif avec ballonnement.

A 21 heures : Bryonia (aggravation des symptômes aigus dans les états congestifs) et Chamomilla (spasmodique, irritable, à l'humeur de « dogue permanente » ; la violence de ses réactions éclate sous toute influence : le froid — qui exalte ses douleurs — et la chaleur ou le repos du lit qui augmente son hypersensibilité ou sa combativité).

A 23 heures : Aconit passe sans transition d'un équilibre apparent à une situation dramatique : un événement physique mineur ou passager le précipite dans une peur indicible de la mort, accompagnée de hurlements de douleur.

De 21 heures à 24 heures : les Phosphoriques ne s'endorment pas. Le monde de l'imaginaire tient en éveil leurs sens exaltés ; leur pensée peut être créative ou lourdement anxieuse. Les images du jour surgissent en force et avec férocité. Ils se couchent épuisés avec des sommeils peuplés de cauchemars et des réveils tardifs le matin avec l'impression d'anéantissement.

A cette chronopharmacologie correspond la réponse d'adaptation des systèmes de défense et l'heure du plus bas niveau de leur réponse. Derrière la pharmacologie infinitésimale, il n'y a pas que la connaissance de l'affinité tissulaire, mais aussi l'ouverture vers la connaissance optimale des fonctions et leurs perturbations.

Périodicité-alternance-latéralité

Il y a dans la clinique quotidienne des affections qui s'aggravent durant le jour et d'autres durant la nuit. Combien de situations paraissent paradoxales à l'observateur, lorsque telle migraine se déclenche et s'aggrave avec la courbe solaire : Glonoium, Sanguinaria, Natrum mur, Spigelia, tandis que d'autres ne se déclenchent que la nuit en dehors de toute lésion osseuse cervicale, prenant une douloureuse allure névralgique et s'atténuant au petit matin (Lycopodium, Thuya, Arsenic, Luesinum).

Que penser de la migraine périodique du dimanche, survenant durant le week-end ou à jour fixe hebdomadaire, hors de ressource pour les thérapeutes allopathes, là où le médecin homéopathe prescrit en individualisant : *Tuberculinum, Silicea, Sulfur, Sanguinaria, Phosphorus.*

Trois processus diathésiques ont été décrits comme de réelles expressions *périodiques :*

Le Phosphorique témoigne d'une cyclothymie courte, parfois

quotidienne ; à l'éclat scintillant se succèdent en de courtes séquences la faiblesse et la sensation de déclin.

La psore : le psychisme est fonction de sa surcharge métabolique. Solidement équipé dans sa structure, il rayonne et projette une puissance euphorique, au cours de laquelle il s'intoxique, puis se déprime dans les phases d'élimination. Marqué par la générosité de ses manifestations cutanées, il se déprime lorsque celles-ci s'effacent (le prurit lui est bienfaisant, il se déprime lorsque celui-ci disparaît par action thérapeutique externe ; les grandes névroses sont rarement accompagnées de dermatoses).

La luèse présente un caractère nocturne, spécifique de toutes ses manifestations : une banale angine s'accompagnera de cauchemars ou d'agitation nocturne.

La périodicité définit donc un ensemble insoupçonné de rythmes actifs de notre physiologie.

Lorsque des modes d'adaptation à l'agression, à l'intoxication, à une surcharge métabolique ont été définis, il est plus facile *d'individualiser* un problème de *périodicité pathologique* en fonction d'un rythme circadien ou annuel.

Au niveau du système nerveux, on identifie les *rythmes les plus rapides* dans les différentes cellules nerveuses : leur état d'excitation se traduit par une suite rythmée de décharges électriques dont la fréquence peut approcher 1 000 Hz ; on comprend la *fatigabilité* dans l'unité de temps et la difficulté de récupération dans les temps brefs de nos tuberculiniques, ce qui se traduit à l'échelon neurosensoriel par des céphalées, des vertiges, des pertes temporaires de vision, des névralgies périodiques, où le trio Gelsemium-Natrum mur-Phosphorus corrige par son action la déperdition énergétique et électrolytique du neurone. Ce trio trouve son indication dans la fameuse migraine ophtalmique des adolescents et des adultes jeunes.

Au niveau du psychisme, en neuropsychiatrie, les perturbations mentales périodiques sont plus descriptives qu'étiologiques. Certaines traversent des périodes d'hyperexcitabilité, d'hyperidéation extraordinaires, aboutissant à des découvertes géniales, à un rayonnement, à un dynamisme social qui se traduisent par des volontés terribles de puissance (comportement diabolique de Hitler qui avait peut-être une maladie périodique).

Si la thérapeutique des accès d'agitation est possible, la

thérapeutique dans la psychose périodique reste un mystère : le professeur Baruk, respectueux de l'unité psychosomatique, recherche les perturbations hormonales, les lithiases biliaires, les toxi-infections à colibacilles, toutes causes communes de la mélancolie et du bas voltage provisoire du cerveau.

Dans l'anxiété et la dépression qui surviennent chaque année, au même mois, à la même heure, deux remèdes dominent cette peur existentielle rythmée : *Arsenic album* et *Phosphorus.* Très souvent administré en hautes dilutions avant l'heure de la rechute, ils assurent la maintenance de l'énergie psychique. *Sulfur,* dont le psychisme est à l'image de ses capacités d'élimination et de désintoxication, présentera des dépressions périodiques qui transformeront l'optimiste jovial et sociable en un apeuré très souvent accroché aux basques de l'entourage familial ou médical dont il fait peu de cas habituellement. Aurum aura une dépression hivernale lorsque les jours seront le plus courts.

Les réveils gastriques douloureux sont périodiques et suivent la ligne des solstices, au jour le plus court (21 décembre) ou le plus long (21 juin). Graphites connaîtra des périodes cutanées d'aggravation, et à l'extinction de celles-ci des retours douloureux de symptômes gastriques (flatulence et réveils ulcéreux). Argentum nitricum est un sujet masculin malheureux : centré lourdement sur sa personne ; sa fébrilité, sa précipitation pour tous les gestes de la vie lui occasionneront des réveils douloureux d'ulcères. Ce hâtif, qui ignore la mastication, est un grand phobique des espaces, de la foule, de la hauteur, avec une hantise de la maladie qui est un déni à toute notion morale de courage.

Les interruptions rythmées du sommeil renseignent sur la physiologie autant que sur l'individualisation : à 3 heures, Sulfur, à 4 heures, Nux vomica, Lycopodium (digestion à 4 heures) ; à 5 heures, Thuya, Aloe, Sulfur (péristaltisme de l'intestin) ; réveil ponctuel à heure fixe : Selenium.

Périodicité et rythme féminin

La ponte ovulaire, la menstruation entraînent les mêmes transformations profondes que les rythmes du jour et de l'année.

Bien que le règne animal et le règne végétal présentent de nombreux exemples de synchronisation de leurs rythmes avec la périodicité planétaire, il n'a pas été possible d'établir une semblable correspondance avec le rythme menstruel de la femme.

Il faut toutefois noter qu'il existe aussi chez l'homme des rythmes de vingt-huit jours qui correspondent à des processus de régulation hormonale ; ce qui ne saurait surprendre, car les sexes ne sont pas séparés par des hormones totalement différentes, mais par des rapports hormonaux différents quantitativement.

Les rythmes biologiques les plus discutés en biologie par l'approche scientifique sont ceux de Fliess, élève de Freud ; ces rythmes de vingt-trois, vingt-huit, trente-trois jours, en rapport avec l'activité physique, psychique, intellectuelle, parcourraient notre existence en une large courbe sinusoïdale dont le point initial est le jour de naissance. L'exploitation commerciale de ces rythmes ne doit pas interdire aux médecins l'observation statistique de ces rythmes. Ils font appel aux facteurs extra-corporels et interrogent puissamment le milieu extérieur dans ses relations avec l'individu, alors que scientifiquement la preuve de l'activité rythmique circadienne innée est faite et transfère à l'individu plus de souveraineté biologique que le milieu extérieur vu par Fliess. Toutefois, la médecine de nos jours se doit d'être *statistique* dans les faits d'observation quotidienne, puis expérimentale dans son induction. C'est par des observations inoubliables, avec l'appui de l'ordinateur, que Michel Gauquelin a établi les relations entre les accidents de santé et l'environnement cosmique.

Dans notre part d'observation, il est fréquent de rejoindre l'opportunité des rythmes biologiques dans le délicat problème de la stérilité. Il existe 40 % de stérilités inexpliquées et insolubles, où les investigations radiologiques ou biologiques ne semblent déceler aucun obstacle à la fécondation. Les réponses de la vie semblent bien obscures, comme repliées ou recroquevillées à des instants précis, qui ne sont pas seulement ceux de l'instance hormonale, et la ponte ovulaire obéit à des mécanismes mystérieux qui échappent aux données d'observation du gynécologue. Des remèdes homéopatiques administrés en des temps ponctuels ont permis à Mme B. d'avoir deux enfants à ce jour. Son dossier ne

lui donnait aucune chance : ablation de l'ovaire droit, malformation de l'utérus en forme de carte à jouer, kyste de l'ovaire
gauche. Situation désespérée qui aboutit pourtant à une ponte
ovulaire, en courbe ascendante favorable. La pratique des
rythmes biologiques permettrait la ponctualité d'une stimulation
hormonale thérapeutique, écartant la lourdeur de prescription
hormonale lorsque les chances de fécondation sont faibles.

L'enfant T. est l'unique représentant vivant à ce jour d'une
triple malformation cardio-vulvaire avec cyanose considérable
par obstruction de circulation pulmonaire. Son dossier a été
confié aux U.S.A., et une première opération par bandage
d'anneaux de caoutchouc des cavités cardiaques et émergences
vasculaires est un échec. L'enfant a sept ans ; il est cyanosé et
totalement aphasique. Le désespoir conduit le corps chirurgical à
une intervention désespérée. (Toutes les opérations antérieures
pratiquées dans le monde se sont traduites par des échecs
tragiques.) L'enfant est convoqué en février, en calendrier
défavorable. Une mère intelligente décommande l'intervention
sous prétexte d'une fièvre subite. Il fut opéré en période
favorable avec résultat éclatant. Une opération de huit heures lui
donna un cœur neuf et l'*accès immédiat* au langage par meilleure
irrigation des hémisphères cérébraux.

Il nous est arrivé d'extraire de clinique, sur indication trop
précipitée, des patients âgés avec rétention prostatique dont deux
firent trois jours après la date proposée d'intervention des
accidents vasculaires hémiplégiques. Une médecine qualitative
doit s'entourer de l'évaluation préventive des accidents. Malheureusement le médecin ne jouit jamais de la reconnaissance (du
malade) ni du respect (de l'administration) pour conduire les
intérêts majeurs du destin du patient. Cette notion de jugement
ou de conseil de l'homme de l'art est peu sollicitée ; elle trouve
moins d'écho que le développement des soins intensifs, secours
héroïques certes, sur lesquels ne doit pas s'appuyer la totalité
d'un destin.

Alternances

Les alternances morbides sont des séquences pathologiques
qui concernent très souvent tour à tour, mais l'un après l'autre, le

psychisme et le soma. Il s'agit de redéploiement des symptômes qui sont considérés comme des accidents isolés de santé, et sont justiciables de spécialités différentes, sans qu'un pont puisse s'établir entre elles. Elles reflètent l'unité ou l'affaiblissement rythmé des tissus, des systèmes et des fonctions.

Les conceptions globales de l'économie de santé en homéopathie ont mis en évidence les processus alternants de la psore, ces équilibres entre le cerveau, les viscères, les organes profonds et la peau, frontière de notre corps. L'appréciation magistrale d'Hahnemann dans l'équation de santé, fondée sur l'effort centrifuge cutanéo-muqueux, a ouvert la voie à des modes de pensée qui n'appartiennent qu'aux homéopathes soucieux de l'unité du corps et peu enclins aux combats séparés.

La plus logique alternance est fondée sur l'unité embryonnaire du corps. Elle concerne les affections dermatologiques et le psychisme par appartenance et filiation à un tissu commun : l'ectoderme. Combien d'affections cutanées sont combattues localement, alors qu'elles sont le reflet des stress mentaux qu'un remède résout magistralement : *Staphysagria*. Combien de luttes chaudes sont soutenues au niveau du corps, alors qu'il s'agit de souffrances de l'âme, projetées comme révolte de natures blessées ou intériorisées ? Le postulat thérapeutique est de ne pas considérer la peau comme un organe indépendant. *Sa souffrance exprime celle d'organes plus profonds, avant tout le cerveau.* Actea racemosa a en alternance des signes mentaux et physiques. Conflits cachés, anxiété chronique, charges affectives s'expriment par des tensions musculaires, des contractures. Le premier mérite d'*Actea racemosa,* longtemps considéré comme remède féminin, a été de clarifier le syndrome rhumatismal, en séparant les douleurs articulaires des contractures purement musculaires. Sujet hyperfolliculinique, spasmophile, Actea racemosa va surprendre par sa versatilité, sa mobilité psychique, et essentiellement son alternance de signes physiques et mentaux. Hyperactive avant les règles, c'est la déesse implacable du ménage. Ses menstruations sont accompagnées de vives douleurs, d'humeur changeante, de sympathies et antipathies tranchées. Actea racemosa fait mauvais ménage avec la mobilité de sa pensée, ses inquiétudes majeures sont celles de perdre la raison avec de multiples sensations étrangères, cénestopathies, parasites qui

189

enveloppent et inquiètent son cerveau ; tête enveloppée de coton, sensation de piqûres ou de petits animaux courant sous la peau, sensation de tête augmentée de volume. Un symptôme intéressant apparaît : *à table tout s'apaise,* la tension psychique s'efface, l'état de contracture disparaît. Mais l'intelligence mobile et inquiète, parfois supérieure, d'Actea racemosa ne lui autorise pas le contrôle de soi : c'est un sujet à directions imprévues qui se présentent sous la forme de balancement psychosomatique, le trouble mental pouvant être remplacé par un trouble physique et vice versa. Un sujet a des crises d'asthme ou des céphalées à répétition : tout s'efface pour être remplacé par des troubles mentaux graves (incohérence du jugement supérieur, agitation, délire, mise à la porte des membres de la famille). Les troubles mentaux disparaissent au moment où les crises d'asthme réapparaissent. Deux cas illustrent l'*étendue d'action d'Actea racemosa :*

Mme de St.-H., mère de famille de dix enfants, épuisée par le soutien d'une fille de vingt-cinq ans, malade mentale à poussées délirantes, s'enfonce dans un état dépressif bien compréhensible, avec rejet du mari et de l'entourage. Le seul détail clinique d'Actea rac. pendant cet état dépressif : une gonarthrose gauche très douloureuse, objectivée par d'importantes lésions radiologiques, était devenue brusquement silencieuse, pour réapparaître comme symptôme prioritaire à la fin de l'état dépressif.

Le docteur I., dentiste consciencieux, est un sujet anxieux, méticuleux, ressentant douloureusement ses vécus corporels. Il présente des contractures cervicales et dorsales qui ont engagé des soins répétés et inefficaces de kinésithérapie. De temps en temps, un état dépressif survient : le dentiste a du mal à recevoir cinq patients par jour et se répand en souffrance psychique permanente, doutant de tout et d'abord du médecin. C'est un véritable tableau d'état maniaco-dépressif qui pose l'indication d'un traitement par sels de lithium. Échec complet de l'essai jusqu'au moment où, revenant dans l'analyse serrée des symptômes cliniques, on découvre une disparition complète des algies vertébrales lors des états dépressifs. *Actea rac.* a eu un résultat remarquable, confirmant ainsi une indication masculine du remède.

L'appareil respiratoire présente des alternances liées à la fluidité, la mobilité, la plasticité de sa fonction. Élément absorbant de l'oxygène, source de vie, il participe par le sang à la décharge des déchets gazeux (gaz carbonique) : il intègre dans sa fonction l'absorption du Bien et l'exhalation du Mal pour les Orientaux. L'allergie respiratoire est une souffrance aiguë d'une conscience qui ne sait prendre son chemin. Une crise d'asthme sera remplacée par des décharges hépato-intestinales simples (*Ptelea, Sulfur*), par des éruptions sèches (*Arsenic album, Kali arsenicosum*), prurigineuses (*Caladium, Psorinum* en hiver, *Sulfur* toute l'année), par des crises de goutte ou des poussées d'arthrose (*Lycopodium, Sulfur*).

La peau est un important centre d'alternance. Une éruption s'efface, un trouble intestinal apparaît (diarrhée) : *Croton tiglium* (par temps pluvieux), *Petroleum* (éruptions et diarrhées en hiver seulement), *Rhus tox* (diarrhées, rhumatismes), *Sulfur* (alternance très marquée).

L'éruption s'efface : la douleur musculaire ou articulaire s'installe (*Arbutus unedo, Sulfur, Graphites, Dulcamara, Mezereum*). Plus importantes sont les successions de troubles cutanés et de troubles internes (*Mezereum, Sulfur, Graphites*). Enfin la disparition intempestive d'éruptions entraîne d'importants troubles psychiques.

Lombes et région rectale sont le siège de curieuses alternances : douleurs lombaires qui s'effacent pour entraîner la céphalée (*Aloe*). Des hémorroïdes s'estompent et des troubles tenaces du pharynx s'installent (*Aesculus*). Affections pharyngées tenaces à la ménopause : Mme Lachesis s'enrhume constamment à la ménopause. Elle perd ses règles et encombre ses voies aériennes supérieures.

Alternance de la thymie

Ici les états extrêmes de gaieté et d'irritabilité, de désespoir et d'hilarité relèvent souvent d'un réglage neurovégétatif ou d'un état maniaco-dépressif avec tonalité délirante (*Crocus, Ignatia, Platina, Phosphorus* règlent bien les alternances de joie et de pleurs excessifs).

L'or prend une place de choix dans les variations imprévues intenses du psychisme chez les vasculaires âgés. Dépressifs en hiver (du « temps de la colchique à celui de la primevère », me confie un malade), lorsque les jours sont au plus court, l'or a une affinité particulière pour les dépressions hivernales de l'hyper-tendu ; à ce stade, les troubles psychiques sont conditionnés par une congestion artérielle dans des artères moins souples, et le sujet, autrefois actif, plein d'entreprise, fera alterner les violen-tes colères à la moindre contradiction et la dépression mélancoli-que avec dégoût de vivre et tendance suicidaire. Le fleuve éclatant d'énergie qui a circulé à l'âge moyen de la vie (souvent un sujet *Sulfur*) deviendra un poids, une lourdeur, une langueur de vivre. Et ce patriarche, qui a conduit et réglementé les affaires de la famille, dominé souverainement son cercle de famille, pensé pour tout le monde, ne garde que dégoût de vivre et colère, mais, comme pour rappeler les éclats du passé, la jovialité apparaîtra au centre de son dégoût de vivre. Des éclairs de gaieté précéderont des accès de fureur, de courtes périodes d'énergie physique feront place à de longues périodes d'abattement. Dans cette alternance d'humeur scintille le métal or, porteur de joie de vivre.

Sachez vous observer

Comportement banal, spontané, souvent agressif et traumati-sant, l'observation de soi peut être constructive si elle s'accompa-gne de méthode et d'une certaine objectivité de soi, utile au médecin analyste. Périodicité, alternance sont des repères précieux de la réactivité du corps qui s'exprime par différents messages, et il faut à tout moment considérer le redéploiement possible des symptômes de soi, à partir de foyers qui s'allument pendant que d'autres curieusement s'éteignent : lorsqu'on saura qu'il existe des latéralités dominantes dans la répartition des troubles (tout à droite, tout à gauche), le corps se fera mieux connaître. Le rythme de l'irrigation sanguine peut se faire prépondérant sur la moitié gauche ou droite du corps, par périodes de huit heures, comme nous respirons essentiellement par une seule narine à la fois et changeons de côté normalement toutes les quatre heures. Certaines latéralités sont permanentes dans la répartition des troubles. Il y a dominance d'un hémisphère cérébral de commande avec un corps calleux qui assure un pont d'information avec l'hémisphère opposé. Mais la réactivité sera plus forte dans la latéralité dominante du patient. Il paraît singulier pour la logique de voir un patient concentrer l'ensemble de ses symptômes dans une latéralité exclusive. Le sujet Lycopodium totalisera ses malaises dans la partie droite du corps : céphalée, otite, atteinte du poumon, de l'épaule, de l'ovaire, du genou ou du talon concerneront rigoureusement son côté droit. Apis, Belladona, Crotalus, Pulsatilla, Colocynthis, Nux vomica sont de même plus souvent affectés du côté droit. A gauche, la représentation symptomatique est couverte par un venin, Lachesis, dans un ordre équivalent : on étouffera couché sur le côté gauche, le kyste logera sur l'ovaire gauche, et les varices affligeront la jambe correspondante. On retrouvera chez Sepia, Sulfur, Thuya, Phosphorus une réactivité gauche très marquée.

Les troubles les plus courants de l'être humain sont représentés par une correspondance énergétique entre le haut et le bas du corps (le coryza chronique est toujours accompagné de pieds froids).

Il existe enfin une curieuse symétrie de répartition des troubles du corps entre le haut et le bas suivant une ligne de partage qui passe par la huitième dorsale (docteur Pelladon), et on se rend compte que des remèdes respectent cette relation de polarité entre les différents organes :

Pôle inférieur		*Pôle supérieur*
rein	←——→	poumon
capsule surrénale	←——→	thymus
utérus	←——→	larynx
glandes des organes génitaux	←——→	glandes salivaires
ovaire, testicule	←——→	glande thyroïde
pubis	←——→	menton
orifice urogénital	←——→	bouche
clitoris	←——→	langue
périnée	←——→	lèvre supérieure
anus	←——→	orifice nasal

Lachesis est un remède de la zone utérine et laryngée.

Hydrastis est un remède spécifique du rectum et des sinus.

Aesculus affecte le pharynx et le rectum.

Hamamelis assure la protection des veines hémorroïdaires et de la conjonctive de l'œil.

Iris versicolor et *Mercurius solubilis* affectent les glandes salivaires et les glandes des organes génitaux et le rectum.

Ainsi notre corps est une grande centrale d'information, et sa découverte doit se faire par un voyage éclairé au milieu des signaux, des règles d'ordre ou de désordre, des lois qui rejoignent sans doute des règles rythmées du cosmos qui dépassent singulièrement le sens habituel d'une douleur locale exprimée.

Lecture du corps à travers les horloges cosmiques. Relation avec l'univers

« Tout ce que la terre produit est, en règle générale, conforme à la terre elle-même » (Hippocrate).

« L'étape héroïque où les studieux de la météorologie clinique affrontaient le rire ironique de ceux qui l'ignoraient appartient déjà au passé. Aujourd'hui une foule immense de faits impose à tous le devoir de l'étudier afin d'entourer le malade de tous les soins nécessaires à sa guérison [1] » (Annes Dias).

Personne ne saurait nier aujourd'hui la science qui étudie la relation entre les êtres vivants et l'ambiance physicocosmique ; les défenseurs de l'écologie se mobilisent pour la défense du milieu naturel de l'environnement. L'homéopathie s'insère dans une médecine préventive qui définirait distinctement l'identité de l'homme et l'identité d'une biologie de la nature.

Nous savons que l'homme est quelque chose de plus que la somme de ses organes ou de ses fonctions. Il existe entre la naissance et la mort une continuité qui dépasse le temps, échappe à toute genèse réelle, tout en l'investissant du temps qui l'actualise.

« L'être vivant ne constitue pas une exception à la grande

---

1. Cité par Tullio Chaves, *Médecine cosmopsychosomatique*. Éd. Jean Vitiano.

harmonie naturelle qui fait que les choses s'adaptent les unes aux autres. Il ne rompt aucun accord ; il n'est pas en contradiction, non plus en lutte avec les forces cosmiques générales. Bien loin de là ; il fait partie du concert universel des choses et la vie de l'animal n'est qu'un fragment de la vie totale de l'univers [1]. »

Par la transmission génétique, nous sommes dans la route philogénétique d'une perpétuation spécifique, nous mettons en contact notre passé et notre avenir, nous sommes les mailles d'un réseau qui se dirige apparemment vers l'avenir. Tel l'exemple de cet oiseau migrateur qui, de l'Australie par le Japon, arrive sur la côte ouest des États-Unis au terme d'un périple de vingt-cinq mille kilomètres pendant six mois. Les oiseaux s'accouplent en ce lieu de migration, pondent leurs œufs et refont le voyage de retour : lorsque les petits naissent, ils se développent puis s'envolent et rejoignent *sans escorte, sans guide,* le même trajet de retour de vingt-cinq mille kilomètres. La carte d'itinéraire était inscrite dans les molécules chimiques des noyaux cellulaires de cette espèce (cité par le professeur Hamburger). Par l'individualisation génétique, on se rend compte qu'il n'y a pas deux individus semblables ; par l'étude des marqueurs de la personnalité on sait maintenant que les individus réagissent de façon personnelle, que certaines maladies autrefois considérées comme venues du dehors ne sont que des erreurs de codages génétiques. Parfois même nous sommes victimes des programmes et des instructions que notre cellule reçoit à la naissance (spondylarthrite, maladie du collagène). Pourtant, à travers notre identité inlassablement différente, nous transportons les fragments d'une harmonie universelle. Les rythmes biologiques qui nous traversent (voir plus haut) sont la fidèle réplique de ceux régissant le cosmos.

« Anthropomorphisme, s'écria-t-on, c'en est justement l'inverse, car il faut prendre garde qu'il ne s'agit nullement d'expliquer à partir de l'homme certaines données énimagtiques qu'on constate dans la nature mais, au contraire, d'expliquer l'HOMME, qui relève des lois de cette même nature et qui y appartient par presque tout en lui... » (Roger Caillois).

Il est désormais impossible de considérer l'homme en dehors de son ambiant cosmique, et l'homéopathie s'est fait un devoir

---

1. Tullio Chaves, *Médecine cosmopsychosomatique.* Éd. Jean Vitiano.

d'harmoniser l'individu dans les grandes circonstances d'adaptation où l'homme est exposé à de brutales variations de sa physiologie.

Dans la hiérarchie des valeurs du langage du corps, le signe local, le trouble d'un organe, d'un segment du corps, est moins significatif que le signe général exprimé ; ici il s'agit d'un malaise global, d'une modification négative de l'ensemble de la personna-lité face à des influences extérieures défavorables (climat, température). C'est un ensemble de symptômes qui offrira un puissant éclairage de l'homme en défense. Il ne s'agit pas pour l'homme de science de découvrir les éléments dynamiques de l'atmosphère, mais de rechercher les symptômes provoqués chez l'homme, et d'en corriger les manifestations.

La vie se traduit par une physiologie de l'adaptation, et nous possédons dans notre organisme les appareils thermorégulateurs qui nous permettent de résister aux températures autant équato-riales que sibériennes, de la blancheur des pôles aux déserts arides de l'équateur. Seuls les vieillards et les enfants sont peu résistants aux variations violentes de l'atmosphère et les vagotoni-ques qui sont les individus les plus météorolabiles au froid comme au chaud.

La sensibilité cosmique n'est pas une sensibilité spécifique localisée à des organes spécialisés comme ceux de la vue, de l'ouïe, de l'odorat, du goût ou du toucher. Les informations de bien-être ou de malaise doivent nous parvenir en dehors des voies connues de la transmission sensible, et Auguste Comte admettait déjà huit sens, les sixième, septième, huitième, ayant été appelés par lui : calorition, musculition, électrition. Il faudrait ajouter celui de barition (sensibilité barométrique), celui de l'hygrition (sens de l'humidité).

Si nous devions dénombrer les influences cosmiques auxquelles nous sommes soumis, nous trouverions l'influence atmosphé-rique (à chaque moment les pressions encourues pèsent sur la surface du corps humain), l'influence vitale tellurique, l'in-fluence lunaire et solaire, l'influence cosmique proprement dite (provenant des transmutations atomiques au niveau des étoiles).

Nous connaissons les influences du temps sur la génèse des maladies. Depuis les brouillards mortels jusqu'au passage des « fronts » (rencontre de masses d'air frais et d'air chaud), jusqu'à l'ionisation positive des villes, toxique et dangereuse. Les vents chauds et secs modifient la pression barométrique, entraînent l'oppression des cardiaques, l'agitation des nerveux et le nombre de crimes et de suicides. Il y a des périodes qui sont funestes, voire fatales, pour les affections cardiaques (janvier, février), les agitations psychomotrices, les idées délirantes, le passage à l'acte suicidaire (printemps, mois de mai). Les Phosphoriques sont particulièrement sensibles à l'excitation printanière par leur prompte stimulation glandulaire. Les grandes horloges biologiques que sont la lune et le soleil ne sont pas sans influence sur notre biologie ; le soleil est bénéfique par action réflexe sur la rétine qui déclenche sécrétion hormonale et excitation sexuelle. Mais les taches solaires sont responsables d'accidents morbides. Elles dérèglent les transmissions téléphoniques et mobilisent les médecins au chevet des patients cardiaques. Deux médecins, le docteur Faure à Nice et le docteur Sardou à Lamalou, observèrent simultanément l'aggravation de leurs malades cardiaques parallèlement aux dérangements des communications téléphoniques provoqués au niveau du magnétisme terrestre par les taches solaires, gigantesques tourbillons magnétiques crachant vers la terre des feux d'ondes et de particules.

Non seulement l'écran atmosphérique laisse filtrer la lumière, la chaleur, les rayons ultraviolets, mais il laisse passer des ondes électromagnétiques longues, de la fréquence des ondes radio émises au moment des dépressions importantes, des tempêtes et génératrices d'importants malaises (expérience du professeur Picardi, de Florence, qui, observant l'irrégularité de vitesse des réactions chimiques identiques dans leurs composants, interposa un écran métallique devant les tubes à essai, neutralisa les agents perturbateurs, les ondes électromagnétiques de longue période, et mit fin à l'irrégularité des réactions).

La santé est une harmonie sensible au contact de l'ambiance cosmique ; l'homéopathie, à l'écoute des lois universelles, se doit de l'intégrer dans sa pratique quotidienne. L'éclosion des virus de la grippe, la prolifération microbienne sont rendues possibles par les conditions climatiques favorables aux microbes et par la vitalité défavorable du receveur. On s'acharne sur l'identité des virus de la grippe, alors que sa nocivité dépend davantage des brusques variations atmosphériques.

La médecine classique n'a pas orienté ses recherches sur la désensibilisation de l'homme à l'égard des facteurs physiocosmiques jusqu'à ces dernières années où on se mit à étudier le phénomène allergique (pollen, moisissure, poussières, poils d'animaux domestiques). L'entrée de la désensibilisation dans la thérapeutique introduisit la fameuse petite dose prônée par Hahnemann cent cinquante ans auparavant. Aux pollens ont succédé les polluants chimiques ou industriels, et au remède grossier que fut l'antihistaminique, générateur de somnolence diurne, succéda la désensibilisation spécifique par petites doses. La thérapeutique de désensibilisation homéopathique était depuis longtemps en place, dans la rencontre de l'homme avec les grands facteurs externes, incluant les polluants de toute sorte de la vie quotidienne.

Avec *Natrum sulfuricum, Dulcamara, Aranea diadema, Rhus tox*, il est possible de neutraliser les méfaits de l'humidité. Notre corps est à 80 % une structure hydrique (Salmanoff), et le métabolisme des êtres vivants est dépendant de l'humidité relative de l'air.

Le rhumatisme, engloutisseur de tous les budgets économiques, anéantisseur du progrès thérapeutique, champion de l'absentéisme et de l'invalidité, a le malin génie de rendre inefficaces les anti-inflammatoires qu'on lui oppose, or *Bryonia, Dulcamara* et surtout *Rhus tox* sont les meilleurs combattants du rhumatisme humide, avec enraidissement et déverrouillage matinal pénible.

Non seulement *Aranea diadema* et *Natrum sulfuricum* combattent l'enflure des extrémités avec le fameux « signe de la bague » ou de l'anneau, mais, bien administrés au milieu du cycle menstruel, ils combattent la rétention aqueuse des femmes fixant l'eau à proximité de la menstruation. Observez les circonstances de déclenchement d'un asthme humide : parfois il s'observe à proximité d'un cours d'eau, d'un lac, d'une rivière. C'est le triomphe de *Natrum sulfuricum*, remède des malaises à l'entrée d'une salle de bains embuée, ou dans les atmosphères d'étuve. (*Natrum sulf.* 7 H prescrit trente minutes avant l'accès à une piscine scolaire prévient les fâcheux rhumes chez les enfants fragiles.)

Mme A. se plaint d'une laryngite subaiguë qui l'oblige à refuser un emploi complémentaire d'une modeste retraite à la piscine Deligny. Elle présentait le signe de la bague, ressentait trois jours avant tout changement de temps, suffoquait dans l'atmosphère embuée d'une salle de bains. Elle fut guérie par *Natrum sulfuricum.*

« Merci, docteur, vous m'avez épargné vingt paires de gifles. » Hommage et commentaire bien insolites pour un médecin. Mme P. se rendait à Abano chaque année pour y recevoir des soins. Malheureusement, chaque entrée dans le secteur hydrothérapique s'accompagnait d'une perte de connaissance, que de vigoureuses doucheuses effaçaient par d'énergiques paires de claques.

La météorosensibilité est parfois au premier plan de la symptomatologie et certains se définissent comme des inadaptés irréductibles, en particulier à l'égard des orages. Le rôle de l'électricité est primordial dans le développement de deux manifestations morbides : l'oppression et l'état rhumatismal.

Rhododendron, Psorinum, Phosphorus, Natrum carb sont les grands remèdes barométriques.

Le sujet rhumatismal ou névritique, qui se sent mal par les temps venteux, orageux, aux changements de temps, dont les jambes enflent à la chaleur de l'été, mais qui se sent mieux dès que l'orage a éclaté, est justiciable de *Rhododendron,* car c'est une plante de montagne, poussant dans des endroits à orages et à variations électriques.

Mme G. vient de la région de Moulins pour des troubles de la ménopause et d'importantes altérations de la mémoire. Dans l'obscurité, elle a des visions d'étincelles et de lumière. Durant le jour, elle présente de gros troubles de la vision qui rendent la lecture très difficile. Il s'agit de troubles oculaires liés à des troubles ovariens. Cet état s'est développé il y a sept ou huit ans en subissant une électrocution. Des ouvriers étaient occupés à transformer le courant (changement de tension des appareils ménagers), elle reçoit une décharge de quinze ampères. Les plombs sautent. Coma léger, transportée à l'hôpital, elle décrit une sensation d'enflure du cou. Elle commence un certain nombre de cauchemars, quelqu'un est là, elle tombe dans un gouffre, elle est en haut d'une échelle, elle saute dans ses rêves pour fuir le danger d'une maison irradiée et insécurisée. C'est sur les signes de peur de la mort, peur de rester seule, avec grande soif, que nous prescrivons *Phosphorus 9 H* suivi huit jours plus tard de *Rhododendron 30 H.*

Elle revient avec le visage des réussites homéopathiques significatives qui font la récompense de notre art. Elle se sent très bien... En outre, *Rhododendron* et *Phosphorus* ont effacé un symptôme mental majeur que la malade n'avait pas décrit au premier examen : durant son enfance, l'Assistance publique l'avait confiée à la garde d'une personne dévouée, mais peu fortunée, et elle partageait le lit d'une grand-mère. C'est à six ans que le drame de l'enfant se joue : elle se réveille un matin auprès d'un cadavre. Elle a gardé pendant quarante-trois ans, tel Proust et sa madeleine, cette odeur *sui generis* de la mort de la grand-mère et le goût du café au lait de ce jour-là. La prise de *Rhododendron* et de *Phosphorus* a effacé la mémoire biologique de cette instance affective vieille de quarante-trois ans.

Phosphorus aime être massé et magnétisé. C'est le grand remède des nerveux longilignes, brillants mais fatigables, raffinés, altruistes, distribuant leur sympathie à autrui, sans doute parce que se cache la peur d'être seul. Nerveux, sanguin (il saigne souvent), respiratoire, il est vite oppressé, il ressent le besoin d'oxygène et toutes causes externes déclenchent palpitations, poussées congestives, *malaises intensément ressentis pendant l'orage.* Phosphorus est hypersensible à toutes les impressions venues de l'extérieur, aux odeurs, aux bruits, aux contacts légers. Il a toujours besoin de s'alimenter, même dans les périodes de fièvre ; c'est un sujet frileux qui a rapidement chaud et mal à la tête (et il s'en plaint souvent).

L'esprit est suractivé (il phosphore), ou apathique, déprimé avec langueur et perte de mémoire. Vite à plat, vite remonté par la chaleur d'un contact, on devine avec Phosphorus la richesse de cette essence humaine, brillante et fragile, portée vers l'esprit et l'amour de l'autre. Si l'on connaît son désir de choses salées, d'huîtres, de boissons fraîches, de glaces, la découverte de cet élégant personnage météorosensible ouvre l'accès à d'étonnants états organiques.

Mme Natrum carb, indolente, rondelette, vite épuisée, a une météorosensibilité exceptionnelle : son faible rhéostat s'oppose à toutes variations thermiques excessives. Elle s'enrhume au moindre courant d'air. En été, sa tête souffre terriblement de la chaleur, surtout de celle du soleil ; en hiver, ses pieds sont particulièrement affectés par le froid. Cette défense mal ajustée aux variations thermiques va paralyser sa personnalité, qui flottera dans l'indolence. Elle souffre beaucoup de la digestion, qui alourdit tout son être ; le lait lui est un poison ; tout travail mental lui est difficile après le repas de midi. Elle sombre dans le découragement et la mélancolie, avec une vive sensibilité à la musique, qui l'inonde de tristesse. Nous avons là, sous le signe de la modalité thermique externe, un portrait médical facilement reconnaissable.

Lorsque le vent est absent, une ville est très menacée par la stagnation au-dessus d'elle du « manteau » nuageux pollué des grandes cités. Mais lorsque le vent souffle, nous sommes anxieux, mal à l'aise, spécialement les cardiaques, dont l'adaptation est précaire, Arsenic album ressent lourdement les « embruns » au bord de la mer. Nux vomica, Aconit, Rhododendron s'agitent par grand vent. Chamomilla, fébrile, irritable, colérique, d'humeur fâcheuse, appréhende le vent qui accroît tous ses troubles.

Avec *Causticum, Hepar sulfur, Nux vomica, Spongia,* on lutte contre les vents froids et secs qui agressent le larynx et les bronches avec la particularité d'être amélioré en buvant chaud. *Arsenic iodatum* est le spécifique exclusif des vents chauds et secs. Toutes les sensations cardiaques désagréables provoquées par ces vents sont effacées par ce remède précieux pour ses usages homéopathiques dans certaines régions où ils sévissent : c'est le cas de l'Égypte (chamsin), du Sahara (simoun), de l'Autriche (fnohn) et de la France (vents du Midi).

On ne se sent pas toujours bien sous le soleil. Les asthéniques Natrum mur, Selenium se sentiront découragés. Les congestifs Glonoin, Pulsatilla, Lachesis fuient le soleil comme ils évitent toutes sortes de chaleurs rayonnantes (four, appareil de chauffage dans les pièces d'un appartement, spots lumineux...). *Apis* (l'abeille) est un très bon remède des effets immédiats congestifs du soleil.

Une préparation cosmobiologique homéopathique s'élève au firmament de la thérapeutique : il s'agit de *Sol 15 H* (en doses 2 fois par mois). C'est Finke qui a mis au point cette préparation en exposant pendant des mois du sucre de lait aux rayons solaires. Si l'on veut accréditer le remède homéopathique, compte tenu de la progression spectaculaire des allergies solaires dues à la photo-sensibilisation par médication, il serait utile aux patients et aux dermatologues de vérifier l'action préventive et curative de *Sol 15 H.* De grandes joies immédiates éviteront de laborieux barbouillages d'épidermes.

Avec *Rumex, Hepar sulfur, Nux vomica* et surtout *Cistus canadensis* (l'arbre du Grand Nord du Canada), il est possible de s'immuniser contre les grands froids et la redoutable fragilité aux courants d'air qui justifient une meilleure résistance thermique bien plus que des vaccins microbiens.

Notre corps et les saisons

Les différents climats de l'année modifient notre physiologie et accentuent les faiblesses de l'homme malade. En hiver, la pression artérielle est plus élevée, la mauvaise saison froide est plus redoutable que la chaleur pour l'état cardiovasculaire ; les saignements au cours de traitements par anticoagulants sont plus fréquents en janvier, février, correspondant sans doute à la faiblesse de la vitamine K pendant la mauvaise saison. Les complications vasculaires au cours des interventions chirurgica-les transforment ces deux mois en situations à haut risque. L'asthme et la bronchite ont un redoutable carrefour en novem-bre. L'ulcère du duodénum se réveille au printemps et à la fin de l'automne. L'appendicite est plus marquée durant les étés chauds lorsqu'on abuse de fruits ou d'hydrates de carbone. Les effets du glaucome se font ressentir en novembre. Le rhumatisme se réactive à la chute des feuilles et aux premières pluies. Les maladies mentales se réactivent en mai, avec risque de passage à l'acte suicidaire chez les Phosphoriques fragiles, des décompen-sations périodiques surviennent chez les schizophrènes. Les accidents vasculaires phlébitiques des membres inférieurs se réveillent au cours des mois d'été, parfois de façon ponctuelle, au cours du mois d'août.

A tous ces événements de santé, dus aux influences barométri-ques saisonnières, il est possible d'opposer une thérapeutique homéopathique :

En hiver : la prévention cardiovasculaire est essentielle : *Aurum 5 CH* et *Arnica 5 CH* sont les grands protecteurs de menaces vasculaires hautes, sur le cerveau, escortés d'*Aconit* (refroidissement brusque chez un sujet hypertendu) et de *Belladona* (lorsque les céphalées apparaissent). *Nux vomica* est un remède hivernal autant respiratoire que vasculaire ; il escorte *Aurum* lorsque les poussées hypertensives s'accompagnent de brusques, courts et violents accès matinaux d'irascibilité. *Arsenic album, Baryta carb, Causticum* peuvent assister les défaillances spécifiques du troisième âge pendant l'hiver.

Les défaillances respiratoires par mauvaise expectoration sont couvertes par *Antimonium tartaricum* (expectoration presque nulle), *Kali bich* (expectoration rare, gélatineuse et collante). Silicea, Baryta carb, Psorinum, Causticum sont de très grands frileux exposés aux rigueurs de la mauvaise saison. Aux doses d'*Influenzinum 9 CH,* à administrer une fois par mois dans la prévention grippale, il faudra associer 1 dose d'*Antiminium sulfur aureum 9 CH* pour les bronchites périodiques survenant en hiver.

L'acidité gastrique augmente en hiver. Un remède dominera cette pathologie : *Kali bichromicum,* remède de l'ulcération gastrique chez les buveurs de bière qui se plaignent tantôt de douleurs gastriques, tantôt de douleurs rhumatismales ponctuelles, localisées en de très petites surfaces ; *Nux vomica* est le grand remède des excès chez un sédentaire frileux, irascible, incommodé par l'hiver. La vitesse de sédimentation est souvent très perturbée en hiver et les rhumatisants bénéficieront pour leurs douleurs articulaires nocturnes d'*Aurum,* de *Mercurius sol.,* d'*Argentum metal.*

Les fragilités capillaires sont bien contrôlées par *Arnica, Aconit, Phosphorus* (spécialement à propos des saignements observés au cours des traitements anticoagulants).

Au printemps : les afflux congestifs et hormonaux vont réveiller la prédisposition migraineuse d'*Apis,* de *Pulsatilla,* de Lachesis, l'irritabilité gastrique chez Iris versicolor et Belladona. Mais le grand centre de perturbation sera le pôle céphalique, tant par les orages vasculaires (Belladona) que par le déséquilibre de la pensée : Lachesis sera assaillie par de lourdes pensées, des doutes, des suspicions, à l'extrême par les débordements de

203

méfiance et de jalousie. Natrum mur se rétractera davantage dans l'isolationnisme affectif, Natrum sulf aura des pensées de suicide. Le narcissisme tourmenté de Tuberculinum s'alourdit de noires pensées. L'idéation se négative aux confins de la tendance suicidaire. L'alternance symptomatique pourra s'établir soit autour de la fragilité respiratoire, soit autour de l'instabilité mentale. Au troisième âge, l'arrivée du printemps impose une pénible adaptation au travail du cœur et la transition se fait autour de l'inquiétude mentale, avec la peur de perdre la raison (Ambra grisea).

Au cours de l'été : ce sont les fragilités capillaires et le retour au mois d'août d'accidents thrombo-emboliques au niveau des paquets variqueux des membres inférieurs, parfois le réveil douloureux des anciennes cicatrices d'ulcères (Vipera, Tarantula hisp). En été, les diarrhées par excès de fruits sont bien contrôlées par *China, Veratrum album, Aloe* (dans les pays chauds).

Au cours de l'automne : les désadaptations s'installent, les intestinaux s'aggravent (China). Les rhumatisants ressentent la chute des feuilles (Rhustox), les encombrés respiratoires éprouvent leurs premières faiblesses (Antimonium tart) et Lachesis, au corps encore encombré de la chaleur de l'été, assure mal sa transition vers la saison froide.

« Qui connaît l'origine des vents, du tonnerre, des temps, celui-là sait d'où viennent les maladies », affirmait Paracelse, dans le sillage d'Hippocrate. La rencontre des éléments avec l'infrastructure constitutionnelle est riche en information.

Le Carbonique est météoro-stable, son rythme régulier le met à l'abri des intempéries externes. Il se sclérose lourdement, lentement, de l'intérieur, avec des organes dégradés, mais il conserve une solidité foncière qui s'appuie sur un solide sens matériel.

Le délicat phosphorique est le champion de la météoro-sensibilité, avec ses phobies, son angoisse respiratoire, sa claustrophobie dans les locaux qu'on a climatisés sans l'interroger.

Le Fluorique, instable de l'intérieur, met à profit l'excitation physico-cosmique pour être plus précipité, plus déroutant, plus instable.

Le Sycotique, à travers les saisons froides, s'imprègne d'eau, s'alourdit, s'engourdit psychiquement et s'enfonce dans l'univers irrationnel des obésités, bien qu'on lui ait appris à compter ses calories.

Pour assister l'homme, il y a la biométéorologie, qui répand ses promesses et ses inquiétudes. Il lui est impossible d'individualiser chaque cas, et, surtout, ses bulletins quotidiens risqueraient d'engendrer une psychose du temps en superposant une labilité psychique à une labilité proprement barométrique. A vouloir trop protéger, on précipite : parfois les plus fragiles ne se sentent pas renforcés par les progrès médicaux proclamés sur les ondes et qui leur font défaut dans les cas particuliers. La méthode homéopathique a identifié, par le canal de l'infinitésimal, le monde des forces minérales, végétales, animales, susceptibles de renforcer nos propres défaillances. En connaissant les influences néfastes de l'environnement, le rythme biologique horaire des aggravations, le médecin homéopathe discrètement accomplit chaque jour les actes d'une vraie médecine préventive.

Écologie et homéopathie

L'écologie est définie comme l'étude des relations des organismes entre eux et leur environnement. C'est l'étude des structures, de leur fonction et des interactions qui déterminent la distribution de l'abondance des espèces. C'est l'étude des rapports entre l'organisme et les milieux où ils vivent, c'est-à-dire la nature.

L'écologie est à la mode, beaucoup croient la découvrir, l'inventer, spécialement la classe politique ; il ne faut pas oublier que la nature est avant tout un cosmos et non un chaos. La nature a fait, avant la présence de l'homme, l'exploitation harmonieuse des éléments : eau, terre, air, végétal, animal. La nature nous adresse les significations profondes de la communauté des espèces vivantes et des règles qui les gouvernent. Nous avons la connaissance des feed-backs (interactions) en biologie. Ce sont des regards sur les grands équilibres biologiques qui font l'adaptation : tâtonnement intérieur continu qui mobilise nos mécanismes régulateurs. Un choc, un stress déclenchent une réponse et mobilisent la solidarité de l'ensemble dans le déploiement d'un nouvel équilibre. Mais les limites existent : pollutions, radiations, bacchanales chimiques ou hormonales sont des transgressions majeures et les chocs en retour sont cuisants !

Une écologie dans la médecine est une recherche des règles de fonctionnement et de coordination parfaite entre le corps, l'esprit et l'environnement. La véritable pensée écologique consiste à admettre que la maladie est un désaccord avec les lois de la nature, « l'ordre biologique ». « la logique du vivant »[1].

L'homme est lui-même une expression des lois de la nature et, s'il ne les respecte pas, il perturbe sa propre physiologie, sa psychologie, son environnement, créant ainsi un déséquilibre, source de nouvelles erreurs qui seront répercutées à l'échelle collective.

Par l'étude des influences du milieu et des interactions, l'écologie se veut biologie de la nature à la fois analytique et synthétique avec son support principal, l'*agriculture* et les admirables pionniers de la culture biologique. (Dans la période de grande sécheresse en 1975, des cultivateurs avaient renoncé au recours quantitatif de l'engrais chimique pour le recours qualitatif de l'engrais biologique additionné de dilutions infinitésimales de *Colchicum 3 X :* le rendement à l'hectare fut deux fois supérieur.)

L'écologie purement humaine est une science à peine ébauchée, même si la définition existe ; son but serait de sauvegarder l'équilibre naturel en prenant en considération l'*homme* comme partie intégrante des écosystèmes. L'écologie humaine est-elle une approche physiologique ? psychologique ? Définit-elle un plan d'urbanisme ?

Il convient d'admettre une interprétation plus synthétique et de se diriger vers une recherche de quelques règles de principe essentielles telles que « soigner c'est respecter ». La vie se définit par différents niveaux de la matière — molécule-cellule-tissu-organe-fonction-psychisme conscient ou inconscient-structure constitutionnelle. Cette unité de vision doit réunir en médecine tous les fragments de la connaissance scientifique. Il

---

1. Jacob, *La logique du vivant*, Gallimard ; André Lwoff, *L'ordre biologique*, Laffont.

faut redécouvrir à travers la loi des semblables un mode thérapeutique majeur en biologie : le stimulant infinitésimal spécifique s'inscrit plus respectueusement dans la défense cellulaire que le mode antagoniste, l'effet contraire que la médecine a choisi pour résoudre les conflits ; la réaction secondaire de l'organisme s'oppose à la manière agressive : par exemple, l'extrait thyroïdien augmente les combustions, fait perdre du poids, à l'arrêt du traitement la reprise de poids est supérieure au stade initial.

« Une des propriétés de la matière vivante est son aptitude à ne rien accueillir qui ne lui ressemble. Tout être tend à persévérer dans son être. Rien n'importe pour lui que de sauvegarder l'originalité et la permanence du milieu intérieur et d'opposer une défense aux agressions du dehors » (recteur Sarrailh).

L'énergie de l'infinitésimal est une sollicitation et la preuve est faite sur la réalité de cette énergie, extraite parfois de substances inertes (silice, aluminium, charbon).

Il faut savoir étudier les grands désordres des fonctions qui font le lit des maladies : pour Abrami « la maladie n'est pas un hasard ». Les troubles fonctionnels créent la symptomatologie et commandent l'évolution. Ce sont les troubles fonctionnels qui donnent aux affections organiques des visages différents. Il y a parfois un décalage énorme entre la naissance des symptômes cliniques et le début réel des maladies. Par exemple, la latence de la maladie vasculaire où le premier symptôme peut émerger à soixante ans mais dont ces racines remontent à plus de quarante ans. L'autopsie des enfants morts accidentellement révèle déjà, par l'abus des sucres industriels, des débuts de plaques d'athérome à l'intérieur des artères. Il faut donc étudier la part humaine des maladies, en se dégageant de la tyrannie de l'idée pasteurienne « l'homme est peu de chose, une victime résignée ou révoltée à l'égard des microbes ou des agents extérieurs ». Étudier les étapes du dérèglement, c'est réintroduire la part humaine individuelle des maladies et redécouvrir que la médecine allopathique est une technologie *pessimiste,* car le médecin a perdu confiance dans les propres moyens de défense de l'homme, en mettant en place, dès les premières heures de combat, une stratégie d'efficacité qui court-circuite le temps sans penser à l'existence et à l'épuisement d'une réponse biologique.

Il n'y a pas d'écologie sans l'étude du terrain, de ses racines, du parcours prévisible de la santé, même si l'école des faits est en contradiction avec la démarche scientifique.

Pour *l'allopathe,* l'agent agresseur donne l'identité à la maladie.

Pour *l'homéopathe,* le malade possède une identité génétique et évolutive propre avant même la rencontre avec l'agent agresseur.

Il est possible de définir un mode de réceptivité aux maladies par la détection de la réponse sensible, démarche actuelle de l'allergologie, de préfigurer un comportement réactionnel préférentiel à certaines agressions, et enfin d'éviter les déplacements morbides, les alternances de symptômes qui, par le jeu des effacements immédiats, alimentent une dépendance pharmacologique et créent d'authentiques tableaux morbides secondaires.

La définition des nuisances physiques et la lutte contre elles doivent être une confrontation loyale des modes thérapeutiques allopathiques et homéopathiques. Ainsi, le phénomène d'allergie constitue un mode diagnostique d'hypersensibilité, qui est parfois une prédisposition héréditaire, parfois une introduction artificielle dans la vie du sujet. Dans l'allergie, il faut obtenir l'identification de l'élément réactogène et conduire une thérapeutique désensibilisante. La thérapeutique allopathique est menée sur plusieurs années par la voie parentérale, par des injections de l'extrait spécifique, de sorte que le contact provoque peu ou pas de symptômes ; mais les résultats ne sont pas toujours bons, déclenchant des réactions individuelles vives, combattues cette fois par la thérapeutique la moins spécifique, c'est-à-dire la cortisone.

L'enquête allergologique a eu le mérite de mettre à jour certaines nuisances alimentaires (émulsifiants, colorants, édulcorants) et industrielles (les substances volatiles synthétiques utilisées pour la confection des vernis à ongles, des laques, des fibres synthétiques, etc.). Sous le terme d'allergène, on découvre le monde infini des polluants, détergents chimiques, benzopyrène, mazout, hydrocarbures et dérivés soufrés dont notre société se voit environnée (les peintures et carrosseries à proximité de l'usine de traitement de Vitry ne résistent pas plus de deux ans à la retombée des émanations acides sous la cloche atmosphérique que représente Paris. *Quid* des hommes ?).

Certes la réaction allergique donne lieu à traitement : il faut reconnaître que la protestation bruyante, intempestive, que représente le phénomène allergique est un bon moyen de se mobiliser autour de l'environnement ; mais si la nuisance n'a pas provoqué d'hypersensibilité immédiate, elle suit son cours ou organise sa propre pathologie, n'entraînant que de lointaines ou tardives identifications. Le long terme est certainement le principal inconvénient d'une approche statistique : aux États-Unis, l'usage des rayons X cause 13 500 troubles sérieux et 7 500 cancers mortels par an. L'usage immodéré de la pilule après quarante-cinq ans est dangereux. De nombreux états pathologiques, en échappant à la réaction allergique, s'installent lentement sans voyant ; n'oublions pas d'évoquer la pollution morale et sociologique qui transforme l'être humain en agresseur ou en combattant armé !

Aussi, les travaux de Reinberg et de P. Gervais ont-ils l'immense intérêt de défendre, d'honorer les organismes sentinelles : le malade qui souffre d'un asthme allergique est donc capable à ses dépens de *détecter* la présence d'une substance polluante avant que le reste de la population (non allergique) ne réagisse. La sensibilité particulière de l'asthmatique en fait un détecteur biologique, un organisme sentinelle. Voilà les faibles, les hypersensibles, promus au rang d'informateurs préventifs de la société : si on écarte les fragiles, on ne prend pas la mesure des dangers. « Le polymorphisme humain constitue une richesse, une adaptation qu'il faut respecter [1]. » C'est-à-dire rapprocher le modèle humain des solutions qu'on lui proposera demain. C'est l'authentique mission de la médecine homéopathique à sa source ; identifier l'homme, explorer sa sensibilité pour faciliter son autodéfense à la pollution.

Dans la désensibilisation homéopathique, les principes et les applications sont semblables aux méthodes allopathiques de désensibilisation par une voie moins turbulente (l'absorption buccale) et par une progression de la dilution et surtout un choix plus individualisé de l'allergène. Il ne s'agit pas de recourir à des

---

1. P. Gervais, *Allergie et écologie*, Masson.

allergènes standards du type Pasteur : l'allergène poussière ou moisissure est plus efficace par prélèvement au lieu même du sensibilisé. Dans les industries lainières, textiles ou de teinture, il y a des toux chroniques qui réagissent instantanément à la dilution infinitésimale des substances prélevées sur place. L'expérimentation infinitésimale permet non seulement de définir un type humain sensibilisé, mais aussi de dénicher la pharmaco-logie de certaines nuisances dont les effets ne peuvent être détectables que par la réaction allergique ou par effet toxicologi-que tardif. Certains eczémas professionnels, par exemple, mettent en cause le chrome, le cobalt, le nickel, le platine, le mercure, l'arsenic, la térébenthine, le baume du Pérou, etc. Ces détections cutanées font partie du protocole homéopathique expérimental. Des éléments comme *Plumbum, Tetraethyl, Radium, Bromatum, X-Ray* en dilutions homéopathiques sont des livres ouverts sur les conséquences physiologiques des radiations et des grands malades irradiés en sont les premiers bénéficiaires : ils perdent leur fatigue et connaissent d'étonnants regains de vitalité.

Ainsi, une véritable pensée préventive écologique doit se définir à partir de la détection des facteurs d'agression mais aussi à partir de l'originalité du receveur. L'organisme sentinelle dépasse largement sa première vocation (informer la collectivité), définit les mécanismes originaux d'une réaction organisée intelli-gente de défense...

Si l'homme est conçu comme une totalité, l'approche scientifi-que ne doit pas être formelle et quantitative, elle doit se faire au niveau du contenu et de la qualité. Que peut une science thérapeutique face à une société imprégnée de gaz carbonique et de plomb ? Que peut le génie de l'homme face aux pollueurs de viande et de sol qui répandent le mal et confondent à leur profit qualité et quantité ? Plutôt que d'accepter un long processus d'adaptation aux poisons, la dose infinitésimale, qui parle un autre langage et nous aide à vivre, ne mérite-t-elle pas un peu d'intérêt ? Nous sommes en face de l'évolution et l'homme en est le grand ordinateur : il la dirige selon sa volonté, sa fantaisie, ses besoins. L'histoire de la vie est désormais entre ses mains. Il peut cultiver la plante, corriger le milieu, domestiquer l'animal, conduire la nature, modifier la flore, la végétation, mais il ne doit pas dénaturer l'équilibre qui est en lui, comme il ne doit pas saccager les forêts.

De nouveaux paramètres apparaissent : accepter la diversité humaine, prévoir, choisir. « La conquête de la santé ne suffit pas : c'est le progrès de la personne humaine qu'il s'agit d'obtenir car la qualité de la vie est plus importante que la vie elle-même » (A. Carel).

TROISIÈME PARTIE

PROBLÈMES ACTUELS

Les troubles du sommeil

Parmi les conditions de la santé aucune n'est plus formelle que le sommeil. C'est un bien naturel mais fragile et une conquête laborieuse. On passe vingt ans de sa vie à dormir pour investir de façon décente l'autre partie active éveillée. Voyage extraordinaire accompli chaque soir, inégalable fonction de refuge, le sommeil est lié aux racines profondes de l'existence humaine ; il prend une importance égale à celle du pain quotidien. Aucune récession économique n'affecte la consommation des mille et un remèdes destinés à assurer à l'insomniaque un repos nocturne bien gagné. Savoir dormir, connaître le sommeil qui convient à chacun, c'est une formule qui ne s'introduit pas facilement dans un tube de somnifères...

Le sommeil est une interruption temporaire de la conscience éveillée. Il n'est pas une suspension des divers systèmes neuro-végétatifs, mais un déroulement original et spécifique des rythmes de fonctionnement du système nerveux.

Il y a durant la nuit cinq à six cycles de rythme : *lent*, d'une heure environ avec ralentissement progressif de l'activité corticale, séparés par de courtes périodes de sommeil dit *rapide* ou *paradoxal* où le rêve apparaît, condensé dans sa puissante expression affective, mais hors de la logique de l'espace et du temps.

On a défini les aspects physiques électriques du sommeil ; les composantes chimiques qui viennent modifier les centres de vigilance (sérotonine, catécholamines) et d'aucuns relient nos insomnies à la brouille organisée de nos catécholamines cérébrales.

Cette monnaie précieuse de la restauration de notre équilibre est pour l'homéopathe une conquête personnalisée. La règle de l'individualisation place le remède infinitésimal au-dessus de l'instrument allopathique : on n'a jamais vu de sommeils pathologiques ou de réanimation forcée par l'absorption accidentelle ou volontaire d'un tube de granules. Le génie de l'infinitésimal est l'incitation qualitative indépendante du nombre ou de la posologie. Il ne faut pas mésestimer la redoutable concurrence des hypnotiques et nous connaissons nos propres difficultés pour substituer et assurer des transitions à ces médications efficaces qui introduisent le remède sur commande et dont la dépendance va devenir rapidement manifeste. L'insomniaque ressemble à un voyageur qui utilise une carte d'abonnement, un titre de transport annuel réévalué en hausse régulière. Le conditionnement externe du sommeil ne résout pas les inconnues de l'approche individuelle.

Comprendre l'insomnie n'est pas une opération qui consiste à nous mettre en accord avec la biochimie du cerveau, c'est approcher l'aboutissement clinique d'un individu dans son expression de défense, son intimité angoissée, donc son expression émotionnelle.

Car la peur est le problème numéro un du sommeil : la peur de soi s'identifie à celle de ne pas dormir. Les frayeurs de la nuit sont les prolongements des peurs de l'enfance et le sommeil représente la peur du voyage et des parcours accidentés condensés de sa propre existence.

Les candidats au transport sont innombrables, mais les voyageurs se classent en trois catégories :

1) *Ceux qui appréhendent d'entreprendre le voyage :* c'est l'insomnie de la première partie de la nuit (anxiété initiale).

2) *Ceux qui se réveillent au cours du voyage :* c'est le sommeil interrompu, l'arrêt du convoi en rase campagne. Les intoxiqués, les soucieux, les tracassés qui se réveillent au milieu de la nuit, achevant les tâches de la veille, et se rendorment cruellement au moment du lever réel.

3) *Ceux qui se réveillent à la fin du parcours :* les déprimés du

216

petit matin qui promènent un regard angoissé sur les épreuves du nouveau jour à vivre.

A travers cette esquisse, le traitement homéopathique de l'insomnie inclut la composante physiologique du trouble, la découverte de la trame psychique profonde et de la réceptivité constitutionnelle.

Entrez sans appréhension dans l'analyse de vos difficultés. Un déséquilibre s'est sournoisement introduit dans votre rythme personnel : vos systèmes de sécurité ne vous autorisent plus le repos. Les insomnies passagères sont en rapport avec des circonstances physiologiques dues à des causes évidentes qui méritent levée d'obstacles et révision de conditions de vie.

a) Vos cellules cérébrales sont excitées à vif par des états fébriles ou infectieux : le cerveau perd son contrôle et libère des réactions dynamiques de défense.

Pour *Aconit,* c'est l'agitation fébrile et la peur de mourir. Pour *Belladona,* les réactions sont vives à la lumière et au bruit ; pendant la fièvre le moindre bruit de l'environnement retentit dans le cerveau. Tout devient convoi et charroi douloureux. *Ferrum phos* et surtout *Rhus tox* sont avec *Nux vomica* les champions de l'agitation nocturne par courbatures du corps et aussi l'angoisse du repos forcé, de l'immobilisation. Pour *Chamomilla,* la fièvre s'accompagne d'un insupportable état douloureux : « Plutôt mourir que souffrir. »

b) Votre tube digestif connaît des heures difficiles : cela implique des notions irremplaçables d'écologie du sommeil (légèreté du repas du soir). Mais certains sont réveillés par des fonctions digestives actives pendant le sommeil : fonctions hépato-biliaires et intestinales, contractions et mouvements exagérés de l'intestin (borborygmes) peuvent troubler le sommeil. C'est la vertu de *Nux vomica* d'assurer le sommeil après excès ou intoxications se traduisant par la « gueule de bois ». Mais *Magnesia phos* est un excellent régulateur du sommeil pour les réveils perturbés de la fonction intestinale, et lorsqu'on a affaire à des colitiques avérés, *China, Paratyphoidum B, Thuya* assurent des sommeils réparateurs appréciés.

Votre système artériel se modifie : tous les circulatoires dorment mal en perdant l'élasticité vasculaire : inauguré par de discrètes palpitations, cet état se concrétise par des modifications sombres de l'humeur, ténébreuses ruminations et bouffées explosives alternant avec des euphories brillantes et éphémères.

Avec *Glonoin*, on supporte mal la chaleur, celle du soleil ou d'une source de chaleur voisine de la tête (spot). Des pulsations semblent monter de la poitrine vers la tête : la tête et le cuir chevelu paraissent lourds sur l'oreiller.

Aconit : la congestion céphalique s'accompagne de craintes irraisonnées, de sombres pressentiments. C'est l'adulte en éclatante santé qui craint pour sa santé, recherche les compagnies qu'il avait l'habitude d'écarter et qui bascule dans le camp des inquiétudes vasculaires et des contrôles médicaux spécialisés. Il est toujours crispé au volant.

Aurum : est l'artérioscléreux connu, autoritaire, exigeant, le patriarche régent, aux colères sans appel, avec un dégoût certain de la vie. Au réveil, il est assis dans son lit, absent, inquiet et met un certain temps à reprendre contact avec le réel.

Arnica : le pacificateur nocturne des vaisseaux. La tête est chaude, le corps est froid. Le sommeil est agité et le lit paraît trop dur, et surtout on glisse dans de longues périodes d'indifférence, avec refus d'être approché, d'être touché, et isolement négatif de soi.

Votre système nerveux s'épuise et se tend :

Les facteurs de civilisation, les stress professionnels et affectifs, les conditions des grands centres urbains provoquent une lourde déperdition nerveuse : la thérapeutique est plus accessible aux symptômes qu'aux causes déclenchantes.

Votre sommeil est en fuite par excitation sensorielle périphérique :

Coffea 12 CH ne supporte pas les douleurs, il est parfaitement éveillé sans fatigue dans l'attente du sommeil ; les émotions joyeuses décapitent son sommeil.

Theridion 15 CH (en dose deux fois par mois) le neutraliseur de bruit dans les grands ensembles. La vie moderne le tient en émoi.

Ignatia l'introvertie soupire, s'inquiète de tous les événements, ressent les deuils des autres et aura peur de ne pas se rendormir.

Gelsemium présente une diarrhée à la moindre émotion et a la tête lourde sans sommeil.

Arsenic album : la peur de vivre dans le chaos des affrontements universels.

Au lit, les anxiétés existentielles s'amplifient ; elles ne bénéficient plus du mouvement qui apaise :

Aconit : peur irraisonnée, et l'imagination se déchaîne autour de la peur.

Actea racemosa : peur de devenir folle.

Arsenic album : le contrôle incessant des gestes de la vie, vérification autour du sentiment d'incomplétude.

Argentum nitricum est le régulateur des gens très pressés, hâtifs, anxieux, se battant encore plus avec le temps au moment apaisant de la retraite. Non seulement on vieillit mal ; on est un insupportable hypochondriaque et la suractivité cérébrale qui ne trouve pas d'emploi se polarise sur des appréhensions en chaîne autour de soi, pusillanimité tâtillonne, avec peur de la mort, de la maladie, de la foule, de la solitude..., une suite de malentendus anxieux avec la vie. C'est le personnage le plus insupportable de la mise à la retraite : c'est une régression égocentrique très appréhendée par l'entourage.

Les insomnies des épuisés hyporéactifs bénéficieront d'*Arnica* (remède de stress et de chocs récents), de *China :* la faiblesse, la débilité physique n'excluent pas la suractivité cérébrale, c'est le débordement du gouvernement central par le corps lourdement affaibli ; facilement en sueurs du visage (après intervention chirurgicale), craignant le moindre courant d'air, le toucher, le bruit, les odeurs.

Cocculus (la coque du Levant) est le remède des personnes qui ont trop veillé et escorte des derniers moments d'un être cher. *Alfa alfa-Avena sativa* (1re DH, 20 gouttes au coucher), remède simple des insomnies par fatigue, et *Scuttelaria 5 CH* est le remède des états dépressifs après état infectieux ou grippe : c'est le somnifère des convalescents.

Votre sommeil s'accompagne de troubles respiratoires. C'est au cours du sommeil que la fonction respiratoire se charge d'angoisse, de soupirs, de halètement. La sérénité n'est plus en place et les états affectifs se traduisent par le manque d'air, la boule pharyngée et la lourde expression d'un souffle angoissé. Le soupir est le gémissement de l'âme pour Ignatia, agression

219

sentimentale intériorisée ; Aconit, Actea racemosa présentent des contractures musculaires qui raréfient le souffle.

A la ménopause, chez Lachesis, la gêne respiratoire s'associe aux bouffées de chaleur et à la mauvaise ventilation du corps. On soupire sur une fin de carrière sexuelle mal acceptée, avec jalousie polarisée, et des regards féroces sur l'adolescence féminine, ces rivales de parcours qui savent opportunément prendre les relais, provoquant soupirs, désillusions, et désaffection du lit conjugal. Mais on suffoque beaucoup à la ménopause pour des raisons physiologiques : on ne supporte plus les cols, les gaines, les draps et l'oxygénation nocturne s'établit à grand-peine, et lorsque les larmes succèdent aux soupirs, on comprend le rôle des éliminations et des sécrétions compensatrices.

Mais au troisième âge se développe la réelle insuffisance respiratoire des fragiles de longue date et de ceux qui se sentent chaque année moins protégés :

Baryta carb. : oublieux, scrupuleux, méfiants, régressifs, tâtillons, lents, ils s'enrhument au moindre froid et les espaces entre les épisodes respiratoires se raccourcissent.

Antimonium tartaricum, Senega : on est très encombré et la perte du pouvoir expectorant donne des suffocations angoissantes avec des gros râles humides perceptibles à distance.

La position de votre colonne gêne votre sommeil : on oublie souvent que les lésions d'arthrose du cou déterminent une mauvaise posture de repos de la tête durant la nuit : un petit coussin sous l'ensellure cervicale est plus favorable qu'un oreiller. Trois remèdes apportent la paix aux arthroses cervicales : *Actea rac* (contractures), *Arnica* ou *Rhus tox* (sommeil rendu agité par la douleur cervicale).

Il existe une écologie du sommeil centrée sur l'orientation du lit, les couleurs apaisantes, les postures de relaxation, l'hygiène physique, le mouvement et l'alimentation. Mais les conseils ne rendent pas vertueux et les sédentaires et les alcooliques qui polarisent leur excitation la nuit paraissent peu attentifs aux notions d'hygiène ; leur persévérance est décevante. Il vaut mieux recourir à l'apport de *Nux vomica 7 CH* (sédentarité), *Lachesis 9 CH* (alcoolisme), *Hyosciamus 9 CH* (agressivité).

Aux âges différents de la vie, on retrouve des supports très précieux du sommeil. Jalappa 5 CH est un enfant calme le jour, criard et agité la nuit ; Cypripedium 5 CH (le sabot de Vénus) se réveille la nuit, s'assoit dans son lit, joue et gazouille. Il faut savoir considérer la peur des enfants qui se réfugient dans le lit des parents (Gelsemium), ou la revendication du partage affectif (Lycopodium).

Au troisième âge : Arsenic album apaise l'angoisse respiratoire et l'anxiété nocturne, l'appréhension de la mort imminente le jour et du « grand voyage » pendant la nuit. *Ambra grisea* est un excellent remède de l'émotivité qui devient excitation. L'esprit devient un kaléidoscope à idées ; ce sujet présente souvent un visage agité par les tics ou les tressaillements musculaires.

Il faut rester attentif aux conditions thermiques du sommeil, certains cherchent systématiquement les places fraîches dans leur lit : leur chef de file est Sulfur : ses difficultés congestives sont toujours aggravées à la chaleur. Calcarea carb. dort mal au contraire lorsque ses pieds sont froids.

L'hydrothérapie aux fleurs de foin (bains Gybem) est d'un grand secours chez les sympathicotoniques, à condition que le bain ne soit pas réchauffé par des apports intempestifs d'eau chaude. Les vagotoniques en tirent bénéfice au prix d'une certaine fatigue globale qui semble diminuer leurs réflexes.

La fatigue nerveuse, les troubles de votre sommeil sont conformés à votre trame constitutionnelle.

Les Phosphoriques longilignes ont des déperditions nerveuses importantes : le déséquilibre nerveux apparaît à la faveur de la déminéralisation. Ils ont intérêt à prendre du *Biomag* (deux par jour, à croquer) ou du *Sédatif PC* (trois grains à 19 heures). Ils dorment mal par hyperesthésie : l'hypersensibilité réactionnelle est l'image de leur fatigue, sans repos compensateur. On peut comprendre les déséquilibres graves qui peuvent éclater à partir d'un déficit de sommeil : mélancolie ou bouffées délirantes.

Les Carboniques psoriques sont d'un négoce plus facile. Leurs troubles nerveux, plus légers, correspondent davantage à des troubles congestifs de la tête et à des surcharges hépatiques.

Les Fluoriques ont une suractivité cérébrale lorsque la nuit tombe, et certains métaux semblent agir en doses infinitésimales sur cette excitabilité (*Aurum, Argentum nitricum, Platina, Lachesis*), et les insomnies définies comme totales (la nuit blanche) bénéficient du biothérapique *Luesinum 15 CH*, deux fois par mois, pour apaiser cette excitabilité.

L'horaire des troubles du sommeil participe à l'individualisation :

Les Phosphoriques ont un sommeil tardif en raison d'une vive idéation nocturne ; leur tête est peuplée d'imaginaire. Arsenic album se réveille à 1 heure ; Kali carb. à 2 heures ; Coffea, Ammonium carb. à 3 heures ; Sulfur et Nux vomica de 3 heures à 5 heures ; Lycopodium à 4 heures. Les hépatiques anxieux se tiennent éveillés de 4 heures à 6 heures et se rendorment à l'heure où le réveil sonne. Leurs premiers pas seront maussades, voire désastreux.

Les insomnies abritent des états dépressifs graves.

L'insomnie est un incontestable épuisement vital, qui annonce des états graves centrés sur le désespoir et la perte du goût de vivre (Aurum, Lachesis, Arsenic album). Phosphoric acid est très déprimé par les chagrins, les échecs, les revers de fortune.

Son indifférence, son chagrin silencieux, son refus de manger et la prostration de l'esprit font penser à ce désir de solitude, avant-coureur des fins tragiques ou la rétraction totale avec l'acceptation d'une fin prochaine.

L'insomnie est le dérèglement certain d'une personne dans sa physiologie et son essence profonde. Si à l'état de veille, la connaissance de la vie mentale échappe en partie, il faut bien reconnaître que pendant le sommeil on en connaît bien moins. Une thérapeutique humaine doit rechercher l'harmonie à travers les différents modèles et non la dépendance dépersonnalisée d'une fonction. Tous les sujets disciplinés sont guérissables, surtout ceux qui ne considèrent pas l'appui thérapeutique comme un bouton de commande, et il faut savoir répartir son effort, accepter la désintoxication progressive des somnifères (à partir du quinzième jour) et savoir espérer de l'infiniment petit un plus noble réajustement de soi.

L'angoisse

La confidence des patients nous expose à de cruelles constatations : un état cancéreux avec sa lourde traduction corporelle est parfois mieux supporté que l'angoisse, état indéterminé qui engage l'ensemble des réactions psychologiques dans un état affectif douloureux et sans fin. L'angoisse consiste dans l'attente poignante d'un danger imminent et imprécis. On subit une peur sans objet qui jette toute la lutte vers l'intérieur avec la sensation de l'asphyxie dans un passage étroit et sans fin. Dans l'anxiété, la notion de danger est mal définie et s'accompagne de vagues inquiétudes ; dans l'angoisse il y a des sensations physiques très désagréables, toutes les réactions de défense sont mobilisées pour se préserver d'une asphyxie, d'un étouffement, d'une fin dramatique. C'est la vigilance totale de l'esprit à l'égard d'un signal de danger (vingt-quatre heures sur vingt-quatre). Si l'on parle de resserrement, de « constriction », le siège de la peur se situe au niveau du thorax avec ses deux orifices : le larynx et le diaphragme, avec pour résultats la souffrance de la région de l'aire précordiale et la peur d'une mort imminente. L'angoisse est d'autant plus vive qu'elle est définie comme une peur sans objet « apparent ». C'est sans doute ce caractère indistinct, inaccessible, qui la renforce et la fait échapper à toute analyse. C'est la peur sans issue qui se nourrit d'elle-même.

L'angoisse est un phénomène purement cérébral qui mobilise de façon permanente des mécanismes de défense et entraîne de fortes dépenses d'énergie ; elle entraîne le désordre dans l'équilibre affectif.

L'approche psychanalytique de la lutte contre l'angoisse met en évidence les remaniements douloureux de l'attitude pour éloigner cette tension psychique : on cherche à projeter devant soi, à l'extérieur, cette peur du danger ; on se réfugie dans un stade de vécu antérieur plus confortable, mieux protégé : on refoule, on déplace cette insupportable énergie inconsciente vers d'autres représentations. Le mécanisme de la somatisation intéresse le médecin homéopathe ; en analysant les processus de dérivations et de fixations sur le schéma corporel, il rationalise une démarche à la fois analytique et thérapeutique centrée sur la région cardiaque et thoracique, symbole de la vie affective, reliée à l'identité globale du patient. Cette démarche s'impose en raison de la relative *impuissance thérapeutique* en matière d'angoisse et d'anxiété. Les angoisses courantes sont peu influencées par les médicaments. Les neuroleptiques, les tranquillisants, les anxiolytiques ont des effets irrégulièrement prévisibles, selon les sujets et souvent transitoires (professeur Deniker). Ils doivent leur action à un certain pouvoir euphorisant analogue à l'alcool. Et plutôt que de lutter contre l'angoisse proprement dite, il est recommandé de recourir aux classiques et inoffensifs sédatifs du système nerveux végétatif, en dirigeant la lutte vers les points chauds de la réaction végétative et viscérale : c'est là diminuer l'intensité plutôt que combattre l'immense inconnue.

Les symptômes somatiques accompagnateurs de l'angoisse sont les reflets de la mobilisation des deux systèmes d'alerte du système nerveux périphérique à terminaison viscérale : le système orthosympathique et le pneumogastrique. L'état sympathicotonique se reconnaît à la dilatation de la pupille, à la mydriase, à des réactions vaso-motrices vives (rougeur, pâleur), aux sueurs profuses, à la sécheresse de la bouche, aux diarrhées, à la digestion lente, aux urines abondantes, à la diminution de la libido, à l'hypertension et aux tendances hyperglycémiques.

Ce sont des sujets nerveux, émotifs, irritables, spontanés, à réflexes vifs et à sommeil peu profond. Le verbe est chez eux toujours libérateur et ils aiment parler de ce qu'ils font le jour même. C'est la répercussion anxiogène des affections et des agressions extérieures (mauvaises nouvelles, drames, etc.), qui les prédisposent aux dyspnées émotives, aux névroses tachycardiques et aux spasmes vasculaires.

Inversement, l'état vagotonique s'accompagne de ralentissement des réflexes du plexus solaire. Ce sont des sujets pâles, sans réactions vaso-motrices vives, à cœur et respiration lents. La tension est basse, les pupilles sont contractées et la constipation est le fait d'un spasme intestinal. Ils présentent une boulimie, une hypotension et une hypoglycémie, mais une bonne activité génitale. L'état vago-tonique prédispose aux infections, aux intoxications, aux phénomènes allergiques (asthme, allergie nasale). La notion dépressive est accentuée avec une anxiété vague mais tenace...

La névrose phobique est un tableau éclatant de l'angoisse. Elle fait ressentir au malade un malaise indicible opposant une lucidité tendue à une impossibilité de se débarrasser d'une peur localisée, d'une anxiété immotivée. Ce tableau prend un caractère répétitif qui donne à cette névrose l'aspect d'une maladie de longue durée. A l'extrême, cet état deviendra obsessionnel, avec la notion de doute angoissant, l'inquiétude du destin, cette espèce de « fantasme » émotif, à partir duquel peuvent s'engager d'obsédants contrôles et vérifications qui immobilisent le sujet dans une atroce pesanteur affective. « Angoisse atroce, despotique, sur mon crâne incliné tu plantes ton drapeau noir », écrira Baudelaire.

Freud a eu le mérite d'isoler et de définir cette névrose, dans laquelle le malade éprouve des crises d'anxiété irraisonnées, caractérisées par la peur des rues, des animaux, la peur de commettre des actes dangereux. Selon Freud, il s'agit de conflit inconscient, aigu, opposant le désir et sa réalisation. Le désir d'un rapport sexuel se transformerait en peur de rapport sexuel. Dans l'agoraphobie, objectivée par la peur de la foule, la peur de sortir s'opposera au désir d'une rencontre qui pourra avoir lieu dans la foule ; dans la névrose phobique jumelle qu'est la claustrophobie, c'est la crainte anxieuse de rester seul dans une pièce dont les portes sont fermées. La liste des avatars de cette phobie est longue ; l'analyse nous oblige à tenir compte d'une quarantaine de phobies (couteaux, instruments pointus, soleil, ombre, insectes, serpents, araignées), qui s'apparentent à des obsessions symboliques.

Certains considèrent que les phobies sont des refoulements de certains désirs sexuels ayant envahi la très riche disponibilité de la psyché infantile. D'autres font allusion à des traumas du parcours affectif, frappant des structures fragiles, actualisés par l'anxiété humaine qui donne du poids à nos représentations mentales, à des images qui chevauchent constamment entre le passé et l'avenir.

La névrose phobique intéresse l'homéopathie dans son approche critique ; la recherche étiologique est au premier plan dans la plupart de ces névroses. Les malades ont l'impression que leurs troubles ont un début franc : ils les datent avec précision alors que les obsessionnels ont le sentiment qu'ils ont depuis longtemps quelque tendance au doute devant tel objet, ou tendance au scrupule, à la méticulosité. L'école de Pavlov a apporté la preuve de certaines anxiétés conditionnées : on retrouve à l'origine un malaise, vertige lipothymique qui est survenu au milieu de la rue, d'une place ; le malade étant seul avec la crainte secondaire d'être pris du même malaise seul, alors que personne ne pourrait lui porter secours.

L'angoisse est l'éclatement d'une identité émotionnelle. En homéopathie, c'est la révélation d'une structure et d'une intensité à relief étonnant. Dans le personnage d'Aconit, on retrouve le mécanisme phobique à l'état pur, l'épouvante vasculaire qui s'installe dans le cœur et passe violemment du cœur vers le cerveau, avec une agitation à son plus haut degré. L'angoisse est ici une sorte de fièvre qui embrase le cerveau. L'intensité rendra insupportable toute douleur avec des cris, des appels au secours, des sensations d'engourdissement atroces, donnant le caractère d'une fin prochaine aux plus légères affections (névralgie dentaire, bronchite aiguë, otite, névralgie faciale). Aconit est la conscience terrorisée d'une mort imminente, ressentie comme le destin d'une vie qui s'achève, avec une intensité qui pousse à l'action. C'est le modèle de l'angoisse aiguë paroxystique, sympaticotonique, réalisant le tableau d'urgence cardiaque.

Aconit est défini comme un remède à action courte, d'indication éphémère, dans tous les états inflammatoires au début (invasion fébrile, syndrome laryngé, respiratoire, coup de froid brutal). Tous ces états aigus vont révéler le portrait psychique face à l'agression : en quelques instants, la mobilisation inflammatoire, violente, aiguë, va distribuer toute la puissance circulatoire du message de l'angoisse aiguë et le tableau intense d'une peur de mourir, avec une agitation et une fébrilité liées à la mobilisation de l'influx nerveux et congestif ; nul ne concentre autant la douleur et la peur, la souffrance avec l'urgence, le SOS des soins immédiats : en quelques instants un ouragan de peur de mourir va s'installer dans le cerveau. Le larynx paraît étroit, le cœur est agité, tendu dans un thorax comprimé, la suffocation est toujours présente. Tel est le tableau de l'orage inflammatoire d'Aconit dont l'heure d'aggravation est vers 23 heures. Otite, laryngite, croup, congestion pulmonaire, insolation, névralgie faciale, poussée d'hypertension ; tous ces états appellent par la présence de l'angoisse la justification d'*Aconit*. Mais ce remède peut conserver la seule indication de la pure angoisse cérébrale, en particulier celle des psychotiques, précédant les bouffées délirantes, et s'accompagnant de malaises si intenses que le passage à l'acte est défini comme libérateur et thérapeutique.

C'est le cas de Mlle G. de Bretagne dont l'agressivité psychotique et le comportement social difficile étaient alimentés par une angoisse telle que le passage à l'acte suicidaire apparaissait comme une libération. Un psychiatre humaniste l'hospitalise durant de courtes périodes, à la demande de la patiente, dans un service hautement sécurisant. Toute la chimiothérapie est inefficace et modifie lourdement le tableau du désordre mental. *Aconit 30 H* a été le seul remède libérateur de cette angoisse existentielle. Miracle de l'infiniment petit à l'égard d'une indéchiffrable complexité.

Chez Gelsemium : la peur est pétrifiante, stupéfiante, sidérante. Ici, la notion de danger est apparue à la faveur d'une émotion. C'est la peur fondamentale, de l'agression et de l'autorité sous toutes ses formes, de toutes les effractions, cambriolages et stress.

Certains états psychiques avancés peuvent présenter l'état vagotonique de la peur paralysante. Il s'agit d'un état de stupeur avec négativisme, asthénie, lourdeur, instabilité, avec la sensation que les jambes ne vous portent plus.

Tous les accès d'angoisse se terminent par une émission abondante d'urines et une diarrhée émotive. Cet innocent remède du trac des adolescents, de toutes les affections aiguës, asthéniantes, fait de *Gelsemium* un remède de l'angoisse existentielle, car il se déploie, s'actualise dans le monde des adultes, des appréhensions entretenues de la vie sociale, du contact avec le monde, la peur de prendre la parole en public et de vivre avec les autres. Cette lourde évaluation de la peur de vivre va se déconnecter par les vertus de l'infinitésimal.

En psychiatrie, certains tableaux pathologiques majeurs présentent le tableau de Gelsemium : états catatoniques avec mutisme, psychisme figé dans des attitudes rigoureusement immobiles.

Gelsemium est inséparable des circonstances affectives qui marquent les états de la vie (peur d'aller à l'école, peur des examens, peur du père, peur de l'administration, du fisc, peur des lieux après cambriolage, peur des agressions). C'est le remède majeur dans notre monde de terrorisme et de violence. Une patiente à la ménopause s'était arrêtée de parler depuis cinq ans (cela n'arrive jamais à Lachesis), à la suite d'un grave incendie dans sa résidence principale. Son état s'est rapidement amélioré après une prise de *Gelsemium* et d'*Opium 15 H* (où la peur est encore plus figeante, sidérante).

Arsenicum album : l'affaiblissement existentiel avec la peur de mourir dans la solitude. Il s'agit d'un état d'anxiété permanente qui s'accompagne de la crainte de la vie qui s'écoule, de la vieillesse qui s'approche, des appareils qui s'usent, des souffles qui se raccourcissent. On est très tôt Arsenicum album, dans l'enfance, lorsque la crise d'asthme freine tous les élans de l'âge scolaire, la course et les jeux ; cette énergie insuffisante initie, hélas, à une prudente économie de soi. Ce frileux va se réveiller entre 1 heure et 3 heures et appréhender la nuit. Il se désespère d'un souffle qui ne retrouve jamais son amplitude, mais, bien au contraire, subit la pente redoutée de la faiblesse.

L'épuisement vital laisse intacte l'angoissante agitation cérébrale, qui s'accompagne d'incessantes vérifications, contrôles et répétitions de gestes jamais achevés, jamais apaisants et que Janet appelle « le sentiment d'incomplétude ».

Arsenicum album aime l'ordre, les rangements méticuleux, les peintures murales dans un alignement rigoureux ; il est pointilleux, critique et le paravent de son angoisse est le rationalisme, la logique qui le conduit vers la critique et le scepticisme. C'est une angoisse permanente non maîtrisée depuis l'enfance, qui deviendra un défaut de confiance en soi que l'on sécurisera par les acquis des autres, ceux de la science, appuyés par les chiffres et les statistiques apaisants. Arsenicum album a peur de mourir, de se dépenser et ce grand veilleur de la nuit et de la mort profile son ombre du premier au quatrième âge, dès la moindre altération du souffle respiratoire chez ce rétracté thoracique.

Argentum nitricum présente une agitation phobique fondamentale, source de harcèlement et d'épuisement pour son entourage : il a été habité durant toute sa vie par des angoisses absolues, irrationnelles, qu'il a compensées par une impérieuse agitation. La précipitation est l'indice d'une inexorable lutte contre l'ennemi inexorable : le temps, qu'il lui faut maîtriser. Tous ses actes sont accompagnés de hâte excessive, de brusqueries et de maladresses ; il cherche à avaler la vie comme il engloutit ses repas, vite, en raffolant des sucreries qui lui abîment l'estomac. Pour lui, les loisirs, voyages ou vacances sont source d'angoisse.

Le transit d'Argentum nitricum est à l'image du personnage : la moindre excitation mentale (convocation, départ en vacances — il part mentalement en vacances 3 mois avant les autres et au premier jour d'arrivée il pense déjà au départ) lui provoque une accélération intestinale, une débâcle rapide, une libération incontrôlée (maladresse et rapidité sexuelles), il a peur du vide, d'être enfermé (il n'aime pas les verrous), il ne sait pas apprécier les distances lorsqu'il est automobiliste. Il a peur des montagnes, des édifices modernes élevés, des grands magasins, des angles de rues qui lui paraissent mal ajustés et des immeubles qui semblent s'incliner vers lui. Mais son angoisse majeure, incontrôlable, se porte sur la maladie, la peur de devenir fou, d'avoir un état incurable, et ce malade, peu préparé au troisième âge, à la maladie chronique, va empoisonner son entourage par le déversement de son moi agité. C'est le plus mauvais malade du troisième et quatrième âge, par son angoisse asphyxiante, intense, qui s'accompagne de pusillanimité, d'obsessions allant jusqu'à la peur du jugement dernier.

Dans *l'univers différencié des phobies*, la pharmacopée homéo-pathique individualise de façon subtile des régulateurs spécifi-ques :

Phobie des aiguilles : *Spigelia, Silicea.*

Phobie des couteaux : *Stramonium, Alumina.*

Phobie des chiens . *Belladona, Stramonium, Hyciamus, Causticum, Tuberculinum.*

Phobie des espaces : *Stramonium, Aconit, Argentum nitricum, Gelsemium.*

Angoisses atmosphériques : *Phosphorus, Rhododendron, Sepia, Psorinum.*

Angoisse au réveil : *Lachesis, Arsenicum album, Cactus.*

Angoisse du sommeil : *Lachesis, Phosphorus, Arsenicum album, Causticum.*

Agoraphobie : *Aconit, Argentum nitricum, Arnica, Gelsemium.*

Dans les approches constitutionnelles deux personnages méri-tent attention : pour Calcarea carb. la vie paraît hypothéquée par une faiblesse générale, une indolence, une auto-dépréciation ; son rythme lent ne l'a jamais autorisé à avoir prise sur le fil du destin. Peu ambitieux, engourdi dans une lourde stature qui s'accroît avec l'âge, accablé par le froid, vite en sueur de la tête et au moindre effort, ce vagotonique va être effrayé par les vétilles de l'existence. Tout le décourage : l'inaptitude aux efforts intellectuels, les échecs, les émotions le déconcentrent et le font régresser. Les peurs abondent : peur de perdre la raison, de laisser apparaître sa déchéance aux autres, peur du malheur, de la solitude ; l'angoisse avec un support mélancolique. Ici le constitutionnel l'emporte sur l'instance aiguë d'Aconit.

La dose infinitésimale de *Calcarea carb.* est un grand correcteur de l'angoisse chez le sujet âgé.

L'acte vengeur et justicier de l'enfant angoissé : Hepar sulfur obsédé par la magie du feu.

Hepar sulfur : le jeune L., quinze ans, vient accompagné de sa mère, qui expose son histoire. Elle a eu toutes les peines du monde à l'élever. Dans la première année, sans raison valable, l'enfant était insomniaque, hurlait, présentait des éruptions suintantes qui aggravaient l'excitabilité. Elle doit abandonner son métier de monteuse de films, pour prendre un emploi de femme de service dans les écoles, et se consacrer davantage à l'éducation de cet enfant si difficile. L'insomnie a persisté et le malade a rapidement perdu confiance dans le corps médical, qui s'acharne à combattre des effets sans situer la réalité du vécu d'un malade, vérité complexe que l'interrogatoire homéopathique peut dépouiller. Il arrive si souvent de découvrir qu'on confie au médecin une vérité partielle qui voile des racines cachées. L'interrogatoire homéopathique synthétise l'information et c'est à partir de la frilosité, des éruptions, du mauvais état de la gorge qu'*Hepar sulfur* est prescrit. Il revient après deux mois, équilibré, de meilleure humeur, et surtout avec un meilleur carnet scolaire. Sa mère nous remercie, et, au moment de la séparation nous dit : « Et en plus, il a perdu l'habitude de jouer avec les allumettes (caractéristique qui ne m'avait pas été exposée au premier examen !) ». On ne saura jamais exprimer combien ce genre de propos peut encourager le médecin dans la loi de similitude, car ce lymphatique irritable passe rapidement à l'acte et tous les pyromanes sont justiciables d'*Hepar sulfur*.

L'attirance d'Hepar sulfur pour les allumettes a toujours été une interrogation. Certes, ce lymphatico-nerveux, indolent, a des pointes d'autoritarisme que n'avait pas le très proche Calcarea carb. ; il présente de longues périodes d'inertie apparente, entrecoupées de passages à l'acte violents et instantanés. Ce Carbonique a une tendance angoissée qui n'est pas très apparente dans l'enfance, il paraît doux, plastique, mais l'analyse plus attentive révèle la décharge de l'anxiété par l'agressivité.

Nous avons toujours relevé chez les jeunes sujets Hepar sulfur pyromanes ce côté passif, imaginatif, avec cette attirance pour l'éclat magique de la chandelle, de la flamme, qui se développe très tôt dans l'enfance. A l'église, compagnon peu concerné, secret, immobile, aux côtés d'un adulte plongé dans sa méditation, son regard se porte avec fascination vers les cierges et les chandelles. Un jeune patient traînait son père vers l'église, non pas pour en faire un fidèle, mais pour regarder les cierges allumés et, plus tard, il se passionna de fêtes foraines, de lampions, de feux d'artifice, de la magie des flammes dans une cheminée. Ce jeune artificier tenait à s'occuper seul du feu, à travers de longues périodes d'apathie, ses pulsions brusques vers le feu le valorisaient, il devenait un éphémère et impitoyable rédempteur.

Mais le symptôme de pyromanie n'est pas le seul symptôme de prescription de cet étonnant remède qui est également escorté par ses symptômes psychiques et physiques : éruptions, abcès, phlegmons, toute suppuration malodorante, toux, enrouement, laryngite provoquée par le froid, inflammation des conduits auditifs, hyperesthésie douloureuse de toutes les surfaces inflammées.

C'est le tableau d'un remède inflammatoire de premier plan, mais sa prescription dans les états infectieux de l'enfance repose sur deux signes majeurs en quelque sorte spécifiques de sa prescription.

1) *Un penchant irrésistible à la contradiction :* c'est la tendance à vouloir toute chose autrement que les autres, à renverser les valeurs pour s'affirmer. C'est d'abord le refus d'avoir tort, et une arme puissante pour vaincre l'entourage (la mère). Ce négativisme est parfois ponctué par des mots tels que : « bien au contraire », « ne croyez pas ». Ces malades cherchent à esquiver tout ordre, à déplacer en bas ce qui est en haut, à mettre à droite ce qui est à gauche, à transformer l'avant en arrière. Ce sont des sujets indécis, circonspects, à réactions courtes et très violentes. Exaspéré par une intolérance totale à la douleur, un de mes

jeunes patients porteur d'une otite séreuse chronique était un exemple vivant de contradiction : il sollicitait le vêtement bleu pour accepter le rouge, désignait une part de gâteau pour choisir l'opposée, faisait découper le pain à une extrémité pour réclamer l'autre. Un écoulement catarrhal associé à un puissant penchant à la contradiction chez un frileux douillet, agressif : c'est la signature d'Hepar sulfur.

2) *Le désir d'acides* est caractéristique de certaines personnes et en particulier d'Hepar sulfur. Ce goût pour les acides confère au porteur un caractère rigide, peu diplomate, un jugement tranché et peu de tendance au compromis (ils ne font pas carrière au Quai d'Orsay).

Ils exposent avec une spontanéité un peu trop ferme (Medorrhinum, Chamomilla, Lachesis, Hepar sulfur), ce qui leur paraît conforme à un authentique sentiment de justice, en les identifiant trop rapidement au bras séculier.

Il n'est pas surprenant de détecter chez eux des propos « acides », et notre enfant Lionel, pyromane, grand amateur de cornichons, de vinaigre, et de salaisons, perdit l'attirance vers ces excitants qui développaient chez lui les goûts les plus étranges : une attirance pour l'eau, une soif immodérée, un attrait insolite pour les piscines (car l'eau éteint le feu !).

L'angoisse peut se libérer par le mouvement généreux ou le verbe excessif, choisissant l'expression indirecte.

En neuropsychiatrie infantile, le médecin doit analyser les relations réciproques de l'anxiété et de l'agressivité et chercher à travers une structure une individualisation précoce, afin de remédier à ses causes, au déficit d'un métabolisme, plutôt que de se borner à maîtriser les mécanismes réactionnels secondaires du cerveau.

La modalité d'amélioration par le « mouvement » demeure pour l'homéopathe une excellente observation de lutte contre la phobie. Adolescents excessifs (Tarantula, Moschus), inhibés (Pulsatilla, Tuberculinum). Adultes agités, vieillards précipités ou amorphes, une bonne observation permet de renouer avec les fils d'identité de la personne et parfois les symptômes d'opposition qu'elle exprime. La vie secrète se déchiffre derrière le manifesté !

L'agressivité

La tendance à l'explosion agressive est une rencontre chez l'homme de tendances génétiquement programmées et de facteurs hormonaux, psychologiques, associés aux provocations du milieu.

L'histoire a démontré que l'homme était un agresseur instinctif, un meurtrier sorti de ses gonds (N. Tinbergen). Il dépasserait en perfidie et en imagination les animaux qui ont des freins naturels à l'égard de leurs congénères. Ces instincts sont inscrits dans les principes fondamentaux de la vie et la maîtrise de ceux-ci est l'objectif de la morale individuelle. On a fait état d'héritage génétique ; dans nos cellules reproductrices des combinaisons chimiques de molécules protéiques spécifiques déterminent et assurent la transmission héréditaire au moment de la division de la cellule : un chromosome augmenterait, selon certains, la virilité et la super-agressivité de quelques criminels. Mais la conduite morale intervient lourdement. L'homme conscient de ses propres insuffisances tourne le dos à la bonne foi et choisit l'agressivité ou la haine pour protéger un orgueil et un égocentrisme incommensurables. Bien entendu, on ne pourrait nier les frustrations, qui sont des obstacles sur la voie de la satisfaction personnelle. Leur répétition installe des comportements réactionnels que l'on retrouvera dans toute situation nouvelle. On déplace et on enracine les conflits au niveau de la vie sociale.

Nul ne saurait nier le rôle dynamique des pulsions et des instincts qui font tendre notre personnalité vers un but. Les fondements sont biologiques : ce sont des forces physiologiques qui poussent l'individu à accomplir certaines activités comme la faim, la soif, le sommeil, l'activité sexuelle.

Toutes les énergies de notre corps tendent au principe du plaisir dont la satisfaction autorise le retour à l'équilibre ; tout obstacle, toute frustration entraînent des conflits ou inclinent à de douloureux compromis.

Une certaine énergie agressive est nécessaire à la progression humaine par le goût de la lutte et de la compétition. L'agressivité se déploie comme un courant d'excitation polarisé de haut en bas et l'intensité directrice fait de notre cerveau le générateur de désordres ; les défaillances de notre gouvernement central auront des répercussions jusqu'aux frontières les plus reculées de notre territoire. L'énergie circulera, se fixera suivant les obstacles à son parcours (boule à la gorge, estomac noué, vessie et intestin bloqués ou relâchés). La fixation ultime se fera au niveau de l'enveloppe externe, contracturant les grands muscles du dos, de la nuque ou des épaules.

Force lancée vers un but, l'agressivité circule, s'étrangle, s'emprisonne en périphérie, provoquant des symptômes : les analyser, les interpréter, c'est aller au secours du cerveau. Les décharges continuelles d'agressivité vont mettre à l'épreuve les facultés d'adaptation de l'individu, et les berges de sécurité qu'il devra lui opposer. Tous les traits de nature agressive sont peut-être des reliefs de caractère, des mouvements dynamiques de la personne, qui ne constituent pas encore la moindre définition de la maladie. L'étude de l'organisation et de la désorganisation de la personne représentent le chemin initial de la maladie, de la pathologie de demain.

Le symptôme fonctionnel est le voyant lumineux d'un malaise personnalisé, du glissement du terrain individuel par des défenses mal assurées. Les plaintes fonctionnelles, douleurs, contractures de l'abdomen expriment déjà la souffrance psychique.

Ces troubles neurovégétatifs n'intéressent pas la médecine puisque la lésion n'est pas constituée.

« Si la nature te donne un signe, tu dois savoir à quoi il se rapporte, l'aider à sortir et à ne reporter à aucun autre », disait Hippocrate. Si le devoir du médecin est d'effacer la maladie, l'art du médecin homéopathe est de comprendre l'individu à travers ses modes de défense, pour le maintien de son équilibre menacé : interpréter les symptômes qui s'objectivent, c'est réduire l'intensité et éteindre les conflits.

La dose infinitésimale et la décroissance de l'agressivité

A petite dose l'agressivité est un stimulant de la compétition humaine : à forte dose elle devient un instrument de rivalité armée, un poison. La dose infinitésimale désamorce l'agressivité sans être un tranquillisant total : elle réarme l'individu contre ses propres faiblesses. Chaque remède est un recueil expérimental de symptomatologie psychique et physique, subjective et objective. Sans orienter le dialogue vers les profondeurs de l'inconscient, il est possible d'interroger les symptômes les plus simples et de les relier à des causes secrètes ou inavouées.

Les tensions abdominales ont leur langage

Colocynthis : se fâche et s'indigne violemment et souvent : il se plaint très souvent du ventre : ce bilieux nerveux colérique se plaindra de violentes douleurs crampoïdes qu'il calmera en se recroquevillant, en se reposant à plat ventre, en appliquant une forte pression. Cette violente douleur est concomitante des paroxysmes d'indignation. Cette souffrance du plexus solaire, réapparaissant à chaque colère, est une bruyante extériorisation de l'humiliation.

Staphysagria ressentira, extériorisera l'offense au niveau de la région urinaire ou génitale : il sentira des brûlures de vessie ou d'urètre en dehors de toute miction. Le fait d'uriner apaiserait plutôt le symptôme. A la suite d'une violente contrariété, il aura des poussées urticariennes ou des éruptions, d'interprétation hermétique pour le dermatologue. C'est l'extériorisation des offenses et de la susceptibilité rentrée.

Magnesia phos. calmera ses douleurs abdominales par le mouvement : il s'agitera, s'évadera dans la nature et apaisera par le mouvement vif les tensions de ses muscles : le besoin de mouvement est spectaculaire dans la carence de magnésium.

Ignatia soupirera abondamment, ne pourra rien avaler, se sentira « bouclée » de haut en bas lors des stress refoulés et sa seule symptomatologie sera digestive : les difficultés de digestion sans aucun signe objectif.

La maîtrise des réflexes désordonnés

En les négociant on évite le délit et le remède homéopathique serait, dans une société instruite, le modérateur inespéré du dialogue entre les hommes.

De nos jours l'ébranlement émotionnel fabrique plus de colériques et de passionnés que de sentimentaux ou de nerveux Les échanges sont marqués par le verbe aigu des couplets menaçants et de la justice que l'on croit rendre soi-même. Le système nerveux créateur retrouve en manière de communication la vivacité d'une moelle épinière. L'épiderme devient vite incendiaire, et l'on doit à sa mauvaise condition physique de ne pas devoir s'exprimer par des coups de poing. L'agressivité des malades autour du droit à la santé est bien connue : leu physiologie est atteinte, mais tous les agressifs sont-ils en bonne santé ?

Chamomilla apparaît dans la vie avec une hypersensibilité mentale et sensorielle, le poing fermé et le verbe aigu. C'est l'enfant mal élevé, furieux, qui réclame un jouet, vous le relance à la figure, vous tord le nez, vous crache à la figure, vous donne des coups de pied, et profère des injures en termes choisis en hurlant comme un putois. Les troubles dentaires de Chamomilla sont le sommet de son expression : il ne supporte aucune douleur, et le dentiste a le choix entre l'anesthésie générale ou l'adresser à un concurrent. Les dentistes homéopathes utilisent *Chamomilla 9 CH* avant l'intervention. Lorsque ce braillard belliqueux se plaint d'une douleur d'oreille, il ébranlera par ses cris la sérénité de tout un arrondissement.

La femme Chamomilla perdra, à cause de la douleur (spécialement menstruelle), le sens de la politesse et les bonnes manières que l'on accorde au sexe faible. Le chef de service Chamomilla, à la préménopause, en fait voir de toutes les couleurs à ses subordonnés.

L'homme intolérant, irritable, alimentera son humeur par le goût immodéré pour le café : sur les routes, il devient un danger par ses réactions intempestives, ses « queues de poisson », ses invectives, ses paroles ou ses voies de fait.

Un détail précieux dans l'observation de Chamomilla : l'enfant est calmé en étant porté, bercé ou conduit en voiture ; l'homme ou la femme « à cran », insomniaque, s'assoupira sur un fond sonore régulier monotone : le casque du coiffeur, le ronflement d'un moteur, le débit d'un conférencier ennuyeux, un spectacle peu attrayant.

Nux vomica est le représentant du XXe siècle, soumis à

l'inflation psychomotrice de son temps. C'est un extraverti lancé d'instinct dans l'action. C'est l'émotif actif primaire, chef par vocation. Cet hyperréflectif qui cherche à « éperonner le temps » est extrêmement susceptible. Son réveil n'est pas glorieux. Il n'aime pas répondre quand on lui parle. Il se fâche souvent, ne supporte pas la contradiction qu'il va porter chez les autres. C'est un sédentaire très animé. Il est euphorique et loquace pendant les repas et sait enlever les affaires pour sa société. Mais les choses se gâtent une heure après le repas ; cet homme qui a un vif désir de plats épicés, de sauces, de tabac, se sent envahi par la somnolence et les troubles digestifs. Un court repos de vingt minutes le remet en forme. Sa digestion est laborieuse et son intestin ne se libère pas totalement. Il sait que ses efforts pour cette fonction seront vains. A 3, 4 heures du matin, il ne dort déjà plus, il se rendort vers les 6 heures pour un court instant avec la sensation que son sommeil ne lui a fait aucun bien, ne l'a pas reposé. Ce sujet hyperactif a de petites tendances obsession- nelles. Ce sont les petits obstacles qui l'excèdent et non les grands problèmes : lorsqu'il se fâche, il est tout rouge et son ulcère est en régulière aggravation. Sa femme dira : « Il se fâche pour " des queues de poires ". » (Une anecdote amusante : à Ceylan les masques destinés aux acteurs dont le rôle est sombre et agressif sont taillés dans le bois de la noix vomique.) Une violente contrariété et il aura des poussées urticariennes ou des éruptions qui ne concernent pas le dermatologue. C'est l'extério- risation des offenses et de la susceptibilité rentrée, comme Staphysagria.

L'agressivité de Nux vomica ne se porte pas seulement sur l'entourage : il interpelle, humilie les gens qu'il voit pour la première fois ; habitué à porter l'action et à faire tout lui-même, il court vers son excitant naturel, la fatigue.

Harmoniser le comportement réflexe c'est désamorcer la haine (Anacardium, Aurum, Lachesis). Reconnaître les boudeurs (Antimonium crudum, Nux vomica et surtout Causticum au troisième âge) provoque la désinflation des conflits.

Les sociétés ne sont plus à la dimension de l'intelligence mais des humeurs et des conquêtes par la force, refusant le droit à la faiblesse, à l'inquiétude et à la recherche intériorisée de soi. Les pyromanes ne sonnent jamais spontanément à la porte d'entrée des juges ou des psychologues. Pourtant un remède connu, *Hepar sulfur,* sait désamorcer l'agressivité justicière et le passage à l'acte et au délit.

Plutôt que de multiplier les commissions, les contentieux et les arbitrages, les sociétés auraient avantage à se tourner vers les doses infinitésimales préventives qui conduisent vers l'amour et le respect.

La dépression

Votre fatigue s'accroît et vous préoccupe : vous êtes surmené, vous assurez péniblement votre présence au travail, mais la lassitude et le découragement vous envahissent peu à peu : l'élan vers la vie ne vous habite plus. Le sommeil devient mauvais et vos paupières s'entrouvrent régulièrement sur l'inquiétude du jour à vivre. C'est l'*état dépressif,* le géant de la pathologie moderne, de la démotivation humaine, le briseur sournois de la productivité devant des machines industrielles qui sont de plus en plus organisées vers le rendement. Vous perdez le goût de vos instruments de travail et vous voilà vieux en pleine force de l'âge. La rencontre avec la médecine commence alors : rituel des situations connues, des instruments engagés qui vous aident à vivre sans restituer l'estime de soi ou les élans du verbe qui donnent la chaleur à la vie. Vos intérêts désertent, votre contenu humain se vide, se dépersonnalise. En dépit des prescriptions allopathiques assidues qui s'allongent dans le temps et des drogues qui se renouvellent avec ponctualité, votre confiance ne revient pas ou s'appuie sur des béquilles incertaines.

L'humeur dépressive est faite d'une vision pessimiste du monde et de soi-même. On entre dans cet état parce qu'on se sent insatisfait, déprécié, dévalorisé. Les regards pessimistes l'emportent constamment sur les visions heureuses, on ne sait plus sortir des situations désagréables et on se désintéresse douloureusement de l'action, des objets et des êtres chers.

Le décodage des signaux

Derrière les troubles de l'humeur ou de la pensée il faut être attentif aux petits signes prémonitoires : ceux-là mêmes annonciateurs de dégradation plus intense. Avant tout, la fatigue, plus sensorielle et morale qu'organique.

L'état dépressif peut se manifester par de petits symptômes du corps qui attirent l'attention en dehors de la grande douleur morale révélatrice : troubles du sommeil, avec le réveil dans la deuxième partie de la nuit, comme si l'esprit était déjà apeuré par l'idée du jour à vivre et sa mise en route laborieuse. Très souvent une perte d'appétit s'installe avec sécheresse de la bouche. La libido devient incertaine et surtout on s'agite de façon improductive : des douleurs musculaires apparaissent au niveau du cou et des épaules, traduisant la menaçante lourdeur qui s'installe.

Le surmenage est un brassage, un excès volontaire ou involontaire d'énergie. La réussite ou l'ivresse de l'action minimise le sens des efforts engagés. Brusquement, un choc, un échec, un revers s'installent sur la route : c'est la remise en question douloureuse et l'aveu patent de son incapacité. Le surmenage, débit incontrôlé, déclenche à partir de modestes circonstances un ébranlement subjectif disproportionné et fait éclater l'orage dans le ciel du sujet (*Arnica 15 CH* + +).

La détection des causes d'affaiblissement physiologiques devrait s'imposer au médecin qui reçoit trop vite la notion de « personnalité dépressive ». Avant tout, ce sont les déperditions physiologiques : l'étudiant dépressif commence à ressentir des céphalées inhabituelles, sa peau et ses cheveux deviennent gras, il refuse de sortir : c'est le premier signe de Phosphoric acid 15. Le manque de sommeil, les veillées imposées appellent l'assistance de *Coccucus 9 CH* et de *Zincum*. Le surmenage cérébral est l'indication d'*Arnica, Kali phosphoricum, Selenium*. Parfois, il s'agit de causes débilitantes aiguës ou chroniques : une intervention chirurgicale, une déshydratation ; on transpire facilement de la tête, les bruits extérieurs semblent vous pénétrer avec plus d'acuité ; on sursaute au moindre bruit. L'attention se concentre mal au plus léger effort intellectuel. C'est le signe avant-coureur

239

de la dépression chez China (sans appétit), ou de Natrum mur (malgré la persistance de l'appétit).

Pour China, la dépression suit une intervention récente avec transfusions répétées, passage excessif de sérum. Un événement physiologique doit toujours être interprété comme cause possible d'entrée dans l'état dépressif. Parfois, il s'agit d'un affaiblissement par un transit intestinal trop fréquent, d'une diarrhée débilitante sans être douloureuse. Dans les étapes d'allongement de l'adolescent à croissance rapide, c'est l'entrée dans le stade dépressif de Phosphoric acid, avec repli silencieux et noires pensées. Chez les femmes aux menstruations trop abondantes, une frilosité et un amaigrissement accentué dirigent vers l'état dépressif d'Helonias ou de Silicea.

La réaction dépressive la plus couramment constatée s'observe à partir des circonstances d'agression, de choc, de chagrin silencieux, de pertes affectives, d'affections non partagées, auxquelles s'ajoutent les deuils, procès, conflits administratifs, cambriolages de personnes âgées. Elle est chez Ignatia, silencieuse, accompagnée de grands soupirs et de sensation de boule à la gorge et à l'estomac. C'est le repli sombre, offensé, chez Staphysagria ; chez Gelsemium, elle s'accompagne de trac, d'appréhension et de tremblement des extrémités ; chez Opium, la dépression s'accompagne d'un refus de parler ; Cocculus, après de longues nuits d'insomnie auprès d'un être cher, nuancera son épuisement par des sensations de vertige.

La dépression constitutionnelle de Sepia

Sepia est un personnage habité par la tristesse, qui modèlera son corps, son visage, son esprit. L'histoire raconte que Hahnemann avait un ami peintre, dont la peinture lumineuse, riche en coloris, évolua brusquement vers le style sombre, de grisaille et de demi-deuil. Surpris par cette évolution d'expression, Hahnemann observa le comportement du peintre dans ses habitudes de vie et il se rendit compte que celui-ci portait à la bouche un pinceau imprégné de l'encre de sépia.

L'expérimentation confirme le relâchement atonique des éléments de soutien du corps (articulations, viscères, parois vasculaires), et la corrélation de tristesse indifférente qui accable le sujet. Cette défaillance de la statique et de la dynamique corporelle va éteindre le plaisir de vivre et déclencher un besoin de solitude et une aversion pour la société, parfois pour les proches les plus chers. On dit que tout s'affaisse chez Sepia : ses traits, ses tissus, ses paupières, ses seins, son estomac, son utérus. Elle délaisse son mari, ses amis, ses affections les plus indiscutables ; sa joie de vivre s'éteint, elle devient taciturne, répond par monosyllabes et aucune chaleur ne se détecte sur son visage affaissé. Rien de surprenant à la découvrir plus proche des circonstances tristes de la vie : elle épousera les deuils des autres, se montrant indifférente aux circonstances de bonheur, aux réjouissances collectives. Elle a depuis longtemps abandonné l'espoir de séduire, et la voir « de noir vêtue » ne surprend plus personne. L'affaiblissement de son corps et de son esprit semble la mettre hors du réel. Ce sombre malentendu de l'existence est fondé sur une physiologie indiscutable ; l'état de ptose, un ralentissement veineux, une colibacillose chronique, une atonie génitale qui conduit à une frigidité totale.

L'état dépressif peut entraîner des réactions dynamiques ou adynamiques. La présence d'une réaction est en général toujours favorable et de bon pronostic : c'est la mise en tension de l'appareil neurovégétatif. Avec *Actea rac*, elle prend le tableau de l'humeur changeante et de la versatilité ; il s'agit d'alternance psychosomatique, dont le diagnostic et le dépistage sont très délicats.

Avec *Actea rac*, il faut toujours être attentif au redéploiement des symptômes : une gêne chronique de la gorge et du cou occupe la scène pendant plusieurs semaines, pour être remplacée par un assombrissement psychique, des douleurs abdominales tenaces seront remplacées par une douleur arthritique du genou ou du pied ; un état migraineux rebelle s'effacera au profit d'une douleur d'estomac ; au niveau du rachis, on trouvera des contractures chroniques, rebelles à tout soin manuel, que l'on confondra avec un état mécanique ou arthrosique car, chez Actea racemosa, l'état dépressif se « somatise » dans une succession de symptômes alternants : la contracture des muscles du cou (trapèze sterno-cléido-mastoïdien) est plus significative d'un psychisme lourd à porter, que le sens populaire attribue

241

volontiers à des poussées arthrosiques (on apprendra chez Actea et Cuprum que ces symptômes sont singulièrement aggravés avant les règles).

La région cervico-occipitale est d'ailleurs un siège très important de tendances dépressives, sous formes de céphalées et névralgies, et l'on comprend la réussite des massages ponctuels venus de l'Extrême-Orient, où l'art thérapeutique du pouce fait de grands miracles dans cette région du corps. Mais puisqu'il nous faut poursuivre la lecture du langage du corps, il faut remarquer que l'occiput douloureux désigne une personnalité. Avez-vous remarqué que le Phosphorique longiligne fléchit sa tête en avant comme si elle était trop lourde ? Assis, il soutient son menton avec la paume des mains. La vie (ou la tête) est trop lourde à porter chez Gelsemium ou Silicea, qui appréhendent les épreuves du présent.

Pour Picric acid, Phosphoric acid, Cocculus, China, dépressifs par épuisement, pour Nux vomica, combattant fatigué pliant sous le joug de l'échec, la faiblesse avec contracture du rachis cervical est un aveu de dépression.

La zone précordiale thoracique est le siège de symptômes respiratoires (asthme nerveux, souffle court) et de signes cardiaques qui en font le siège d'une grande inquiétude existentielle. La fragilité émotionnelle va se concentrer autour de la fameuse douleur d'angine de poitrine, qui mobilise vers les cabinets de cardiologie. Mais la thérapeutique doit-elle se borner à formuler un diagnostic négatif et à espérer que le malaise s'éteindra par la bonne parole ? Certes, l'électrocardiogramme favorable atténue la peur, mais la détermination hypocondriaque demeure et le transfert vers le neuropsychiatre sécurise sans résoudre le désordre silencieux de la personnalité.

Des symptômes sont abandonnés sans solution : langue saburrale, douleur à la déglutition, oppression, soupirs, hoquets, toutes les maladies spasmodiques, de l'œsophage à la région gastrique ou intestinale, méritent, avant toute appréciation de l'infinitésimal, l'essai d'*Ignatia,* le grand dédramatiseur de l'homéopathie ; il ne dénoue pas l'anorexie mentale mais il est victorieux des premiers équivalents dépressifs à l'étage digestif et respiratoire, prévenant des étapes cliniques plus compliquées. Car la dyspepsie nerveuse résiste à toutes les poudres alcalines, aux tranquillisants viscéraux, mais réagit bien aux doses infinité-simales spécifiques d'une personnalité déchiffrée et aux métho-des de relaxation (toujours non inscrites à la nomenclature des actes paramédicaux de la Sécurité sociale).

Au-dessous du diaphragme, on retrouve *Thuya*, à égalité avec *Ignatia*, car les troubles de la mobilité intestinale, les sensations de flatulence, de distensions considérables, sont des séquences d'anxiété chez les hypocondriaques.

La région hépatique et biliaire a toujours signifié, depuis l'Antiquité, la disposition à l'anxiété et à la contracture. Un tempérament bilieux a été esquissé : centré autour d'une sil-houette tonique, agitée, spasmée et colérique ; le tonus muscu-laire, artériel, est soutenu par la puissante adrénaline : si la fonction est altérée, le sujet devient cassant, irritable, despote (Nux vomica, Lypocodium), il présente des spasmes et des contractures.

Au tempérament bilieux, on reconnaît le visage sombre, sérieux, sévère, aux lèvres serrées, qui objective immédiatement le stress, accompagné de très mauvaise humeur lorsqu'il est fatigué. Ce musculaire jeté dans la responsabilité a besoin néanmoins de son modérateur naturel : l'effort physique, le retour aux gestes manuels. Car ce grand actif, puissant, excessif, orgueilleux, susceptible, aime les actions de grande envergure et de longue haleine. Sans compensation physique (course à pied), c'est l'épuisement, puis la dépression.

Ainsi s'établit le pont entrevu par les anciens entre la mélancolie et l'écoulement biliaire. On peut même voir d'authen-tiques poussées ictériques sous l'influence de chocs psychiques ; le sujet devenant pâle ou jaune sous l'influence d'une contrariété (Chamomilla, Ignatia, Staphysagria). Une place de choix revient à la « susceptibilité de la vessie », organe à vive réactivité lors de contrariétés. C'est le symptôme de besoin impérieux de libérer la vessie en dehors de toute inflammation réelle, avec urines normales (Staphysagria), ou mictions trop nombreuses (Gelse-mium). Le sujet est parfois si tendu que la miction résiste à tout effort volontaire, elle devient plus facile à la détente nerveuse (Nux vomica).

Conium est enfoncé dans la tristesse, constamment replié sur lui-même, voué à une vieillesse scléreuse. Ce célibataire accablé

243

de chasteté se sentira déprimé et épuisé au moindre effort physique. Sa faiblesse sera souvent accompagnée de vertiges et tous les remontants alcooliques, réussite éphémère chez d'autres accableront davantage sa mélancolie ; il verse des larmes sur son destin lorsqu'il s'isole de tout contact social.

Aurum, sujet hypertendu aux artères rigides, alterne de courts instants de jovialité avec un dégoût profond de la vie, d'authentiques pulsions suicidaires ponctuées de lourdes poussées colériques ou de crises despotiques familiales.

Kali bromatum et Zincum sont deux sujets adynamiques voisins, mais néanmoins individualisés. On peut constater une grande perte de mémoire et de facultés intellectuelles, faisant suite à de longs surmenages. On devient engourdi et hyporéactif, *sauf* des extrémités (mains : Kali bromatum ; pieds : Zincum) qui semblent être les derniers témoins de l'activité nerveuse, comme si l'organisme épuisé n'avait plus les moyens de soutenir une activité musculaire ordonnée. Ce sont des sujets qui dans l'image de leur grande inertie aiment à s'occuper, agiter leurs mains, manipuler des objets et finissent par torturer leurs mains ou leurs doigts, comme s'ils étaient accablés par de mystérieux remords (Kali bromatum).

Zincum présente le même affaiblissement intellectuel, avec lenteur à comprendre et à répondre, avec des tressaillements, des tremblements des membres inférieurs et des mouvements nerveux continuels des jambes et des pieds (la nuit au lit).

Pour les chasseurs de symptômes, pour l'observateur qui sait explorer le vécu et remonter les sources du passé par ces deux symptômes individualisés, le résultat sera bien supérieur à d'autres thérapeutiques non spécifiques.

Les acides en homéopathie sont voués à traiter des états de décompensation physique, les horizons des situations sans issue. Remèdes d'ulcération digestive, d'atteinte des tissus nobles, ils réparent les états de dégénérescence, les dégradations qui peuvent envahir de façon irréversible soma et psyché. Ils ont la vocation d'ultime ciment cellulaire dans la lente érosion des tissus, accompagnée d'angoisse profonde de vivre, et l'expression psychique de ces remèdes témoigne de la perte de commande de l'influx nerveux sur l'enveloppe matérielle.

Picric acid présente l'asthénie des grands dévitalisés à

l'intellect émoussé ; il ne prend plus part aux conversations ; tout son corps lui paraît engourdi ; sa charpente s'affaisse ; ses membres inférieurs ne semblent même plus être des supports de sécurité ; c'est le déprimé vasculaire menacé de ramollissement.

Phosphoric acid est le chef de file de la tendance suicidaire chez l'adolescent phosphorique, par indifférence totale aux appels de la vie.

Les psychiatres et les homéopathes s'accordent pour admettre, a partir des définitions et des descriptions, le mystère entier de la personnalité. Il n'existe pas un état d'anxiété ou de dépression, mais autant de porteurs de tableaux différents, de réactions spécifiquement humaines, soigneusement métabolisées et hautement individualisées.

L'objectivité de la recherche ne doit pas égarer positivement ou négativement sur l'essence de ces états, qui demeure mystérieuse et subjective.

L'homéopathie a décrit un stade constitutionnel, des modes de réaction préférentiels devant les états, véritables parcours prévisibles, ou des points d'approche des lignes de moindre résistance (la haute sensibilité, la labilité régressive, cyclothymique du phosphorique, partagé entre la créativité et la fragilité et le sycotique emprisonné dans le mode dépressif obsessionnel).

Elle a l'avantage de réarmer l'homme en détresse, de dédramatiser la souffrance exprimée en détectant les indices subtils de la réadaptation, différents de ceux du psychiatre. L'homéopathie, passionnée de maintenance de santé, cherche à interpréter tous les appels au secours, les détresses de l'âme, à travers le langage du corps. Les bases d'une médecine préventive des désordres mentaux sont ainsi jetées.

La spasmophilie

Si des maladies graves sont dominées par des instruments thérapeutiques de haut niveau, l'humanité ne semble pas au bout de ses peines et la spasmophilie est devenue une maladie de haute actualité qui s'installe résolument dans notre société : la littérature s'enrichit d'observations de toute sorte, on cherche à cerner les responsabilités de ce nouveau fléau qui semble à la fois concerner et désarçonner toutes les spécialités médicales, les transformant en irritant problème fonctionnel, sans gravité mais aussi sans maîtrise, et contraignant la médecine à repenser l'homme à travers ses symptômes et aussi la relation du médecin et de son malade.

Les symptômes de spasmophilie sont d'une grande diversité et cette maladie a acquis une réputation agaçante qui échappe à la rationalisation des recherches. Elle semble un recueil de toutes les protestations du corps et de la sensibilité exacerbée ; tantôt on se dirige vers un métabolisme minéral défectueux, mettant en souffrance la cellule nerveuse, tantôt on se rapproche des tableaux de l'anxiété, de la névrose de civilisation avec expressions exagérées.

Les facettes cliniques sont trop nombreuses pour autoriser l'unité de la maladie : elles font éclater, au contraire, l'exigence d'identité d'un individu à travers ses messages exprimés, ses symptômes cachés, ses ombres et ses paradoxes. Tous les étages du corps sont concernés, et, de la dermatologie à la gynécologie, en passant par la rhumatologie et la psychiatrie, tout le monde se sent saisi par ce mal, chacun est persuadé d'être ce grand incompris, cette nature secrète avec souffrance et paradoxes.

Le spasmophile semble se plaindre beaucoup et dans toutes les directions. Il se plaint, avant tout, d'une fatigue matinale que l'on rencontre souvent dans les états dépressifs. Il se plaint d'anorexie, de frilosité, et ce sont les signes d'hyperexcitabilité au niveau des membres qui attirent l'attention du corps médical. Fourmillements, crampes musculaires, fibrillations au niveau de la face, douleurs musculaires multiples, sans qu'il soit possible d'y accrocher une origine, un substrat rhumatologique, le spasmophile se plaint également de nombreux symptômes internes de caractère thoracique ou abdominal. Ce sera d'abord la « boule » au larynx, le nœud à l'estomac avec gêne à fixer l'oxygène, monnaie du ciel dans l'existence, avec le cortège de malaises dans la foule, le métro, les grands magasins, cette peur d'étouffer ou de participer à la vie qui est déjà une crainte de la mort. Bien entendu dans la sphère cardiovasculaire, les palpitations vont prendre le caractère d'alerte qui vont le mobiliser vers le cardiologue, qui formule un diagnostic négatif autour d'impressionnants symptômes.

246

Sur le plan digestif, les plaintes sont nombreuses et les dossiers radiologiques deviennent aussi lourds que l'inquiétude à vivre : digestion imparfaite, dyspepsie, boulimie, vésicule biliaire récalcitrante ou exclue, constipation ou diarrhée ; côlon spasmodique et, bien entendu récalcitrant, avec expressions obsessionnelles ou mélancoliques. Les contractions de l'intestin semblent sournoisement parasitées par l'hypersensibilité et la susceptibilité face à l'existence. On glisse dans la tension défensive de ses viscères et l'hésitation entre l'action (diarrhée) et la défense (constipation). Tout cela est baptisé dystonie neurovégétative !

Le spasmophile connaît sur le plan nerveux un sommeil insuffisant, son mauvais comportement diurne n'est jamais équilibré par une bonne qualité de sommeil : son sommeil n'est jamais profond, et il est essentiellement un épuisé du petit matin, et parfois son réveil dans la deuxième moitié de la nuit s'accompagne d'interrogations, d'angoisses sur des thèmes fixes : cancer, infarctus, impossibilité de conduire les échéances financières, malheur imminent.

Le spasmophile semble parcourir une évolution capricieuse et déroutante : il commence sa maladie quand il croit avoir triomphé de tous les obstacles ; il se sent mal quand tout s'arrange ou se dénoue après une grande lutte. Après avoir bâti une maison, réalisé de grands projets, traversé avec lucidité des épreuves et des deuils, il se décompense brusquement au moment même où le fruit de ses luttes doit lui assurer des joies.

Cet impatient du temps vécu, ce drogué de l'effort, se décompense au moment du repos, comme si la sécrétion d'adrénaline qui a alimenté son goût de la lutte s'épuise brusquement et sa fatigue de fond apparaît au moment où il aspire à se détendre : au premier jour de vacances, le dimanche, en quelque sorte, le spasmophile commence à mal aller au moment où tout semble s'arranger pour lui, ce qui semble remettre en question la notion de causalité dans le temps (les effets d'un stress sont toujours différés et lointains chez le sujet intériorisé).

Il semble bien que la spasmophilie soit cette maladie de civilisation moderne qui implique les mauvaises réponses de l'être humain au stress. Et, pour mesurer cette adaptation, il faut, derrière les chiffres de calcium, de magnésium, de phosphore, savoir se livrer à l'étude du comportement d'un individu devant les situations nouvelles, ses éventuelles ruptures d'équilibre et, puisque tout le monde n'est pas égal devant le stress, savoir étudier le profil humain particulier dans lequel vont se développer ces dérèglements des hormones surrénales qui soutiennent la lutte contre le stress.

On parle de plus en plus du magnésium dans le stress et la spasmophilie. Il semble être un sauveteur, un élément naturel protecteur qui permet de lutter contre les stress de toute nature, les influences néfastes sur les parois artérielles, le myocarde et toutes les conséquences secondaires, digestives, cutanées même, du stress. Il est vrai que les carences en magnésium sont une authentique infraction aux lois de la nature et au respect écologique. Les cultures intensives aux engrais potassiques empêchent l'absorption plus lente du précieux magnésium. Les méfaits de l'alcoolisme, du tabac sont plus sérieux lorsque le magnésium est insuffisant, les absorptions de vitamines sont moins efficaces en l'absence de magnésium.

L'anxieux spasmophile, hypomagnésien, se profile donc comme un sujet à traits tirés, vulnérable, et au visage marqué par toutes les impressions reçues. Il ressemble un peu à un hyperthyroïdien qui maigrit en mangeant bien, en étant aggravé par la chaleur, alors que le spasmophile est frileux et maigrit en fonction de ses propres blocages.

Le sujet spasmophile n'est pas heureux et la spasmophilie est une maladie qui empêche d'être heureux, sans doute parce que notre société fabrique des stress impressionnants sous forme d'agressions de toute nature, des outrances, des bruits, goût de violence et catastrophe, véhiculés par les mass média qui ne sécrètent que des informations désespérantes. Mais il semble que l'individu capable d'une mobilisation énergétique maximale face à une agression semble encore plus vulnérable devant un nouveau mal d'être, la sous-stimulation et l'insatisfaction devant l'instrument de travail.

L'homme en grande rupture d'équilibre (l'amputé d'un bras ou d'un membre) semble mieux réagir que le vigoureux adolescent intact en face de son exigence au travail. On voit s'installer chez lui cette fatigue matinale qui est l'interrogation anxieuse de soi autour des valeurs de la société actuelle.

Il sait qu'il s'éloigne de plus en plus d'une réelle action, concrète ; son rôle est mal défini et ses réactions personnelles limitées.

Cette plainte exprimée se compense malheureusement par un mode de vie assisté funeste et préjudiciable qui fait que, paradoxalement, ces sujets se courbent devant les responsabilités en recevant toutes circonstances comme des événements fâcheux. Tous les progrès de science de société, universellement proclamés, ne se convertissent pas en progrès d'individu ; l'homme reçoit davantage qu'il ne conquiert et tout lui est offert avant qu'il ne demande et on ne l'invite plus à créer.

Depuis 1957, les grands observateurs de l'homme planétaire et psychologique constatent nervosité, contractures, maladies de cœur, immense besoin d'agitation, de vitesse de changement ; évoquant que nous semblons recevoir de lointaines planètes de puissantes vibrations de forces et tourbillons, fragilisant en quelque sorte notre naissance et rendant notre génération plus vulnérable que celle qui sait encore garder la tête froide devant l'événement.

Derrière la spasmophilie se profile une génération inquiète, faite de spasmes et de contractions, au système sympathique vulnérable et plus prompte à couler qu'à se battre ; en quelque sorte, cette excitabilité neuromusculaire qu'est la spasmophilie est une faiblesse de la charpente de l'homme, d'une moelle épinière inquiète, qui ne porte plus ses propres espoirs.

Les thérapeutiques de la spasmophilie se confondent un peu avec celles du stress. L'assistance minérale devient hypothétique et l'on recourt régulièrement à l'apport d'une médecine tranquillisante, comme pour neutraliser la plainte exprimée.

Même si on a favorisé la pénétration du calcium et du magnésium, calmé l'anxiété, réduit l'hyperexcitabilité neuromusculaire, soit par des thérapeutiques biochimiques ou par des méthodes de relaxation ou de yoga, la spasmophilie demeure un thème existentiel, un véhicule fâcheux d'une anxiété constitutionnelle et toutes les disciplines s'appliquent à reconnaître une maladie de terrain dans laquelle l'individu doit être soigneusement identifié à partir des ruptures de ses propres barrières de

249

sécurité. Après avoir longtemps imposé des causes rigoureuses à toute maladie, on flirte avec subtilité autour des thèmes constitutionnels, de l'acquis et du reçu, comme si cette évidence ne devrait pas être l'étape initiale de toute observation.

Lorsqu'on traite la spasmophilie, on se rend compte que le déficit minéral n'est jamais couvert convenablement par la correction quantitative, mais bien plus par une correction qualitative des éléments défaillants. C'est dire la place que prend l'homéopathie dans cette autodéfense de l'individu face à ce profil de stress, à cette déperdition minérale et à ce syndrome d'instabilité psychique.

A l'instar des catalyseurs qui agissent par faible présence, il semble que dans la spasmophilie la dose faible homéopathique introduise davantage de corrections que l'élément calcique ou magnésien en doses pondérales.

Tous les signes aigus de la crise de spasmophilie font apparaître les symptômes d'angoisse, et la peur miniaturisée d'une mort imminente. Avec Aconit, c'est la peur sans raison, solennelle, instantanée, la peur de mourir, de manquer d'air, l'effroi du tunnel ou du cercueil, l'appel impératif au médecin, le besoin de soins immédiats et la piqûre de calcium ou de valium, avec peur des hauteurs et fourmillements des extrémités. Avec Veratrum album, sensation glacée de la mort imminente : sueurs froides, diarrhées, froid glacial à la tête et aux membres et impossibilité de rester longtemps debout. Avec Cuprum et Actea racemosa, on observera que ces états de spasmophilie semblent curieusement suivre la périodicité menstruelle de la femme et que tous les phénomènes d'angoisse sont majorés du quinzième jour à l'arrivée des règles.

Trois points faibles définissent chez le spasmophile les lignes de fragilité de son corps : le larynx, le diaphragme, l'abdomen. A l'étage supérieur, *Ignatia*, *Cactus*, *Aconit* limitent la sensation de boule et la peur d'étouffer.

A l'étage diaphragmatique — où tout semble bloqué et manquer d'amplitude — *Moschus*, *Ignatia*, *Abies nigra*, *Argentum nitricum* deviennent les clés des digestions laborieuses chez l'anxieux.

Au niveau de l'abdomen, tout devient douloureux, crampoïde, spasmé ; on se « plie » sous la douleur (avec Colocynthis) ; on s'exprime violemment ou grossièrement (Chamomilla) ; on bâille, défaille ou frissonne (Castoreum).

Mais ces remèdes à valeur symptomatique doivent s'appuyer sur les grands remèdes de thèmes constitutionnels qui renforceront leur structure en les libérant de leur propre modèle d'angoisse.

La structure phosphorique est une antenne fragile, créatrice mais fatigable, à instabilité psychique, au comportement irrégulier dans une même journée : enthousiaste ou dépressif, admirateur ou orgueilleux, blessé ; il brasse avec intensité son potentiel minéral pour s'enfermer dans le vécu solitaire, loin du monde.

Le sujet fluorique présente une défaillance de ses tissus de soutien : la souplesse exagérée de sa charpente le voue à toutes les instabilités. Le symptôme spasmophile va trouver une expression psychosomatique éclatante, excessive, théâtrale, aux confins mêmes du comportement hystériforme. C'est l'expression violente du sujet en lutte avec son mental, plus dépendant d'un contenu symbolique que de la vision du réel. Il semble trouver un ennui constant à sa vie, posséder le besoin de plaire et d'amener l'autre à sa loi, et de le rejeter dès que la conquête est faite. Avec Platina, Lachesis, Luesinum, on découvre un univers nocturne intense, peuplé de fantasmes et de franges psychiatriques.

Pour tout observateur impartial, la spasmophilie est loin d'être justifiée par le seul déséquilibre minéral.

A partir de la cellule, univers à frontières et contenu mystérieux, on découvre l'explosion de l'anxiété et la défaillance d'un homme, de son cortex supérieur sur la reconnaissance de soi ; et c'est un grand allergique qui va prendre son acte de naissance. La spasmophilie est une minorité de droit à la fragilité, à l'expression de l'inquiétude dans une société rigide qui cimente des structures et des systèmes sous les aspects trompeurs d'une démocratie sociale qui refuse de prendre en considération les besoins réels de l'individu. On le laisse à son débat physique, largement materné, mais en le privant du regard vers le haut, vers la création d'une authentique expression humaine.

La spasmophilie demeurera un « trompe-l'œil » de la clinique, car la diversité de ses symptômes appelle la reconnaissance des hommes et leur exigence d'identité, seule clé de la réussite thérapeutique.

QUATRIÈME PARTIE

LES AGES DE LA VIE

Petite enfance

La médecine a élevé des constructions solides sur la route de la santé : l'aspect le plus apparent de ses conquêtes est la victoire sur le microbe et ses résultats auprès de la première enfance ne semblent souffrir d'aucune contestation. Pour l'observateur du début du siècle, il est plus commode en 1982 de protéger les premiers pas de la vie et de défendre celle-ci, vierge et innocente, de tous les fléaux naturels qui l'assaillent. Le droit à la vie encourage à juste titre toutes les batailles, la mise en œuvre des techniques les plus avancées, les réanimations les plus hardies ; la participation de la science médicale au devoir de survie, autour des faiblesses constitutionnelles, des fragilités, tares et insuffisances, est devenue élogieuse par la recherche génétique. La charité envers les maladies du début du siècle s'efface devant la solidité de la connaissance biologique. Et la procréation semble devenir une opération sans risque ou à responsabilité restreinte.

Les batailles de vieux services hospitaliers pour enfants contagieux dans les années 1920 semblent révolues : les badigeons et les antiseptiques ne faisaient pas le poids devant les funestes fléaux de l'infection chez l'enfant. Les statistiques officielles autour de la natalité comme autour des maladies graves comme la coqueluche, la scarlatine, la typhoïde et la poliomyélite ne font planer aucun doute autour du progrès médical. Le développement de l'hygiène, la prise en charge par la collectivité,

255

les vaccinations semblent définir pour l'enfant un horizon confortable de développement. Les devoirs bien compris d'éducation devraient en faire un individu parfait en lui assurant une place heureuse dans la société de demain.

Et pourtant l'enfant qui ne peut s'appuyer que sur l'adulte pour exprimer sa propre défense aurait, comme toutes les classes sociales, le droit d'exprimer ses observations et ses exigences. Il sait remercier la médecine de l'aide à résoudre les circonstances aiguës qui peuvent chez lui, en quelques instants, transformer la quiétude de la santé en lutte désespérée contre la mort. La fièvre qui donne le délire, la gêne des voies aériennes supérieures qui peut engendrer l'asphyxie et les séquelles graves neurologiques dans un corps qui sait mal se défendre tout en supportant une croissance considérable. (En quatre mois son poids a doublé et ses besoins alimentaires sont étonnants.)

L'enfant pourrait tenir quelque discours sur son bonheur. Notre face épanouie et prometteuse des premiers jours commence à devenir pâle, bougonne, instable voire dépressive malgré les fonctions créées pour lui et qui le médicalisent malgré lui ; entretien psychologique, pédopsychiatrique, assistance sociale, consultations spécialisées parfois très éloignées du sens réel de l'enfant. Il n'est pas heureux parce que, au travers de généreuses dispositions légales sur sa propre santé consignées dans un épais livret à la naissance, notre équipement dans la vie nous paraît insuffisant. Notre vie semble assortie d'une assurance tout risque alors qu'on se sent fragile et en quête d'adaptation.

Tout d'abord on pourrait remarquer qu'on prend de larges libertés avec notre arrivée au monde. Le respect fondamental des horloges cosmiques nous paraît compromis par les médications d'assistance qui anticipent l'événement au profit du confort des opérateurs. Mais on s'inquiète surtout de cette part de vie qu'est la vie fœtale. La coexistence avec notre mère pendant les neuf mois qui précèdent nos premiers cris est rassurée, certes, par les cliniques luxueuses qui vont nous voir naître, mais on est soucieux de la santé de notre mère qui consomme trop de tranquillisants, trop de calcium (la mère grossira, et l'enfant sera irritable ou insomniaque...) et qui est victime de la plus grande surcharge hormonale du siècle (par l'absorption des viandes de consommation). Elle vit avec son temps de grandes absorptions

médicamenteuses sans contrôle réel sur la transmission généti
que. Elle a rencontré des médecins qui ont mesuré leur bassin et
contrôlé leurs urines, mais elle a peu dialogué avec ceux qui
pourraient se pencher sur la transmission éventuelle des névroses, des affections à risques vasculaires, des troubles osseux, des
méfaits de l'alcoolisme, du tabagisme. La beauté de notre image
semble consacrer ce terrain vierge, sans défaut à égalité de
chances devant la vie, alors que l'impression est déjà faite, et
l'application des grands points forts de la doctrine homéopathique
(courants constitutionnels, imprégnations toxiniques) permettrait
d'approcher les racines du merveilleux mystère humain. La
construction physique est là, certes, mais dynamique, et aptitudes psychiques sont déjà des messages déposés dans la matière.

A l'arrivée au monde, on nous présente à un modèle de
médecin, le pédiatre, rompu à nos bruits et à nos symptômes. Il
se sent aussi fort de son équipement technique, antibiotique et
anti-inflammatoire que nous nous sentons faibles devant l'existence. Il a toute autorité sur la fièvre et l'événement imprévu,
mais son art est difficile, il lui faut un don d'observation aussi
pénétrant et perspicace que le vétérinaire pour déchiffrer nos
propres symptômes.

Nous sommes de généreux fabricants de signaux d'alarme de
toute nature alors que le médecin se sent le dépanneur et le
pompier devant tous les foyers à microbes. Nos exigences
d'observation sont parfois délicates et nous aimons ceux qui
observent nos cris, nos colères, nos pleurs, nos peurs de
l'observation, notre peur de rester seul et qui comprennent les
messages cachés derrière ceux que maladroitement nous expri-
mons avec nos faibles moyens. Car la peur nous oblige à crier
(*Gelsemium*), nous rend méchants, nous fait solliciter la main et
la présence d'une affection (*Aconit, Stramonium*).

Certes nos destins peuvent passer rapidement de la bénignité
aux manifestations les plus graves ; mais on a fait de nous des
consommateurs les plus privilégiés de l'industrie pharmaceutique
par notre ennemi quotidien : la rhino-pharyngite. Certes des voix
s'élèvent pour exprimer que l'inflammation ne doit pas toujours
être prise pour une infection, que la fièvre est utile et que
l'augmentation de la température est un bon moyen de neutraliser
les virus. On combat souvent comme affection aiguë ce qui n'est

qu'allergique (parce que l'enfant ne sait se défendre que par la fièvre), car l'immunité à notre naissance est faible et les rhinites, pharyngites sont parfois nécessaires pour l'encourager.

On s'intéresse peu autour de nous du tabagisme alors qu'à l'âge de six mois notre sang renferme l'équivalent de quatre cigarettes par jour dans les familles à tabac. On enlève les végétations, ce qui est juste, mais on se précipite sur nos amygdales avec trop d'ardeur ; plus elles sont grosses plus elles sont inoffensives, et surtout nous sommes des récidivistes impénitents.

Notre casier rhino-judiciaire est très lourd, sans nous réjouir de l'absentéisme scolaire qui fait plutôt la joie des moments de santé. On explique la fièvre par le microbe, mais dix rhino pharyngites, otites ou angines ne sont plus des affections séparées, mais ces fameuses affections de terrain qu'on doit interpréter pour assurer une réelle défense.

Et puis un jour, lasse d'une médecine qui présente les mêmes instruments sous des appellations diverses, le désespoir gagne notre mère et nous voilà devant l'homéopathe, cet homme au crédit douteux, véritable défi culturel à la puissance de la science. On recevra ses bienfaits avec mauvaise conscience, et surtout on répercutera un échec transitoire d'un « je l'avais bien dit » alors que le combat stérile mené pendant des années est sorti des mémoires.

Mais notre mère, lien affectueux de sensibilité et d'observation, va trouver avec l'homéopathe le terrain d'entente conforme à nos besoins. D'abord, elle vérifiera que 80 % des rhino-pharyngites sont guéries par l'homéopathie sans le secours des fameux antibiotiques. C'est une vérité qui compte pour les usagers et les opposants éclairés de l'homéopathie. Elle s'est rendu compte que certains cris de victoire de la thérapeutique allopathique n'étaient que des effets suspensifs et palliatifs, masquant le passage des troubles à la chronicité. Et surtout elle a lu, elle a découvert, elle s'est sentie terrifiée par le voile levé sur la toxicité des médicaments destinés à ses enfants ; choquée par les prises de conscience tardives, elle a remis en mémoire les effets secondaires des médicaments et compris la perte d'éclat et de fraîcheur de son enfant ; en s'initiant aux médecines douces, elle se remet en mémoire les interminables matinées hospitalières d'attente, pour atteindre ce qui ne semble jamais vraiment apparaître : la santé, sans se débarrasser de l'anxiété qui pèse lourdement sur le couple mère-enfant.

Elle s'initie alors à de nouvelles attitudes qui se dépouillent de l'angoisse devant la maladie. Elle apprend à redécouvrir l'identité de son enfant à travers les situations vécues : nouvelle écoute, nouveaux réflexes ; aventure singulière qui va la modifier psychiquement et philosophiquement. Elle apprendra que l'homéopathie cerne un ambitieux objectif : la compréhension de la nature humaine, à condition que comprendre ne veuille pas dire « se limiter à une nouvelle doctrine ou à un nouveau point de vue, mais s'enrichir d'une vision illuminatrice qui nous unisse dans plus de simplicité et de liberté à la vie et au monde environnant » (Philippe Mairet, *L'Arc* n° 78). Elle va s'accoutumer à modifier son regard, alors qu'elle a longtemps cru que la maladie était le mal en soi, l'ennemi à combattre à tout prix sur lequel le médecin devait se précipiter « comme un jeune taureau sur la cape du torero » (docteur Julien Besançon).

Elle va apprendre que la maladie est un langage qui exprime un dynamisme, une réactivité qu'il ne faut pas ignorer mais mettre à l'écoute : « l'homéopathe ne recherche pas les symptômes pour les combattre : il s'en fait des alliés, il les prend comme complices, comme agents indicateurs » (docteur Benjamin), et elle sentira que le remède homéopathique parle le même langage du corps, interprète les mêmes informations, et en cela il participe à la restauration et au retour à la santé.

Elle s'apercevra que pendant la grossesse, le médecin homéopathe, libéré des tranquillisants et des médications à risques, se penche sur son comportement et son propre horizon nerveux. Avec *Actea racemosa, Aconit, Coffea, Chamomilla, Ignatia, Staphysagria,* il modifiera son tempérament anxieux, agressif ou contracté. Avec *Helonias, Pulsatilla, Sepia, Thuya, Phosphoric acid,* il atténuera dans le présent pusillanimité, dépressions, mélancolie et idées obsessionnelles. Il aura distribué des conseils alimentaires, car il aura avant les autres vérifié les statistiques sur les hormones qui, ajoutées à la viande, sont reconnues responsables de stérilité, insuffisances dans les deux sexes des nouvelles générations. Enfin, elle saura interpréter chaque état fébrile qui s'installe chez l'enfant : l'angoisse et la peur de la mort d'Aconit, au tout début de fièvre élevée, l'abattement fébrile de Belladona avec sueurs, les facettes congestionnées de Ferrum phosphorica, avec fièvre peu élevée, la soif intense de Bryonia lors de la fièvre, avec refus de bouger, le début d'expectoration avec Pulsatilla, Mercurius, Hepar sulfur (stade de suppurations et sueurs malodorantes). Elle interprétera l'humeur comme signe d'accompagnement ou révélateur de ses malaises : Chamomilla, mauvaise humeur et capricieux ; Aconit, regard angoissé par la maladie ; Belladona, des yeux vifs dans un visage abattu ; Nux vomica, Hepar sulfur, très mauvaise humeur et ne supportant aucune contradiction ; Anacardium orientalis, maussade ou grincheux, sauf lorsqu'il passe à table. Elle mesurera la susceptibilité de Staphysagria, et fera connaissance avec le bien-aimé de l'art homéopathique dans le stress de l'enfant : Ignatia, ce soucieux intériorisé, au visage tendu par les préoccupations scolaires (et qui pourra faire une crise d'asthme à partir d'une contrariété).

Du microbe à la toxine psychique, voilà la seconde valeur d'observation que l'homéopathe va lui proposer. C'est une prise de vue différente d'une réalité psychique vivante. Non seulement son enfant exprime puissamment son droit à la différence (première règle de la doctrine homéopathique), mais il extériorise aussi quantitativement (en se faisant remarquer parfois) ce qu'il ressent qualitativement (son émotivité). L'enfance, monde complexe de cas particuliers, présente des frontières subtiles entre le pathologique et le normal exacerbé. Non seulement son univers est en perpétuelle mutation, mais son horizon fantasmatique le contraint à des attitudes de défense vis-à-vis de ses propres émotions. On le voit instable, parce que sa mobilité excessive et gratuite définit son intensité émotionnelle (Rhus tox, Tarantula, Kali brum). La plus naturelle des défenses de l'enfant, l'agitation dans une société d'adultes encore plus agités, deviendra une appréciation pathologique : en quelque sorte, il trouble la classe ; il est insupportable, caractériel parce qu'on n'obtient pas de lui la docilité aux règles édictées. La société est d'ailleurs prompte à distribuer des étiquettes prématurées de mauvais élèves à ces enfants investis par le sentiment d'échec, lourd transfert d'une famille pour qui la réussite scolaire tout court est la seule mise à l'abri contre la future dévalorisation professionnelle. C'est la peur d'exister d'Ignatia et d'Arsenicum album, car l'enfant se laisse envahir par toute forme d'anxiété ou d'appréciation inquiète de son entourage. Il absorbe l'angoisse de la mère lorsque celle-ci l'oblige à manger malgré lui ; les résistances se mettent en place, les rêveries, les colères, les phobies, les fugues, l'anorexie sont toutes des manifestations d'identité à déchiffrer par un sens éclairé de l'observateur et dont le traitement ne doit pas être celui de doses filées de gardénal ou de tranquillisants. Car l'enfant de nos sociétés perd de plus en plus confiance en ses moyens : il devient asthénique, présente une fatigue anormale et surtout commence ses insuccès scolaires après avoir pourtant été une belle promesse. C'est le début de dépressions de plus en plus dépistées chez l'enfant sous l'aspect de l'indolence, la passivité (Phosphoric acid, Pulsatilla), de la maladresse (Natrum mur, Agaricus, Phosphorus), de l'entêtement (Silicea) sur un fond de peur de l'avenir ; peur du noir (de Gelsemium et Causticum). C'est souvent le parcours du Phosphorique, riche antenne sensorielle, fatigable qui plie et parfois se brise, et que consolidera le géant de l'affectivité secrète et de manque de confiance en soi de l'enfant Lycopodium, celui qui sait et ne réussit plus... par perte de motivations, à l'horizon constamment occupé par l'idée d'échec.

Face à toutes ces atteintes, qui ne sont pas des lésions mesurables, qui ne sont même pas un bon accident physique, on comprend la difficulté de la médecine devant ces fragiles étapes de la vie. Le devoir est encore plus impérieux de comprendre, d'observer, de déchiffrer ce langage de l'enfance pour dédramatiser, adoucir, stimuler et rendre l'estime de soi, et l'on comprend la gratitude des mères initiées à l'homéopathie, rendues sereines et qui ont écrit : « Si Samuel Hahnemann avait vécu aujourd'hui, nous aurions eu pour lui les yeux de Mélanie. »

Adolescence

Les âges de la vie sont des parcours qui se prêtent à l'observation humaine ; croissance et décroissance de l'énergie s'observent à travers les cycles de la vie ; promesses et désillusions, vertus et faiblesses. Pour l'adolescence, c'est l'éclat bruyant d'une recherche d'identité qui s'exprime à travers le comportement, car ce monde s'appuie sur un niveau d'énergie

261

maximale, en quelque sorte la loi du tout ou rien : la turbulence rayonnante ou la rétraction négative. Par le verbe, c'est l'enrichissement, l'affirmation, le déclenchement des affrontements, des passions. Sans le verbe, c'est la solitude, le mal de vivre, l'évidence d'avoir vingt ans, rien devant soi et les idées envahissantes de la mort gratuite pour un petit nombre.

Face à cette structure, la médecine est embarrassée : les signes objectifs sont muets, la lésion n'est pas mesurable (et l'inquiétude de vivre échappe aux unités de mesure). L'acte médical devient rapidement négatif, inconsistant, à visée optimiste, apaisante, agaçant parfois pour le médecin qui trouve en miroir moins d'énergie en lui que son demandeur.

La maladie est un accident physique, voué à une fin heureuse qui réconforte abusivement la médecine sur ses propres pouvoirs. Sur ce terrain neuf de l'adolescence, n'y a-t-il pas des victoires éclairs sur le microbe qui donnent bonne conscience au médecin sur la science et sur ses pouvoirs ?

Le dépistage des signes négatifs n'est pas une attestation de bonne santé : la vérité n'apparaît pas dans les émergences superficielles, mais dans l'exploration d'une sensibilité troublée. Car l'équation de l'adolescence est insérée dans une relation *énergétique* qui dynamise les comportements avec le soubassement des désirs et des conflits de l'inconscient. Le cerveau est le gouvernement central de l'énergie, régisseur et organisateur, il distribue l'excitation jusqu'aux frontières du corps, du haut en bas, et dans une nation, dans un ministère, dans une entreprise, un malaise du sommet, une gestion imparfaite d'un haut responsable ont des conséquences désastreuses sur tout le territoire.

S'il est vrai que la croissance est une construction, elle porte peut-être en elle les signes révélateurs ou avant-coureurs des faiblesses de demain. La médecine homéopathique qui s'intéresse aux profondeurs de la personne bien plus qu'à la maladie, aux éléments complexes invisibles qui s'expriment par des symptômes visibles, ne saurait s'écarter des interrogations, là où toute autre médecine se borne à formuler un jugement optimiste ponctué de belles phrases : « Vous verrez, après le régiment » ; « Quand elle sera mariée, après le premier enfant, tout rentrera dans l'ordre. »

Sur le plan moral, l'*énergie d'expansion* se déplace du plaisir et du jeu vers la créativité, l'exploitation de l'imaginaire et la conquête active de la conscience. Au niveau de l'adolescence, il y a exigence de comprendre et d'être compris, de brûler les étapes, d'engager la course rapide de l'évolution à son propre rythme, d'imposer ses choix personnels et de canaliser les énergies du corps vers de bons niveaux d'expression. Cette énergie-là est à la recherche de son réglage, de son harmonie. Aux énergies subtiles du cerveau, il faut offrir les incitations infinitésimales *qualitatives* et régulatrices, bien plus que les actions de masse.

Sur le plan *biologique,* les transformations physiques, au cours de l'adolescence, sont au premier plan. La maturation pubertaire dessine l'adulte de demain en achevant la mise en place des formes. L'adulte n'est pas loin, il abrite surtout le puissant instinct sexuel qui conditionne le rapport de l'esprit et du corps. Celui-ci s'affirme par l'image généreuse du développement statural. Aux États-Unis, c'est le point de départ de la *compétition* par l'éclosion des aptitudes physiques, des activités sportives et du goût des records que l'on retrouve rarement en France.

Le parcours de l'adolescence est mieux défini par son niveau d'énergie que par les frontières de l'état civil, et le droit de vote à dix-huit ans est bien incapable de le délimiter. Dans les sociétés primitives, où la responsabilité est rapidement engagée, le temps d'adolescence est précoce ; dans les sociétés industrialisées, on apprend mollement et comme à regret à entrer dans l'état adulte, tant les regards sur la réalité et le monde présent sont chargés d'inquiétude.

Sur le plan *social,* la vie relationnelle est fortement influencée par la contestation morale et philosophique. On soupçonne, on balance, on rejette l'éducation, on remet en question les règles de la société. Les intérêts culturels vont se heurter, se juxtaposer dans le creuset de la personnalité. L'humeur s'altère, devient instable en même temps qu'éclate le besoin de contredire, de s'opposer avant tout au milieu familial, de mieux recevoir les personnes étrangères et d'avoir le dernier mot surtout sur les parents. Cette opposition au milieu familial est un glissement vers le milieu social, mais c'est une adaptation encore bien fragile, faite d'oscillations parfois tragiques, puisque au Japon on se suicide pour un échec aux examens...

A l'adolescence, la personnalité poursuit son développement en abandonnant sa pure affectivité passive, avec ses impulsions polarisées vers le désir, pour tendre vers le noble matériau qu'est la *volonté* qui fait exploser l'impatience, les amitiés passionnées, l'amour de la beauté et le regard personnel vers Dieu.

Dans cette projection énergétique qu'est l'adolescence, l'attention devra donc s'éloigner de la pathologie pour saisir à travers les comportements les degrés, les nuances d'*hyperfectionnement* ou d'*atonie,* l'excès ou le refus.

Certains troubles relèvent d'une anomalie évidente de la croissance corporelle. Retard de développement statural avec l'expression de complexe d'infériorité, manifeste depuis l'enfance. L'excès de croissance, par accélération *thyroïdienne* avec aspect longiligne, donne un caractère excessif et « cassant » au jugement. La puberté précoce ou tardive peut entraîner des excitations passagères de l'instinct sexuel : autoérotisme, masturbation avec sentiment de culpabilité, homosexualité, déviations. Incontestablement, l'expression psychique s'établit en fonction du noyau social. Une mère captatrice peut empêcher l'affirmation de soi et entraîner la peur de grandir. Pour certains, le refus du monde conduit au retranchement et au refuge dans le rêve éveillé ; pour d'autres, les conduites antisociales vont faire apparaître délits et délinquance entraînant l'intervention délicate d'une rééducation.

En s'appuyant sur l'analogie et l'expérimentation, l'homéopathie explore les cas particuliers, dégage des *modèles* et s'élève à la diversité humaine, à partir de l'observation personnalisée du comportement.

Il ne s'agit pas de définir une expression psychique suivant une approche caractérologique (tempéraments d'Hippocrate ou de Gallien, bilieux, sanguin, lymphatique, nerveux) ou morphologique, mais de développer un accès méthodologique précis à l'information humaine. Le psychothérapeute s'attache à détecter les nuances complexes d'un individu. Sa recherche est centrée sur les conflits profonds et les réactions de défense mal exprimées. Il en résulte une laborieuse difficulté de recherche et d'analyse, et le dialogue peut être refusé au départ ou mal établi (il y a des allergies de contact péremptoires !).

Le médecin homéopathe, observateur des constitutions, de la dynamique, des gestes, du visage, des attitudes, a devant lui une diversité de l'information. L'interrogation personnalisée, l'abondance des signes convergent vers la vérité de l'autre en pondérant l'erreur d'une approche psychologique prédominante.

Rien n'est plus complexe que la rétraction mélancolique de Natrum mur : déminéralisé, déprimé, il repousse la consolation pour se réfugier dans la solitude (le moulin d'Alphonse Daudet ne lui fait pas peur). Ne l'abordez pas sur son comportement psychologique ou social : il se fermera comme une huître ; mais si vous l'interrogez sur ses désirs et aversions alimentaires (désir de sel, soif, il maigrit en mangeant bien), sur ses réactions générales ou ses instincts de conservation (aggravés par le soleil qui l'écrase intellectuellement le matin, soif de grand air et céphalées au cours des études), tout cela ne révèle pas le conflit mais dessine une personnalité, et le comportement psychologique recherché apparaît aussitôt en filigrane.

Du normal au pathologique, une certaine permanence de la personnalité se manifeste tout au cours de la vie. On retrouve chez le même sujet un mode spécifique de réaction aux événements, une continuité de réaction à l'image de ses instincts. Et les institutrices de maternelles en savent bien plus que les astrologues des beaux quartiers.

Si le parcours d'une vie renferme l'unité, on n'est pas surpris de ne trouver en homéopathie aucune spécificité d'âge. Un remède unique vient au secours de l'adolescent fragile comme du vieillard déclinant. Il convient de façon égale aux âges extrêmes de la vie. Inadaptation inquiète et régression ne sont-elles pas des états qui frappent adolescence et troisième âge ? N'existe-t-il pas de jeunes vieux ? Baryta carb est un sujet lent, oublieux, frileux, très enrhumé (il se perd dans des endroits familiers), timide que la vieillesse gagne trop vite ; plein de soucis sans motif, *ses idées en fuite l'inquiètent.* Baryta carb perd rapidement la clarté de son intellect pour s'enfoncer dans un comportement puéril. L'enfant Baryta carb, lent en tout, à parler, à marcher, à apprendre à lire, a un comportement étourdi et enfantin jusqu'à dix-huit ou vingt ans. Il est déficient mentalement et physiquement, il prend froid

265

rapidement, ses amygdales sont à problèmes et la croissance laisse toujours à désirer. C'est un poltron, timide, honteux, qui se ronge très souvent les ongles.

Causticum (maître remède du troisième âge), par l'atrophie et le ralentissement locomoteur, sera un enfant lent à parler, à marcher. Il inquiétera par sa maigreur et signalera son idendité par son incontinence urinaire, la peur du crépuscule et des couloirs sombres.

Silicea, adulte maigre, décalcifié, mal assuré dans ses tissus de soutien, prend froid en mouillant ses pieds. Sa déminéralisation chronique le condense dans une image inquiète, rétractée, qui lui interdit toute ambition sociale. L'enfant Silicea est faible, découragé : il « lâche » tout ce qu'il entreprend ; les insuffisances de structure, la perception d'une vitalité mal assurée l'accablent d'un manque de confiance, d'un complexe d'infériorité. « Je ne réussirai rien », tout en étant parmi les meilleurs. Le manque de confiance en soi est une altération psychique mais aussi un signe d'appel, le symbole de défaillance des tissus de soutien.

Arsenicum album est le remède central de l'insuffisance respiratoire chez un troisième âge anxieux et déficient, inquiet, par un affaiblissement redouté et la peur d'une fin prochaine. C'est un extraordinaire remède de l'asthme de l'enfant lorsque l'insuffisance de l'étage respiratoire, les rhinites à répétition déterminent chez ce jeune sujet un aspect inquiet, méticuleux, ordonné, sérieux et triste, qui a le sens d'une peur existentielle.

Medorrhinum est un enfant agité, surtout des jambes et des pieds. Il dort à plat ventre, il se sent bien le soir, mais sa précipitation inquiète son entourage qui s'interroge sur les difficultés de son écriture et surtout sur le nombre impressionnant de ses fautes d'orthographe. Le résultat spectaculaire obtenu par de hautes dilutions de *Medorrhinum* mériterait les regards de la médecine et l'intérêt de l'Éducation nationale.

Luesinum présente aussi une précipitation centrée sur une pensée fuyante plus riche en abord imaginatif que conceptuelle, où l'inaptitude aux mathématiques et à l'abstraction est flagrante ; et les résultats sont de belles interrogations sur le contexte de l'inné et de l'acquis.

Dépistage morphologique et constitutionnel

Un regard sur la forme du corps, la colonne vertébrale, l'état des dents et le maintien peut précéder tout interrogatoire.

Le *Carbonique* est rond, horizontal, davantage porté sur l'assimilation matérielle qu'intellectuelle. Lent, mesuré, il n'a pas la réplique facile ; il se replie vite sur lui-même. Il est peu chahuteur, « reposant » parce qu'il se repose trop, ce qui apparaît précocement dans le carnet de notes. Imperméable à ce qui est nouveau, rapide, sans lien avec le réel concret, il met ses instincts au service d'un rythme mesuré, d'une régularité moyenne de son effort. Ses dents demeurent longtemps saines et une certaine hypotonie accompagne ses formes en rondeur ou en excès.

Le *Phosphorique* flambe, pétille, s'éteint aussi facilement qu'il brûle. C'est un longiligne attachant par la vivacité de son esprit, son enthousiasme, sa curiosité, son imagination toujours « en hauteur », son idéal élevé. Mais sa fatigabilité le rend instable, fragile et, rapidement découragé, il achève avec peine. L'exigence affective du contact est primordiale : tête de classe ou dernier, il se laisse couler si le milieu (le maître) ne le distingue pas ou dynamise mal ses possibilités. Vite à plat, vite remonté, il est sauvé par *la hauteur* de l'idéal, les intérêts culturels et la recherche constante de l'originalité. Il a horreur de la régularité, des rythmes trop soutenus, des aspects concrets. S'il perce vers l'art, il le doit à la richesse de son subconscient et l'importance de sa rêverie, ses rêves éveillés ou nocturnes. C'est le nerveux sensoriel, longiligne, hypersensible aux couleurs et aux impressions extérieures. Sa cyclothymie l'expose à de graves faiblesses. Sensible à l'idéal élevé, il l'est encore plus à la drogue qui le précipite dans une déchéance sans retour. Le Phosphorique a de grandes difficultés de colonne et des troubles dentaires sans fin.

Le *Fluorique* est le triomphe de l'instabilité dans un siècle d'instabilité. Les succès éphémères succèdent aux échecs retentissants. Brillant dans les matières qui le passionnent, son comportement est marqué par le besoin de changement, l'agitation, les expérimentations hâtives et vite rejetées (expériences sentimentales). C'est le sujet aux vécus rapides, à la mémoire

267

associative, très remarqué dans les groupes par sa sociabilité. Le dos tourné à la logique, aux mathématiques abstraites, son instabilité se décèle aux importants troubles statiques de la colonne, scoliose, maintien défectueux, position assise instable en toutes circonstances, troubles de l'articulé dentaire nécessitant des soins constants et le port de prothèses.

Le dépistage du terrain émotif

Alléger l'émotivité chez l'adolescent, c'est consolider une structure fragile, prévenir de l'isolement psychique et atténuer les sentiments d'infériorité. Pour l'émotif, toute tâche est difficile, même lorsque l'intelligence est présente. Le courage se désagrège au seul spectacle des ombres de la vie. Tout deviendra *calculé* parce qu'on soupçonne toujours des dangers.

Sur le plan physique, l'émotivité se traduit par d'importantes réactions neurovégétatives. Les sphincters sont relâchés, la diarrhée est parfois présente. On soupire d'impuissance ou on s'agite de façon improductive en dehors de toute cause déclenchante : tel est le tableau d'*Ignatia*, remède d'exaltation anxieuse de la sensibilité. Remède des conséquences viscérales du stress, *Ignatia* est le remède de tous les âges : c'est le sujet introverti, impressionnable, vite effrayé, ruminant soucis et chagrins, s'accompagnant de grands soupirs et de vive intolérance au tabac. Ce sont des adolescents à conscience délicate, à imagination vive et perception rapide, mais, hélas, nourrissant des peines en secret. Rapidement froissés et repliés, ils se bloquent devant les obstacles de la vie, car celle-ci fait un accueil de plus en plus sévère à la sensibilité : les sujets d'Ignatia deviendront rapidement des familiers de la frayeur et des actes manqués, et leur logique désorganisée fait apparaître des attitudes paradoxales, des indécisions, des choix hâtifs et imprévus dans les crises sentimentales, qui sont des répliques crispées d'une émotivité contenue. L'adolescent aura besoin d'*Ignatia* à chaque épreuve scolaire, à chaque tension intellectuelle engendrée par les programmes scolaires aberrants et des pressions faites par l'entourage avide de performances précoces. La situation typique d'Ignatia : « Accordez-lui donc quelques jours de vacances supplémentaires », proposai-je la veille des vacances à la mère distinguée d'un enfant de huit ans, à la vue d'un visage tendu, crispé de surmenage intellectuel. Réponse : « Vous n'y pensez pas, docteur, s'il doit passer le concours de l'ENA ! »

Arnica, remède ignoré de la fatigue

On connaît un peu *Arnica*, on connaît mal la fatigue. Finesse de l'infinitésimal, *Arnica* est déjà entré dans diverses préparations allopathiques. Ce remède des « chocs », des traumatismes est aussi puissant sur la courbature musculaire des grands sportifs que sur les états de stupeur cérébrale provoqués par des chocs émotionnels. C'est une affaire de dosage et de finesse de réglage de l'instrument.

Arnica est le remède de protection des capillaires, des muscles et des tendons. Il assure une précieuse prévention au niveau des capillaires cérébraux dans les menaces vasculaires ou les stress répétés ou insurmontables de la vie quotidienne. *En basse dilution, Arnica 4 CH* (plusieurs fois par jour) est le remède spécifique des plaies et des bosses reçues sur les terrains de sport ou accidentelles. Elles s'accompagnent d'ecchymoses bleuâtres, noires, qui deviendront jaunes (vertes : *Ledum pallustre*).

En moyennes dilutions, 7 CH, 9 CH, l'action concerne la blessure cérébrale, ou rupture sentimentale à l'adolescence.

En très haute dilution, 30 CH, c'est le remède des plus hautes détresses affectives. C'est la grande « contusion cérébrale » de l'enfance maltraitée qui entre dans la vie avec un sentiment permanent de peur.

La fatigue est une sensation corporelle bien plus subjective que physique. A la base, il y a le sentiment de se sentir débordé, avec une vigilance et une coordination intellectuelle qui ne se font plus. La fatigue est essentiellement un rapt d'énergie par des tensions émotionnelles, à la frontière parfois d'un état dépressif mineur. C'est le signe de la défaite quand le corps fonctionne encore normalement.

La fatigue peut être un signal, une réaction de mise à l'abri. La plupart du temps, la fatigue permet au dépressif d'échapper au sentiment d'agressivité et de culpabilité qu'il ne saurait assumer.

Mais la fatigue peut être bruyante et libérer la colère explosive. Le médecin homéopathe mériterait de réfléchir au sens fondamental d'une petite phrase : l'état n'est-il pas la conséquence d'un excès intellectuel ou d'une lourde période de tension ? C'est la clef d'*Arnica*, et nos confrères pourraient méditer sur la valeur exemplaire d'*Arnica*, l'arbre qui cache la forêt. Un garçon explosif, instable, caractériel, aux attitudes d'offensé permanent (Staphysagria), redouté dans la rue et dans son atelier de travail, se présente à moi, accompagné d'une jeune fiancée au visage manifestement épuisé par ses conduites belliqueuses. Il se confie aisément sur les explosions de son humeur, ses coups de poing, regrettés aussitôt donnés. *Hyosciamus, Nux vomica*, supports habituels et fidèles de l'agressivité, ne donnent aucun résultat, mais l'interrogation de l'homéopathe sur le « quand ? », le moment d'aggravation des paroxysmes et la réponse nette : « Tout s'aggrave en fin de semaine, le vendredi soir » permet de prescrire *Arnica 30 CH* puis *Hyosciamus* (prescrit sans réussite la première fois), qui fit merveille après l'absorption d'*Arnica*.

Un enfant unique, Roland M., présente un tic de la face, incoercible, qui lui crée de graves difficultés scolaires, et épuise sa mère par la tension permanente subie. Les remèdes les plus précis des tics de la face ont été un échec complet, sauf *Tuberculinum* en très haute dilution nosode (voir ce mot) de l'état phosphorique. Les tics réapparaissent, mais cette fois l'observation est tranchante : « ... à chaque fois que la fatigue scolaire s'élève en fin de trimestre... » *Arnica 30 CH* a rendu efficace un *Ignatia* à ce jour insuffisant. *Arnica*, peu couramment indiqué pour le symptôme de tic, trouvait toute sa valeur dans la réaction générale du sujet. C'est le grand remède de l'épuisement nerveux de l'adolescent.

Et l'impossible se produisit : guérison d'une surdité accidentelle incurable. Le 7 juillet 1976, le jeune R. R. descend trop rapidement à 12 mètres de profondeur de plongée en mer, en blocage respiratoire. Le défaut d'équilibrage de pression au niveau des oreilles et des yeux provoque une surpression d'environ 1,200 kilo. En fin de plongée apparaissent des bourdonnements dans les oreilles et une gêne auditive. Après de violents efforts pour désobstruer ses oreilles, le jeune R. R. se rend à l'évidence d'une obstruction complète de l'oreille droite ;

parallèlement les deux yeux présentaient une hémorragie faisant disparaître la totalité des zones blanches de la conjonctive. Examiné à Bonifacio par un spécialiste ORL, celui-ci, après un premier traitement inefficace, conseille le retour sur France et l'admission au service du docteur M. de Broussais. Perte totale de l'oreille et forte baisse de l'oreille gauche. Le docteur M. signale qu'un traitement héroïque n'avait de chances de réussite d'environ 50 % que lorsqu'il était pris dans les vingt-quatre heures après l'accident et qu'ensuite les chances allaient très rapidement en décroissant. Diagnostic : hémorragie des fosses nasales, de l'arrière-gorge, des yeux, de l'appareil sensitif de l'oreille. Après avoir essayé le caisson de surpression des sapeurs-pompiers et un traitement par le gaz carbonique, le praticien essaya un traitement par vaso-dilatateurs anticoagulants. Le 19 juillet, sortie de l'hôpital. Premier examen à mon cabinet, sur la notion d'hémorragie conjonctivale, de sommeil agité (le lit paraît trop dur) et le désir de rester seul et d'écarter son entourage. Je prescris *Arnica 9 CH, 15 CH* et *30 CH* en une journée.

Le 5 août, revu à Broussais par le docteur M. qui m'écrit : « M. R. présente une surdité droite presque totale, des suites d'une plongée sous-marine. Du côté gauche, chute sur les 4 000 H., fréquente, habituellement secondaire à des traumatismes sonores. Ce patient a été hospitalisé dans le service trois jours avec indication de vaso-dilatateurs, Dolosal, Héparine, habituellement prescrits dans ce genre d'accidents, car nous n'en connaissons pas le support anatomique exact [chez l'animal, hémorragie du premier tour de spire de la cochlée]. Devant l'absence d'amélioration, j'ai arrêté le traitement vaso-dilatateur, sans espoir. Il ne lui reste donc plus qu'une oreille de saine. Surveillance TA, glycémie, cholestérol, pour éviter presbyacousie précoce gauche. Confraternellement. Docteur M., chef de clinique. »

Or, ce malade a récupéré la totalité de son audition au niveau des deux oreilles.

Contrôler l'impulsivité et l'agitation

C'est un comportement à frontières imprécises, car le milieu, les influences sociales vont conditionner, gonfler les attitudes et

271

les tendances explosives. Les agressifs indisposent, mais les convoyer vers l'état opposé, la douceur, est une illusion et nullement un bienfait, car la personnalité s'y opposerait ou souffrirait de lourds transferts, mais le comportement agressif éparpillé désorganise et jette le sujet dans un gaspillage énergétique stérile.

Le contrôle le plus efficace passe par la modération de l'agression sensorielle. L'adolescence vit dans une hypertrophie sensorielle auditive cultivée. Les jeunes deviennent des malades de la perception sensorielle, sans trouble organisé, malgré les intensités quantitatives qui endommagent la perception auditive. Et la dégradation sensorielle est la première étape de nombreux désordres psychiques. Des théories ont établi qu'à la naissance l'enfant était sensible à une intensité sensorielle définie, mesurée en hertz, et que le développement cortical était harmonieusement influencé par la musique de Mozart ou les chants grégoriens. Ces musiques représentent des stimuli d'équilibration, et la neuro-physiologie popularisera demain par la hauteur des sons une méthode de rééquilibration cérébrale. Le problème des sons aigus est parfois dramatique : on a vu des hommes travaillant dans des usines en conditions de rythme de travail de nuit ou de jour, selon les semaines, rentrer épuisés à leur domicile et se jeter de façon meurtrière sur l'enfant vagissant dans son lit.

L'intensité sonore accumule le potentiel agressif chez les sanguins. On connaît la violence et le penchant à détruire par brusque congestion cérébrale passagère chez Colocynthis et les réactions impulsives, violentes et instantanées avec le penchant à détruire chez Nux vomica. De même, chez le nerveux phosphorique, déminéralisé et fragile (Silicea) : il est prédisposé à l'insomnie, à des céphalées et des névralgies chroniques ; il devient passif ou souffrant intensément de toute chose. L'agression sonore accroît l'anxiété et les tensions psychiques.

Parler de *Coffea* (le café) en homéopathie, c'est définir la toxicologie de cet élément de la vie quotidienne. Bien entendu, l'utilisation de *Coffea* en 12 CH ou en 15 CH sans suspendre l'usage de cette boisson est un pur échec. Mais l'expérimentation infinitésimale (comme celle de *Tabacum*) met en évidence les influences du remède : excitation auditive, tactile, accélération des transmissions et de la réception cérébrale, qu'elle augmente, l'agitation et surtout la sensibilité douloureuse. L'exemple du café est démonstratif de l'individualisation : certains passent des nuits blanches, d'autres ne ressentiront aucun effet, d'autres enfin connaissent un sommeil facilité.

Le jeune sujet Coffea est enrichi dans son idéation, dans sa finesse auditive. Il devient hâtif, insomniaque : il pose sa tête sur l'oreiller sans envie de dormir et se sent aussi éveillé qu'après une excellente nuit. Mauvaise nouvelle et surtout émotion joyeuse empêchent le sujet Coffea de dormir et très souvent, en se réveillant vers 3 heures, il tirera bénéfice d'une seconde prise du remède, sans effet secondaire pour les rythmes biologiques.

Si *Coffea* intervient dans une forme d'insomnie par la loi de similitude, les intoxiqués du café deviennent querelleurs, agressifs (*Chamomilla 15 CH, Nux vomica 9 CH* sont des antidotes) ; et *Lachesis* intervient dans l'hyperidéation majorée par l'alcool.

Theridion (une araignée) : c'est la perle du XXe siècle dans la seule vocation de l'atténuation acoustique. Ce n'est pas un remède hautement personnalisé. Sur le plan psychique, c'est un modérateur de son qui mérite d'entrer dans la pratique quotidienne dans tous les immeubles où le son fait d'innombrables victimes (*Theridion 15 CH,* une dose deux fois par mois). *Theridion* touche l'ouïe, l'équilibration (vertiges aggravés par le bruit, la lumière, le froid, en fermant les yeux) ; il intoxique la moelle et les réflexes, enrichissant le nombre des précipités et des intoxiqués du XXe siècle : tous les bruits pénètrent jusqu'aux dents, provoquant nausées et vertiges.

L'agitation motrice est souvent concomitante d'une hyperesthésie tactile ; la vivacité tactile va de pair avec l'acuité visuelle, elle joue un rôle considérable sur la libération du tonus musculaire. Bien des sujets ne supportent pas le contact, surtout dans les états douloureux ou fébriles, du cuir chevelu (Belladona, Arnica, Nux vomica), du rachis (« Ne me touchez pas », Phosphorus, Tarantula Hisp., Theridion), des zones érogènes ou génitales (Staphysagria, Platina, Origanus).

L'*hypersensibilité sensorielle* mérite toujours l'individualisation ; on doit distinguer les congestifs vasculaires, ceux qui deviennent rouges en se fâchant (Aurum, Aconit, Lachesis, Nux vomica), les épuisés du système nerveux ou débilités par une intervention (China, Natrum mur, Natrum carb, Ambra grisea,

273

Silicea) et les spasmodiques, grands nerveux dont les types médicamenteux feraient la joie des psychologues et des psychiatres (Tarantula hisp., Coffea, Nux vomica, Theridion, Iodium).

Anacardium orientalis : lent, agressif, est toujours violent avec ceux qu'il aime. C'est l'image de l'instabilité agressive de l'adolescent. C'est une énergie à la recherche du moi, faite d'apathie, d'irrésolution, contrastant avec des sautes d'humeur imprévisibles, de longues périodes d'apathie, de fuite devant le réel, entrecoupées de grande instabilité, de colères et d'explosions à la plus légère offense... La lenteur semble le réservoir d'une puissance explosive, à la fois tournée contre soi-même et les autres, spécialement ceux de sa famille qu'il aime le plus (la mère), et ce désaccord s'exprime par une grossièreté insoupçonnée de langage, comme si, dans le silence, des ressorts s'étaient tendus, des catapultes s'étaient confectionnées pour retomber de nouveau dans la nonchalance taciturne : colère contre soi, contre l'environnement, avec un détail original : tout s'améliore en mangeant.

Cette lenteur, cette opposition désespérante est l'image de l'irrésolution, de la perte de confiance en soi, qui fait parfois penser le psychologue à un problème de dédoublement ou de dissociation de la personnalité.

Kali bromatum est le régulateur énergétique au moment où la sève de l'adolescence atteint son plus haut niveau : la plénitude éclatante des muscles s'accommode mal de longues séances d'études et des contraintes de l'immobilité et de la réflexion intellectuelle ; alors commencent les petits mouvements involontaires, ces petites agitations inconscientes et incessantes. C'est l'agitation du porte-clef chez l'adolescent qui joue constamment de ses doigts, qui se balance sur sa chaise d'études, qui se répand dans des débordements choréiformes incontrôlés. Le mouvement involontaire des mains est une riposte à l'intellectualisation forcée. Kali bromatum est un bon régulateur d'énergie avant l'authentique décompensation du surmenage scolaire.

Tarantula hisp. est le modèle de l'hyperesthésie tactile, c'est le remède des agressifs au seul contact de la peau ; non seulement on y retrouve l'agitation involontaire des extrémités, mais la mobilité, l'instabilité deviennent inquiétantes, voire pathologiques. La sensibilité excessive va se porter au niveau de la peau et de tous les organes des sens (excitation sexuelle de contact), entraînant des pensées lascives ; encourageant un certain onanisme. L'hyperactivité est exacerbée par le monde sonore (ils font hurler la radio). Ils se dispersent dans le désordre des bruits et l'agitation sans but. L'environnement du groupe social ou scolaire leur est toujours néfaste. Il accroît l'agitation anxieuse et expose à des conduites extrêmes : affabulations, mythomanie, réalisation de soi dans la kleptomanie.

« Le jeune J. est un adolescent au doux regard innocent ; son attitude devant moi témoigne d'une parfaite éducation, et les échanges sont d'une politesse exquise. Toutefois sa famille nous traduit, hors de sa présence, une autre version de leur existence, qui est à la limite du naufrage pur et simple. Non seulement les convocations des hautes instances scolaires pleuvent, les établissements les plus spécialisés ne résistent pas sous les assauts du jeune J. L'affabulation est son domaine. Il offre à sa mère des bouquets d'anniversaire, qui sont des fleurs arrachées au cimetière. Il bâtit des séquences affabulées de vols dans un grand magasin, des scénarios prestigieux dans lesquels il joue le rôle principal. Il est souvent à la limite du délit, et la convocation devant le juge pour enfants est évitée de justesse par le retour des objets volés et après de laborieuses négociations avec la direction des grands magasins. *Tarantula hisp.* a installé une paix qu'aucun contact psychotérapique n'avait amorcée, évitant à la mère la culpabilisation au sujet de l'autre, responsabilité habituellement dénoncée en psychothérapie polarisée.

La perturbation sensorielle peut entraîner des modifications catastrophiques dans les rapports d'un sujet avec son ambiance, dans l'image qu'il se fait du monde. Si les organes des sens véhiculent connaissance du monde et plaisir, il ne faut pas que la tonalité sensorielle devienne une effraction.

Les instables, les agressifs proprement dits présentent une bruyante signalisation dont l'atténuation par le doigté de l'individualisation va faire le bonheur des familles ; ces remèdes ne sont malheureusement pas mis à la portée des médecins par la faculté. Le destin des enfants, comme une pratique épuisante pour certains médecins, serait allégé ; on pense à maints pédiatres accablés par leur tâche quotidienne qui seraient heureux de mieux négocier :

275

— les casseurs (Stramonium, Hyosciamus, Apis, Nux vomica);
— les frappeurs (Chamomilla, China, Tarantula hisp., Hyosciamus);
— les boudeurs susceptibles (Staphysagria, Natrum mur).

Le modérateur naturel de ces états est souvent la qualité du sommeil. Là encore, il s'agit d'un problème qu'il convient d'analyser et d'interpréter, car c'est un indicateur de grande valeur pour mesurer la résistance d'un sujet à l'hostilité perçue de la vie. A travers les constitutions d'abord : les Phosphoriques ont une pensée rapide, terriblement activée par des lectures, des spectacles : thèmes intellectuels ou imaginaires et pensées inquiètes. Certains ont longtemps eu peur du noir (Stramonium : colérique, Gelsemium : craintif, Causticum : apeuré par les ombres ; Phosphorus, kaléidoscope anxieux dans le noir), mais le grand remède de l'adolescence est *Ignatia 7 CH* (à prendre au coucher) accompagné de la prise de vingt gouttes d'*Alfa alfa, Avena sativa aa IX.* (Les remèdes du surmenage scolaire peuvent intervenir à tout moment : *Ignatia, Arnica, Kali phos., Selenium.*) Hahnemann ressentirait une plus grande inquiétude sur notre temps qui s'éloigne de la sagesse en distribuant le gardénal à doses filées dans le biberon, pour aboutir à la tranquillisation organisée des adultes de notre société.

Rendre l'estime de soi aux inhibés

A côté de la maladie, l'affaiblissement, la rétraction, le repli représentent le plus rayonnant des domaines d'investissement thérapeutique en homéopathie. Car ils sont nombreux, les isolés, les repliés, les tristes, ceux qui entretiennent d'épuisantes amitiés avec les ombres de la vie : lorsque le courage se fragmente, que l'attitude devient timide, craintive, prudemment calculée, inspectrice constante du danger, alors apparaît la fatigue qui ruine, fait redouter l'expérience et installe une large distance entre la vie et le réel.

Certains présentent une structure constitutionnelle endocrinienne mal assurée : ils ont peur de la vie parce qu'une atonie constitutionnelle les rend lents et réellement fatigables : Calcarea carb. Baryta carb., et surtout Graphites : timides, gras, apathiques, frileux, constipés. Leur nonchalance, leur paresse sont au premier plan de l'examen ; il faut craindre une insuffisance hormonale confirmée par une puberté tardive. La coexistence d'une peau épaisse, d'eczéma suintant à liquide visqueux fait de *Graphites* un grand remède de métabolisme et de psychisme paresseux.

Pulsatilla, émotive, douce, timide, un peu molle, rougissante au visage vite embué de larmes, a un grand désir de se faire aimer, gênée par une pudeur constitutionnelle qui lui fait redouter le sexe opposé.

Coca est une curieuse illustration de la loi de similitude exploitée par une firme américaine intéressée plutôt par le volume de diffusion. Toute la jeunesse boit du Coca, pour se donner de l'assurance ; si le destin de l'homéopathie s'était associé au développement de cette multinationale, elle serait une médecine universellement reconnue. Le sujet Coca est asthénique, nonchalant ; il aime souvent s'étendre et il appréhende l'altitude, il est le champion de la timidité. En hauteur, la vue des ponts donne le vertige, mais Coca a bien davantage la peur de la hauteur pour lui-même. Car l'idée de s'élever au-dessus des autres est bien coûteuse et il faut beaucoup d'audace dans la vie ; secrète revanche du destin. *Coca* pris à la bouteille n'a jamais transformé un timide ; tandis que *Coca 30 CH* infinitésimal (une dose deux fois par mois) permettrait à Pulsatilla d'affronter avec audace le sexe opposé.

Si *Gelsemium* est le remède central du trac, Causticum est un inquiet permanent, il est inquiet par sa vessie (incertaine), l'insuffisance, l'atonie de son support musculaire et surtout par l'arrivée de la nuit qui allonge les ombres. Ambra grisea est le modèle de l'impressionnabilité, de la gêne en société, sautant d'une idée ou d'un sujet à l'autre, bavard, curieux et papillonnant, Ambra grisea s'affole pour un rien. Ne sachant pas prendre position devant les situations de la vie, il s'agite fiévreusement sans savoir se décider.

La rupture avec la vie

Chaque année, plus de huit cents jeunes de quinze à vingt-quatre ans se suicident. Et bien davantage se ratent, la réalité étant dissimulée par l'entourage qui minimise ou camoufle les incidents. L'abréviation TS (tentative de suicide) d'observation professionnelle commence à présenter une fréquence qui, d'à peine annuelle, se trouve enregistrée depuis ces cinq dernières années dans l'observation hebdomadaire du praticien. Pédiatres, psychiatres, généralistes, pédagogues et aussi homéopathes ont beaucoup de mal à diagnostiquer précocement ce stade ultime de la dépression, à le rattacher à un contexte réellement psychiatrique (20 % des cas).

Le suicide est, selon A. Adler, la forme « la plus intense de la protestation vitale, un moyen de protection définitif contre l'humiliation et un acte par lequel l'homme se venge de la vie ». C'est le cumul d'un état d'incertitude, d'infériorité, d'insécurité et en même temps un désir de se faire valoir par le chagrin qui serait infligé aux parents ou aux autres.

Pour Durkheim, le suicide est la marque d'une civilisation en crise qui rejette ses membres, après avoir accepté sans rien faire la marginalisation des fragiles ou des inadaptés.

Après avoir longtemps considéré le suicide comme une réaction névropathique purement morbide, l'évolution se fait vers une attitude consciente, une crise des valeurs, à la recherche d'une issue ou de la solution d'un problème, sans avoir pensé à l'horrible contradiction entre le trouble de conscience et l'acte fatal.

Une grosse proportion du contingent suicidaire est pour G. Delmas le fait à 70 % de psychopathes ou de cyclothymiques dans les phases basses dépressives avec le grand danger de l'état mélancolique qui mobilise constamment la vigilance des psychiatres.

Mais le thème du suicide qui a alimenté tant de publications (dont l'important ouvrage de Jean Baechler) n'arrive pas, à travers toutes ses composantes sociologiques, à révéler le contenu de l'individuel et les grandes inconnues du problème : hérédité, dépressions constitutionnelles, passage à l'acte suivant certains rythmes biologiques.

La thérapeutique est très difficile. Si la tentative suicidaire est connue, la surveillance est très difficile à exercer ; si le médecin est lui-même envahi par cette inquiétude et multiplie les gestes, il risque d'aggraver le malade et de précipiter la chute par l'exhortation consciente. Si la tentative n'est pas connue, les exemples l'ont prouvé, l'attention médicale est rarement mobilisée à partir de la demande banalisée du patient.

La loi de l'unité de l'observation humaine introduit dans la consultation homéopathique un contenu et une partie subjective abandonnée par tous les autres. Même si le suicidaire brave le médecin par des propos soigneusement banalisés et si parfois la consultation se résume à peu de chose, voire un constat de bonne santé, le patient présente toujours une personnalité, des désirs, des aversions, des intolérances, ramenés parfois au niveau de la vie organique. La partie enfouie de l'iceberg nous échappe, mais la quête des symptômes homéopathiques éclaircit l'inconnu et facilite des émergences réactionnelles dans un dialogue qui ne se veut pas lourdement psychopathique.

Parfois, à travers des situations totalement somatisées (migraines digestives, perte de cheveux, douleurs rachidiennes), le remède objectivé réanime l'inconscient et on apprend longtemps après par l'entourage que le malade avait totalement changé et qu'il avait abandonné ses idées de suicide pourtant tenues secrètes — la vie ayant repris son éclat et son droit ! Je me rappelle une femme qui était venue délibérément m'exposer son testament de vie, m'affirmant qu'elle avait en réserve toute la panoplie de barbituriques, de gouttes et de comprimés, que ses dispositions étaient prises pour mettre fin à ses jours. Mon émoi était grand et faibles mes possibilités pour toucher un membre de sa famille ou un ami pour empêcher ce geste. A tout hasard, je lui donnai sur-le-champ une dose de *Natrum sulf 30 CH* et entrepris de mobiliser toutes les bonnes volontés autour d'elle. Un mois s'écoula et notre malade revint en me faisant de multiples observations, ahurissantes par rapport à la consultation : « Docteur, vous ne vous êtes pas occupé de mes ongles, de mon système pileux, de ma peau sèche, de ma douleur du genou. » La cliente suicidaire n'était plus la même et son deuxième remède fut *Actea racemosa 30 CH*, qui effaça toute pathologie.

La tendance au suicide chez l'adolescent est l'occasion d'une rigoureuse analyse de cette condition et en particulier des étapes du développement de la personnalité qui comme la puberté sont de véritables âges critiques, d'authentiques lignes de fissure, surtout lorsqu'on remarque qu'un enfant toujours gai, actif, remuant commence en grandissant à devenir froid, distant et peu réactif à l'environnement. Vous aurez reconnu au passage l'élégant Phosphorique qui est passé de l'exigence affective au monde de l'imaginaire pour s'enliser dans le fantasme et la fuite devant les réalités de la vie.

Phosphoric acid : ou l'entrée dans la psychasthénie. Les acides sont des étapes de dégradation et d'usure ultime. L'adolescent s'introduisant dans l'état de Phosphoric acid ne signifie-t-il pas le raccourci inconscient de la vie avec ou sans passage à l'acte ?

C'est le remède des périodes critiques : d'abord détresse passagère, au secours des maladies aiguës ou débilitantes. Le sujet va s'allonger en hauteur, et des doses de *Phosphoric acid 15 CH* valent bien des séjours de convalescence à la mer ou à la montagne. Dès que la gaieté s'efface, quand le corps s'allonge, il faut rechercher les autres signes.

Signes psychiques évidents : manque de réaction et prostration. Le Phosphorique a l'intelligence vive et affûtée au coucher, un réveil triste, long et inquiet, surtout s'il est tôt levé. Mais chez Phosphoric acid on est surtout surpris par la lenteur, la sourde progression de l'état asthénique. La tristesse est maximale au réveil ; le sujet qui se réveille en sueur, avec des cheveux qui deviennent gras, séborrhéiques, et qui contemple le jour avec une vive tristesse, est justiciable du remède.

Les signes physiques sont toujours révélateurs. On s'étonne de la déperdition des phosphates dans les urines laiteuses. Tout semble indiquer la déperdition incontrôlée de la sève vitale : diarrhée, pollution nocturne, leucorrhées, sueurs abondantes et grasses (Phosphoric acid est le premier complément de Natrum mur.), les cheveux tombent ou deviennent gras. On a rarement évoqué la relation entre la fuite minérale, la déperdition des matériaux nobles et l'état psychasthénique. (On y a pensé sans doute en termes quantitatifs au niveau de cellules qui n'obéissent qu'aux lois infinitésimales, au niveau du remède homéopathique ou de catalyseurs.)

Les statistiques font défaut dans les situations proprement psychiatriques et les passages à l'acte suicidaire. Les indications personnelles exprimées ici nous ont éclairé sur les réactions possibles des sujets, dans des circonstances de ville et de clientèle libre qui ont entraîné des retours à la normale et qui

semblent ouvrir des possibilités thérapeutiques dans ce douloureux problème.

Aurum et *Natrum sulf* ont fait leurs preuves dans les tendances
suicidaires.

En particulier *Aurum* dans les dépressions hivernales (rigoureusement *individualisées*). L'histoire du roi Louis II de Bavière a
fait l'objet de biographies romancées. Son souvenir est attaché à
la construction de demeures royales pittoresques et théâtrales, et
l'amitié protectrice qu'il prodigua à Wagner. Louis II manifesta
dès sa jeunesse des tendances pathologiques : autisme, idées
délirantes de persécution et de grandeur. L'élément le plus
frappant de son comportement était le repli sur lui-même, son
refus de participer aux affaires de l'État, ses promenades
nocturnes pour se rendre seul d'un château à l'autre, sa manie de
recouvrir de pellicules d'or les innombrables guirlandes des
pièces de ses châteaux. Il s'est suicidé par noyade après avoir tué
son psychiatre Von Gudden, qui tentait de le retenir. Cette
aggravation nocturne, ces dépressions hivernales étaient l'indication de doses infinitésimales d'or, moins coûteuses que ses décors
et plus utiles au destin propre de ce monarque. La biographie de
Louis II de Bavière pourrait être un thème d'étude sur la
dégradation fluorique de ce sujet, en recherchant si sa schizo-
phrénie n'était pas en relation avec une syphilis héréditaire dans
un contexte lourdement chargé (son frère fut maintenu enfermé
jusqu'à sa mort).

Anacardium or a une lenteur calculée et des réactions
explosives qui sont d'authentiques agressions contre ceux qu'il
aime, en impitoyable justicier.

Hyosciamus pourra passer à l'acte pour traduire son agressivité, pour punir ses proches, dans un bref accès délirant. *Aurum*
et *Hyosciamus* ont en commun le besoin de se parler à eux-
mêmes, cultivant leur agressivité, dirigeant leur haine exprimée
contre les autres, faute de le faire contre eux-mêmes.

Psorinum est le nosode du désespoir des jeunes boutonneux
aux mauvaises odeurs corporelles, affamés et effrayés par la peur
de la mort, la peur d'être damnés et de devenir fous par la
solitude.

Tuberculinum : la grandeur de ce remède que l'on doit écarter
de toute notion microbienne se définit comme un mode spécifique

de réaction et constitue probablement le signal très lointain d'une première réaction de défense (Hippocrate, cité par Esquirol, disait que la suppression des crachats chez des phtisiques jette dans l'égarement de la raison. L'hypocondrie pouvait faire suite à l'état physique ou longtemps bloquer l'évolution microbienne). Le professeur Claude évoquait en 1930 le balancement psychosomatique de ces affections mentales et pulmonaires.

Tuberculinum cristallise à l'adolescence toutes les possibilités exacerbées de la sensibilité centrée sur un psychisme lourdement inquiet, les peurs de toutes sortes, l'anxiété jusqu'à minuit, les attitudes cyclothymiques extrêmement courtes (état maniaco-dépressif d'un jour à l'autre), et surtout un souci maladif de son image corporelle qui l'amène, par dégoût chez la femme, à se retirer du monde ou à penser à la libération par la mort.

Le narcissisme négatif du Tuberculinique est un défi à la vie. Il conduit à la dépréciation subjective et objective du corps (embonpoint non alimentaire). Le Phosphorique, dans sa fragilité structurale, peut céder à l'idée d'abandon ; sa navigation se fait souvent vers un imaginaire dépravé et un naufrage accepté. Quelques exemples montrent la valeur de notre *Tuberculinum* qui réarme les faibles, les déprimés ; il a transformé une femme, atteinte d'une grave névrose de dépréciation corporelle, en animatrice d'école de danse et de cours de natation. L'oscillation entre la chute et l'espoir est un défi permanent à portée de la petite dose.

L'homéopathie est un appel à une médecine totale qui serait à l'écoute des significations cachées derrière les associations libres d'un patient. Elle ne sous-estime pas les difficiles voies d'accès de la personnalité, mais elle diversifie suffisamment l'information pour savoir détecter les appels au secours.

Médecine du comportement humain, l'homéopathie est complémentée sans doute par la psychanalyse qui sait interpréter conflits et refoulements logés dans l'inconscient. Si la psychothérapie prend en charge l'individu, si la sophrologie réinvestit dynamiquement l'individu, l'homéopathie réamorce un système affaibli avec l'approche du code génétique constitutionnel.

Le raisonnement homéopathique se rapproche davantage de l'homme et de son mystère individuel ; dans les troubles caractériels de l'adolescence, il s'oriente vers le réglage des deux dimensions de la personnalité, intériorisation et extériorisation, contribuant à la prévention des névroses.

« Le thérapeute qui n'appuie pas sa pratique sur un modèle anthropologique est un aveugle qui se promène avec une torche à la main » (docteur Barthe).

Modestement, puissamment, elle sait réparer les trames de la psyché comme on répare les tuiles d'un toit, parfois vingt ans après.

Équilibre hormonal et endocrinologie

Endocrinologie et homéopathie soutiennent des vocations semblables : agir par faible dosage et influencer puissamment l'équilibre général. La notion d'équilibre hormonal élargit la compréhension d'un symptôme en dépassant la notion d'organe et en l'intégrant à la notion de fonction et des grands processus d'adaptation du corps. Les troubles glandulaires portent loin de leur base les effets des excès et des insuffisances. La thyroïde, l'hypophyse modifient à distance la forme et l'énergie du corps. Les répercussions glandulaires modifient en profondeur la structure physique et le comportement psychique dans le sens de l'accélération ou de l'inhibition. Les sécrétions endocrines et les remèdes homéopathiques modifient le champ de la personnalité. Ces vérités admises font apparaître la valeur de l'infiniment petit dans le déclenchement à distance de la réponse biologique. Les différences apparaissent d'abord dans le dosage. L'endocrinologie a choisi la voie palliative substitutive pondérale, sans atteindre l'échelle infinitésimale au-delà du nombre d'Avogadro (recherche du seuil d'action au niveau moléculaire que l'on n'ose pas explorer).

Pour l'homéopathe, l'endocrinologie est un fragment, une étape, un niveau d'observation de l'individu, et la règle est d'observer l'unité, la totalité, sans oublier d'intégrer le comportement psychique, expression sublime de la défense individuelle.

Endocrinologie et homéopathie ont fait quelques parcours en commun. Confrontées à un public de « fonctionnels », ces deux disciplines reçoivent une catégorie de souffrants mal définis. Ces abandonnés des investigations muettes, ces rejetés par faute de preuve, ces désespérés de la santé qui ne savent pas confectionner une bonne maladie ! et par eux, on s'efforce d'éclairer les ombres du comportement neurovégétatif par les défaillances de l'équilibre hormonal. Les états extrêmes d'hyperfonctionnement ou d'hypofonctionnement (thyroïde et ovaire) sont parfois apparents dans la morphologie, et l'hormonologie reste fidèle à une direction clinique opothérapique qui consiste à corriger les grandes fonctions par des apports de substitution. Mais la plupart du temps, les dysharmonies hormonales sont passagères, labiles et résistent à l'interrogation du laboratoire. L'hyperfolliculinie, qui gêne considérablement la femme par la rétention hydrique et le gonflement mammaire prémenstruel, est plus apparente dans l'image du corps que dans les variations de laboratoire.

L'homéopathie procède toujours de façon indirecte en découvrant dans la loi de similitude les vocations hormonales propres à chaque substance ; l'expression endocrinienne est inscrite dans certains grands remèdes sans les heurts de dosage ou les effets secondaires fâcheux.

L'insuffisance hypophysaire est inscrite dans la morphologie et la dynamique pesante de Baryta carb., de Calcarea carb., Graphites, Natrum sulf. Ce sont des hydrogénoïdes à rétention tissulaire molle. Leur ralentissement métabolique, leur mauvaise résistance au froid sont l'image d'une hypothyroïdie. L'administration du remède bien choisi modifie les échanges mais aussi corrige le psychisme, fait d'anxiété, d'appréhension, de pusillanimité et de lenteur cérébrale.

Cette structure, marquée par la rétention hydrique, avait reçu de Grauvogl le nom d'*hydrogénoïde* : c'est l'infiltration, l'empâtement œdémateux des extrémités avec aggravation matinale (le signe de la bague). Elle modifie la morphologie en élargissant le bassin et en résistant de façon désespérante à toute tentative thérapeutique.

A l'inverse, les *oxygénoïdes* sont des privilégiés du sort : ils maigrissent en mangeant bien, leurs échanges sont actifs, marqués par une générosité thyroïdienne qui leur permet une assimilation et une désassimilation rapides. Maigres, avec un très grand appétit, ils souffriront du froid extérieur mais seront mal à l'aise dans des atmosphères confinées ; ce sont des sujets agités, fiévreux, qui luttent par une assimilation boulimique contre la déperdition hydrique et minérale qui les concerne (Calcarea phos., Natrum mur., Ferrum phos., Silicea, Fluoric acid). Ils seront irritables, émotifs, instables, actifs ou rétractés, ils ne seront jamais indolents. Entre les deux se situent les *carbonitrogènes*, catégorie longtemps débordante de vitalité qu'aucun événement de santé ne semble affecter ou entamer et qui s'acheminent lentement vers la lourdeur, la lenteur, la sclérose, la lithiase et l'arthrose.

La folliculine, une hormone qui personnalise

Chaque jour la femme sécrète une part infinitésimale d'hormone, la *folliculine* (0,03 milligramme), qui confère les variations de sa physiologie, de son humeur, de sa personnalité psychique. Observateurs et expérimentateurs tentèrent d'en faire la panacée du maintien de la beauté prolongée et d'une féminité sans rides. Hélas ! Son usage unique développa les risques de cancérisation et on dut lui adjoindre la *progestérone* infiniment moins dangereuse.

La folliculine n'est pas un simple excitant fonctionnel ; son action dépasse la vocation hormonale. Les études faites autour de la pilule anticonceptionnelle, les travaux du docteur Léa de Mattos sur *Folliculinum* mettent au jour les influences complexes de cette hormone dans la vie quotidienne de la femme.

Depuis 1936, G. Dreyfys attribua à la folliculine un certain nombre de désagréments et inquiétudes du corps féminin . tension nerveuse plus ou moins ressentie suivant ses degrés par l'entourage immédiat ; angoisses accentuées, réveils dépressifs, instabilité de l'humeur qui s'améliore avec l'arrivée des règles (Lachesis). Le corps se modifie : les seins enflent, les extrémités, doigts, chevilles, subissent un empâtement, la prise de poids se manifeste au niveau de l'abdomen. Des désagréments physiques se font jour avec la particularité d'apparaître et disparaître avec le rythme menstruel : migraines, crises de vésicule biliaire, irritation de la vessie (mais les urines sont claires et sans microbes). L'acné s'accentue, le cœur s'agite, la gorge devient plus sensible, les chevilles se tordent plus facilement.

Tous ces malaises se combattent avec le régulateur hormonal, la progestérone, qui neutralise les effets mais introduit ses propres inconvénients : la prise de poids.

Aucune hormone à usage pondéral systématisé ne peut être considérée comme sans risque pour le corps. L'insuffisance ou l'excès des deux hormones ovariennes, folliculine, progestérone, peuvent faire l'objet d'une correction organothérapique. La régulation des insuffisances peut se faire harmonieusement par l'emploi de *Folliculinum 9 H* (dose), au dixième et vingtième jour du cycle chez l'adolescente ou l'adulte jeune, avec l'appoint ponctuel de *Pulsatilla 7 H* (une dose au vingt-cinquième jour), dans les insuffisances ovariennes avec retard de circulation veineuse.

Issus du règne végétal, *Caulophyllum, Viburnum opulus, Aristolochia* sont des appuis précieux pour une prescription gynécologique qui s'éloignerait du recours hormonal systématisé.

L'usage de la pilule est le reflet d'une société de confort ; son emploi, inscrit dans le libre choix, doit faire l'objet d'une information plus exigeante, car dans le cas d'irrégularité menstruelle il s'agit d'une complaisance pour le... calendrier et non pour la fonction ; bien des déboires guettent les insuffisances ovariennes trop longtemps traitées. La pilule réduit et normalise de réels malaises fonctionnels, mais la personnalité féminine a perdu de son caractère. Certains malaises ont été atténués mais les angles révélateurs dynamiques de la femme ont été éludés. C'est pourquoi l'homéopathie reste attentive à la dynamique du comportement féminin prémenstruel et attache à ces instants les valeurs précieuses d'une rupture passagère d'équilibre. Un bon nombre de légers malaises deviennent des voyants de l'unité perturbée et, lorsqu'ils s'allument, ce sont des dispositions générales de la personnalité qui s'éclairent :

On est déprimée avant les règles : Causticum, Conium, Natrum mur, Aurum (cinquante ans), *Lycopodium, Folliculinum 15* (quinzième jour) — *Sepia* (avant et pendant).

On s'agite avant : Actea racemosa, Sepia, Nux vomica, Chamomilla, Folliculinum 15 (quinzième jour).

On dort mal avant : Coffea (excitation par bonne ou mauvaise nouvelle), *Senecio* (jeune fille).

On est gelée avant : Calcarea carb, Silicea, Pulsatilla, Lycopodium.

286

On urine souvent avant : Kali iod., Lilium tigrinum (avec palpitations), Staphysagria, Pulsatilla, Sulfur, Folliculinum 15 (quinzième jour).

Les fonctions intestinales se ralentissent avant : Silicea, Lachesis, Graphites, Nux vomica.

On est lourde et somnolente avant : Lac caninum, Magnesia carb., Folliculinum.

La gorge devient sensible avant : Lac caninum, Magnesia carb., Folliculinum.

On s'enrhume avant : Graphites, Magnesia carb.

Acné et éruptions apparaissent : Kali brom eugenia, Medorrhinum, Folliculinum (quinzième jour), Histaminum.

La tête devient lourde avant : Actea, Lachesis, Pulsatilla, Melilotus (maux de tête par usage de pilule et diminution de la menstruation), Bovista, Glonoin, (lourde et congestionnée).

Les crampes de mollet apparaissent : Cuprum.

Les hémorroïdes apparaissent : Aloe, Collinsonia, Graphites, Lachesis, Pulsatilla (si règles insuffisantes).

Les désordres mentaux s'aggravent : Actea (agitation), Aurum (dépression), Veratrum album (incohérence).

Les symptômes prémenstruels représentent donc un regard, une signalisation vers d'autres expressions de l'unité permanente de l'être humain.

Ménopause : le délicat carrefour

On a trop tendance à identifier la réalité psychique d'un sujet avec le moment hormonal de sa physiologie. Le grand discours de la vie, ses subtiles adaptations ne sauraient se ramener aux variations exclusives du taux d'œstrogènes chez la femme. Le carrefour psychologique de la femme ne s'inscrit pas dans une équation simplement hormonale. C'est déshumaniser le tableau que de la ramener à des réflexes biologiques. La « plainte » climatérique est le prolongement d'une identité à la recherche d'un nouveau niveau d'adaptation.

Il y a devant le retour d'âge les activistes et les sages ; les uns se dirigent vers une œstrogénothérapie visant à une société sans troisième âge et les autres sont des défenseurs de l'abstention thérapeutique. Il faut savoir individualiser chaque cas et préférer une pharmacologie infinitésimale qui peut apporter un confort analogue et sans risque.

Les saisons du corps féminin sont propices à des instances psychopathologiques, à des décompensations. Il y a d'abord une notion de perte, de dépossession, de fin de contrat sexuel, un désinvestissement émotionnel, parallèle à la modification de l'image corporelle. Elle coïncide avec un affaiblissement de l'intérêt du conjoint ; c'est surtout l'heure des rivalités, des compétitions avec les générations montantes : on doit défendre sa position dans une société qui privilégie la jeunesse.

Dans 20 % des cas, la ménopause est muette et sereine, elle résume une condition satisfaisante, où les affections profondes prennent le relais des élans érotiques atténués. C'est l'image d'une vie réussie en tout ; des liens familiaux ou sociaux de bonne qualité. Pour les autres, on voit apparaître deux tableaux réactionnels distincts :

1) *Le regain d'activité :* « Au-delà de cette limite votre ticket n'est plus valable » (R. Gary), et avant la fermeture des portes au crépuscule de la procréation, on va dynamiser, flamber ses possibilités créatrices. C'est le succès des femmes rondes, puissantes, qui rivalisent dans le droit, les affaires avec le sexe opposé et l'objectif d'une consécration matérielle. L'extériorisation peut se déplacer aussi vers l'activisme religieux, syndical ou politique.

2) *Le repli dépressif :* c'est le plus important trouble climatérique après les bouffées de chaleur. Le sentiment d'inutilité domine : c'est un futur ralenti, régressif, imprégné « de mélancolie et d'angoisse », on sent une pesante inaptitude à faire face aux problèmes quotidiens. La trame constitutionnelle peut orienter vers la stabilité ou la course au risque.

La Carbonique aspire à une ménopause équilibrante, sans heurt, dominée par l'épanouissement matériel. Il y a un retentissement économique qui se traduit par l'embonpoint, une certaine asthénie psychique qui coïncide avec une hypertension artérielle modérée. *Sulfur* joue un très grand rôle dans le tableau des bouffées de chaleur, des céphalées, des sueurs nocturnes, coïncidant avec l'inflation veineuse et les démangeaisons vulvaires ou cutanées.

La Phosphorique est une femme oscillante, instable, rapidement inquiète des blessures à l'image du corps, qui entraîneraient chez elle la course aux soins du visage et du corps. La Fluorique alterne l'activisme et le découragement ; à l'image de Lachesis partagée entre l'élan du soir et le désespoir du petit matin. C'est le débordement social ou la rumination angoissée ; à la tristesse du matin succédera l'euphorie du verbe le soir, en remplissant et vidant de nombreux verres. Au gré des influences sociales, on multipliera les expériences amoureuses, ou on versera dans l'alcoolisme, comme pour jeter un dernier éclat... Les paroxysmes circulatoires de la ménopause encouragent les instabilités de comportement.

Régulateurs en second, *Lachesis*, *Chamomilla* et *Ignatia* sont d'inappréciables auxiliaires. Le premier tempérera les poussées congestives cérébrales, les pointes d'agressivité assorties de ton provocateur et de vocabulaire rude (surtout chez les buveurs de café). Le deuxième, *Ignatia*, complémentaire de *Sulfur* et de *Lachesis*, modère l'instabilité neurovégétative, l'agitation du cœur accompagnée de sensations de boule à la gorge, de soupirs prolongés et de migraine à la moindre excitation (« le clou » d'*Ignatia*).

La dépréciation hypocondriaque, l'interrogation continue et inquiète du corps s'installent chez Thuya et les représentants de la sycose. C'est l'heure où la dépréciation de l'appareil génital ouvre le champ à de nombreuses inquiétudes : phobies d'une improbable grossesse, cancérophobie autour de l'utérus, cet organe interne, caché, dont l'atteinte va frapper des amies, des contemporains (deuils par cancer). Souvent refoulée passive sur le plan affectif, Thuya va donner une puissante tonalité affective à toutes ses émotions. Thuya s'enfonce dans l'anxiété d'anticipation et une fébrilité négative. L'état mélancolique est marqué par l'installation d'une lourde et muette douleur morale. Elle naît d'une simple réaction au milieu (deuil, mariage, ou liaison d'un enfant, infidélité réelle ou redoutée du mari).

Sepia est le chef de file de la ménopause mélancolique. Il s'agit d'une indifférence par épuisement hormonal, atonie des muqueuses, du sensorium et de l'affectivité, souvent sous-tendu par un état colibacillaire qui affaiblit la mémoire et aggrave la psychasthénie. Le relâchement des tissus de soutien, le dessèchement de l'épiderme font partie de cet état déficitaire qui s'exprime par le repli silencieux. Avec *Causticum*, la carence hormonale de la ménopause réveillera un état rhumatismal qui associera raideur physique et rigidité psychique.

Avec *Natrum mur, Conium*, le dessèchement des muqueuses se traduira par des états d'épuisement, de rétraction, d'incommunicabilité, véritable état crépusculaire : on fuit ou on s'isole comme si le rideau de l'hiver était définitivement tiré.

Les perturbations psychosexuelles sont à rattacher à l'excitation active de la microcirculation à la ménopause. Les travaux autour de la folliculine ont montré qu'à l'occasion de la ménopause on pouvait voir des signes d'excitation psychique, des délires de jalousie. Chez la pigeonne, on voit des phénomènes étranges, elle ne couve plus ses œufs et les détruit. Chez la femme, on perçoit un mouvement d'excitation psychique, à début érotique, qui évolue vers l'agressivité puis vers l'hostilité aux fonctions sexuelles ; une frigidité, une animosité générale s'installent, avec la recherche d'un bouc émissaire poursuivi avec un acharnement extraordinaire. Cette véhémente attitude pourra s'atténuer, se diluer ou se convertir dans une revendication populaire, syndicale, ou collective ou tout simplement dans la vigueur justicière de la dénonciation anonyme. Cet activisme cérébral alimente les attitudes de jalousie, la suractivité cérébrale excite l'imagination, l'interprétation erronée, en jetant le « halo mental » de méfiance sur l'autre : *Or, Platina*, agissant sur les vaisseaux cérébraux et les « venins de serpent », comme *Lachesis*, ont bien plus qu'une action symbolique...

L'état de ménopause n'est pas justiciable d'une spécificité hormonale stricte : les relations entre l'état émotionnel et le système endocrinien sont dominées, pour Bleuler, par la personnalité unique d'un individu qui partage sa psyché entre ses influences antérieures et ses imprégnations présentes.

Au-delà de l'épuisement du psychisme et des épithéliums, on retrouve l'être humain qui perd de son élasticité en faisant face aux stress et aux révoltes, et on se rend compte que c'est au bas de l'échelle infinitésimale que se situent les plus fines réhabilitations thérapeutiques humaines !

Le troisième âge

Les inquiétudes du troisième âge portent beaucoup plus sur la qualité de vie que sur son prolongement. Le vieillissement comme la croissance sont des modes d'expression de la vie, mais les comportements ne sont pas superposables au processus de vieillissement. Tous les observateurs s'accordent à établir que les individus ne vieillissent pas de la même manière. Individualisation, adaptation sont des propositions purement homéopathiques, dans la mesure où la confiance est immense lorsque le problème est posé en terme de réhabilitation, de réarmement individuel ; le contenu de ces vérités nous paraît singulièrement plus probant que les publicités tapageuses qui ornent les spécialités allopathiques pour lutter contre la vieillesse. Tour à tour, on a dilaté les vaisseaux, puis protégé, amélioré l'enrichissement en oxygène du cerveau, offrant des armes pour combattre les défaillances, et semblant délivrer simultanément des passeports de longévité. Il est vrai que cette clientèle du troisième âge est attachante, car les promesses de vie sont plus volontiers mises au compte des progrès de la médecine qu'à ceux de l'amélioration générale de l'hygiène et des conditions de vie. Lorsque le troisième âge sent son énergie faiblir et qu'il se voit assailli par des problèmes physiques, il devient un usager ponctuel et scrupuleux du secours médical, et on a tendance à le ranger dans les classes privilégiées de la consommation médicale.

De-ci de-là, des voix s'élevaient pour affirmer que tel vasodilatateur (assurant la fortune du laboratoire) semblait moins efficace après quelques mois et que l'accumulation médicamenteuse devenait un contentieux évident pour le troisième âge. Parallèlement on relevait une invasion excessive de thérapeutiques destinées au troisième âge et une compétition très sévère autour de molécules semblables mais à prix de revient fort disproportionné. On s'est rendu compte enfin que le sort de ces médicaments était dépendant du métabolisme, de l'équilibre nutritionnel, des capacités individuelles des enzymes de transformation rendant bonne ou aléatoire l'utilisation de produits réputés et coûteux.

Bien entendu, toutes les expériences de meilleure utilisation de l'oxygène cérébral ont été faites au niveau de l'animal, dont le métabolisme, la carte d'identité sont légèrement différents de ceux de l'enfant ou du vieillard, ce qui a permis aux pharmaciens d'officine de développer ce que l'on appelle la pharmacovigilance ; c'est-à-dire une réelle amorce de l'individualisation des besoins, ne passant plus par les données de laboratoire, mais par des réactions de l'homme lui-même. Cette clientèle est d'autant plus sollicitée que la Sécurité sociale prévoit dans son organisation le remboursement conséquent des prescriptions onéreuses avec une barre de remboursement qui est un encouragement scandaleux à la dépense. En dessous de cette barre, le remboursement n'est plus en vigueur, comme si l'État se refusait à admettre le bénéfice pour lui de prescriptions à plus bas prix.

Les caractères de la sénescence font l'objet de la recherche scientifique : les histologistes dépistent l'usure cellulaire par la présence de dépôts pigmentaires, ces taches de la vie qu'on appelle les lipofuscines. Le physiologiste mesure le nombre impressionnant des cellules cérébrales qui nous abandonnent à raison de cinquante à cent mille par jour, sans parler des élargissements de nos ventricules et la peu glorieuse dégénérescence amyloïde de la substance cérébrale. Le fait précis est que dans nos cellules sont programmées un certain nombre de séquences de renouvellement cellulaire. Donc tout n'est pas éternel... et l'accumulation catastrophique des erreurs ou des habitudes coupe l'espoir à un contrat correct d'espérance de vie. Aux conduites aberrantes s'ajoutent les influences de l'environnement, les pollutions, intoxications et surtout les violations de rythme réellement biologique au profit des règles socio-économiques. Nous nous dirigeons vers un destin limité du dedans et lourdement agressé par l'extérieur. Un certain nombre de désordres vont apparaître au niveau des tissus, des organes nobles ou des parenchymes fragilisés (le cœur, les reins, l'œil), et surtout des tissus conjonctifs qui s'effacent avec l'âge pour nous offrir l'évidence redoutée d'une sclérose qui gagnera nos vaisseaux, notre psychisme, notre mémoire. Guetter le vieillissement à des carrefours d'état civil est une opération illusoire, il n'existe pas de critères biologiques ponctuels du vieillissement ; les paramètres surprennent par la labilité, l'irrégularité de leur dégradation. A vingt-cinq ans, la mémoire d'acquisition commence déjà sa régression.

La pratique quotidienne surprend car les signes de vieillissement frappent des sujets de plus en plus jeunes. Celui-ci, à vingt-trois ans, présentera des signes évidents d'arthrose et des images radiologiques que l'on attribuerait à un de ses ascendants ; celui-là présentera un nombre impressionnant d'accidents de santé et d'arrêts de travail que ses devanciers connaissaient à peine à un âge semblable. Mais la fatigue chez un sujet est un signe de vieillissement. Il peut s'agir d'un manque de motivation, ou d'un refus de rentrer dans le courant de la vie. Ces jeunes vont adhérer à une marginalité sociale, inactive ; ils se rétractent dans un refus de vivre avec le faux air de dominer l'espace-temps qui est déjà l'amorce d'un vieillissement, alors que les établissements de culture pour le troisième âge se développent en nombre et en fréquentation et que les gens âgés affrontent avec succès l'apprentissage de langues étrangères, avec un bonheur qui réfute les théories de l'acquisition et de la mémoire.

L'homéopathie se réfère à la matière médicale qui est le code de physiologie expérimentale humaine : celui-ci ne définit pas des modes de vieillissement d'organes, il n'y a ni bornes ni cloisons qui permettent de dégager des spécialités propres au troisième âge. Le médecin homéopathe s'intéresse à un faisceau de signes caractéristiques de la réaction d'un être humain ; il sait que le vieillissement obéit à un destin inégal selon les hommes et son regard ne se porte pas sur tel détail apparent de la morphologie (aspect de la peau, rides du visage), il explore une dynamique du vivant en se référant au modèle de base par le canal de la similitude. Lorsqu'on connaît la dégradation possible du modèle de base, son point de départ, ses défaillances ultimes, ses dégradations tissulaires, on peut à ce moment-là relever les signes PRÉCURSEURS de vieillissement.

La pharmacopée homéopathique est cohérente, elle fait son office scientifique, en rendant compte du fonctionnement du corps humain. Elle regroupe des remèdes à affinités tissulaires et à évolution dans le temps. Les végétaux sont des remèdes à action superficielle. Ils conviennent bien aux maladies aiguës ; les minéraux, les métaux conviennent aux maladies chroniques qui n'ont aucune tendance naturelle à l'autoréparation.

A partir du modèle analogique expérimental, il est possible de prévoir le parcours et les facteurs de risques non encore manifestés. Le médecin peut dresser de meilleures barrières de sécurité lorsqu'il connaît les défaillances possibles ou programmées au niveau de certains appareils ou tissus. Certains remèdes homéopathiques témoignent entre eux d'un certain « esprit de famille » ; ils semblent se succéder dans le temps selon un ordre harmonieux de prescription qui correspond autant aux épreuves physiques qu'à celles de l'état civil.

Ainsi l'ordonnance prend un sens réellement personnalisé et le langage de la vie devient moins cruel, les chemins inexorables sont moins angoissants, lorsqu'on peut prévenir les défaillances et suppléer aux carences d'aujourd'hui et de demain ; parfois même notre patient avec son immuable carte d'identité semble s'opposer au vieillissement, il remonte en sens inverse la filière de l'évolution : c'est une réalité quotidienne.

Baryta carb, le remède central du vieillissement, a une action antiscléreuse ; il s'adapte aux images faibles, vacillantes du vieillard hypertendu, vite enrhumé, lent en tout, scrupuleux, oublieux, se perdant parfois dans les rues qu'il connaît bien. Il se désespère d'un catarrhe laryngé chronique avec un mucus collant dans le gosier et le larynx.

Psorinum est un personnage profondément affaibli, qui va se désespérer par sa maigreur, par sa frilosité et surtout par sa peau malsaine et malodorante. Et son désespoir va être à l'image de sa peau : à cause d'elle, il perçoit péniblement qu'on ne s'approche plus de lui et cette disgrâce cutanée persistante exprime le mauvais état de ses fonctions. Ces éruptions désespérantes ont pour caractère de s'aggraver à la chaleur du lit et revenir régulièrement aux saisons froides. Psorinum est un pessimiste qui sent l'hiver de la vie et les défaillances de l'énergie vitale Non seulement « il se sent distancé », mais encore on l'abandonne ou ne le fréquente plus (peut-être à cause de ses émanations cutanées !). Le prurit semble être son dernier et plus fidèle compagnon !

Malgré le maintien d'un solide appétit, il semble toujours manquer de réactions, son amaigrissement l'inquiète car il flotte dans des vêtements devenus trop larges, et l'épaisseur des sous-vêtements ne le protège plus contre le froid tout en entretenant de mauvaises odeurs. Cette carence vitale se traduit sur le plan psychique par la peur de manquer. Ses affaires sont toujours prospères, mais il craint de finir à l'hospice, et l'on voit des vieillards Psorinum vivre misérablement et s'éteindre sur des matelas de billets de banque, ou de riches industriels craindre de manquer d'argent. On peut découvrir dans leurs lieux familiers, leur garage ou leur habitat, une foule d'objets hétéroclites et sans valeur, thésaurisés pour apaiser leur indicible peur de manquer (cité par le docteur Broussalian).

Arsenic album est l'image pathétique et angoissée du vieillissement. Tout semble converger vers l'état d'Arsenic album, mais ici la dégradation des tissus est manifeste et l'intelligence toujours présente ; on peut vieillir avec un intellect intact, lucide, qui va se nourrir et se confondre avec une anxiété, une agitation, une peur existentielle que l'on porte en soi depuis les premiers âges de la vie, avec une sensation de froid qui envahit tous les tissus. C'est un parchemin terriblement usé, terriblement vivant qui subit la fonte de l'énergie vitale avec la conscience angoissée des situations dangereuses, et la peur de la mort qui occupe constamment ses pensées. Ce cartésien intelligent, logique, susceptible, méticuleux dans ses moindres gestes, ne connaît qu'un seul adversaire : la marche inexorable du temps qu'il sent à tout instant : ses réveils nocturnes (de 1 heure à 3 heures) sont toujours angoissés car la crainte d'une fin prochaine ne l'abandonne jamais. Lever l'angoisse d'Arsenic album sur l'usure du temps, c'est ranimer son goût pour la vie.

Opium a tendance à s'assoupir, se ralentir et s'engourdir surtout lorsque la chaleur s'élève dans la pièce. L'anesthésie va gagner la réactivité sensorielle et cérébrale ; le ralentissement, l'aspiration à la tranquillité, la démotivation vont lourdement apparaître à l'observation de l'entourage. On relèvera l'atonie de différentes fonctions (intestin, vessie), mais le déclin de la sensibilité générale, de la réflectivité générale, l'asthénie apparaîtront comme des symptômes de vieillissement vasculaire, le pouls sera plein et dur et contrairement à Aurum, dont les explosions colériques sont redoutées, il y a chez Opium une indifférence complète avec diminution du sens affectif et moral. On est dans les prémices de l'accident vasculaire, de l'immobilité fondamentale, de l'accident hémiplégique avec lourde respiration, rougeur sombre du visage, mais dans tous les cas les sueurs sont chaudes, le pouls est dur, et le malade réclame la fraîcheur de la pièce.

Histoire de M. B. ou la conversion à l'homéopathie :

L'orientation décisive de la pratique se situe souvent à partir d'une expérience d'humilité. Je suis appelé à titre de consultant au chevet de M. B., âgé de soixante-dix ans, en 1969, riche banquier célibataire, par l'intermédiaire de l'humble et dévouée garde-malade, non professionnelle, qui l'assiste. Ma visite succède à celle d'un éminent neurologue. Ce malade atteint d'athérosclérose cérébrale avec troubles cérébelleux, sans signes parkinsoniens, est entré dans un coma profond. Le passage bref du neurologue ne laisse aucun espoir ; l'examen établit le tableau de l'ictus de façon assez complète ; le malade se découvre sans cesse avec son bras valide ; il est pourtant d'une frilosité connue et très marquée. Une dose d'*Opium 15 CH* rétablit le malade en trois jours. En cinq ans, huit comas se sont installés avec apparitions de manifestations épileptiques qui toutes ont été désamorcées par *Opium*. J'avais été convié au chevet du malade pour ses derniers instants de vie, sur l'invitation d'une personne dévouée qui n'était pas membre de la famille. Plus tard, j'appris que celle-ci n'acceptait pas trop de me voir prendre les intérêts de ce malade. Pour des raisons que Balzac saurait transcrire, mon action était inopérante au dire de ses héritiers... Et pourtant, durant cinq ans, ce malade fut régulièrement réhabilité par ce remède. Lorsque le remède fut inopérant (coma sans réaction thérapeuthique), il s'agit alors d'une affection à germes pyocyaniques dont le malade fut guéri en peu de temps. Vérification *a contrario* de la fidélité du remède. L'humour cruel de la vie se manifesta par la mort accidentelle des héritiers dans un accident d'avion, avant la fin de M. B., mettant fin à quatre ans de dure attente.

Avec *Opium*, nous relevons les ralentissements spontanés de la vie, mais bien plus souvent qu'on ne l'imagine, les conséquences des thérapeutiques audacieuses distribuées au nom des technologies systématiques : instrumentation sur les défaillances de la vessie qui imposent des anesthésies locales répétées qui deviennent les causes très précises de la dégradation de la mémoire. Avec Causticum, nous entrons dans le salon du troisième âge. Et pourtant un remède ne se définit pas par une dégradation d'organes. C'est l'esquisse, la silhouette d'un individu liée à ses tissus. Il couvre l'espace et le temps : c'est un remède du troisième âge dont les indications chez l'enfant sont nombreuses. Apparent paradoxe du contenu comportemental qui définit une enfance déjà accablée par les signes de la sénescence. La définition d'une physiologie est riche de nuances, et l'état civil ne s'en approprie pas les frontières.

Avec Sulfur était défini un personnage riche en couleurs avec les preuves évidentes d'une énergie circulatoire marquée par un rayonnement centrifuge, tout est constant effort pour brasser en surface vers la peau les prolongements d'un métabolisme éclatant, voire pléthorique.

Avec Causticum, la tendance s'inverse, tout va avoir tendance à stagner, à ne pas guérir. C'est le processus centripète des défenses qui marque le repli et les heures sans gloire. C'est le remède des gens usés, aux maladies chroniques avec baisse progressive de la vitalité ; on perd ses tissus de soutien, on est ralenti, mal assuré dans sa mécanique articulaire avec des muscles faibles qui ne soutiennent plus...

La nutrition est altérée, le sujet s'émacie et laisse apparaître ses saillies osseuses. La fragilité des voies respiratoires montre bien l'entrée dans le troisième âge. La toux perd de sa force expulsive, le catarrhe s'installe avec faiblesse de la voix et enrouement. Les tendons se raccourcissent et les muscles deviennent réticents à l'ordre volontaire. Les ennuis urinaires apparaissent : l'urine tarde à venir, le jet perd de sa force. Les articulations se plient et se déplient mal. La peau est sèche, se charge de pigments ou de productions verruqueuses.

Cette dégénérescence chez ce raide et rétracté, où les rides sont autant dans l'âme que sur le visage : telle est la vieillesse de Causticum. Ses dents se déchaussent, sa langue est incertaine.

Le visage blafard, les paupières tombantes ne reçoivent plus les émotions heureuses. Il voit tout en noir, plus encore chez les autres que pour lui-même.

Depuis longtemps, les plaisirs de la table lui ont été interdits, les autres plaisirs du corps sont des souvenirs lointains ou si rares qu'il en recueille plus d'effort et de crampes que de joies...

O rage, ô désespoir !...

Ce frileux transi, que le froid habite dans le plus profond de sa parcelle de vie, traîne son existence ramassé sur lui-même, et cette déchéance se concrétisera par une paralysie du côté droit qui laissera ses membres inertes et refroidis.

Mais le tableau de l'enfant Causticum nous porte devant la continuité et le maintien de l'espèce : maigre, lent à marcher, à parler, l'enfant assure mal le contrôle de ses urines, il aura peur du crépuscule ; il aura peur des ombres que la nuit étire, il a ce côté craintif et mal assuré de ce Causticum du troisième âge. C'est dire le large horizon de ce très grand remède, qui refuse le cloisonnement chronologique pour faire éclater son identité.

Bien entendu, la vie diminuée au niveau de certains appareils va appeler une assistance technique ponctuelle.

L'appareil nerveux

Il y a du lésionnel irréversible, et l'homéopathie ne possède pas la L. Dopa qui a transformé le tremblement sénile de la grande maladie de Parkinson. Mais les petits tremblements, les syncopes, les amnésies transitoires, les instabilités du schéma corporel sont efficacement combattus par *Gelsemium*, *Arnica* (grand remède de la tête au troisième âge, ainsi que *Plumbum*), tandis qu'*Argentum nitricum* trouve son indication dans les états de grande agitation, de grande précipitation chez les hommes surtout, peu initiés à la dégradation de la santé, et qui la combattent avec une nervosité anxieuse en flagrant contraste avec la diminution de leurs possibilités physiques et la cohorte des peurs : d'être seul, de la mort, de la maladie incurable, du vertige, de traverser les espaces étroits. Argentum nitricum est toujours précipité, surtout lorsqu'il a peu de chose à faire, il court après le temps qui est son principal ennemi.

La réduction de la circulation capillaire cérébrale et périphérique est le témoin de la sénescence. Les capillaires sont les gardiens fragiles de notre vie ; leur barrière de quelques millièmes de millimètre nous protège contre le risque vasculaire : ceux-ci rompus, et c'est la redoutable dégradation du système nerveux, sous la forme de l'hémiplégie. La fragilité du système capillaire appelle de sérieuses réserves sur les transfusions de sang ou de sérum, massives, répétées chez le vieillard ; le gonflement dangereux de la masse sanguine présente des risques évidents pour les parois capillaires. *Aurum, Arnica, Secale cornutum, Plumbum, Cresol* sont les remèdes bienfaisants de la prévention vasculaire. Le troisième âge subit une réduction importante de sa ventilation : la consommation d'oxygène diminue de 20 %, le transfert de l'oxyde de carbone de 40 à 60 % à partir de soixante-dix ans, entraînant l'asthénie musculaire et l'essoufflement à l'effort.

Ambra grisea, Carbo vegetabilis, Baryta carb, Antimonium tartaricum, Senega, Ammonium carb luttent efficacement contre le catarrhe chronique et atténuent la vulnérabilité aux variations hivernales.

La vue baisse au troisième âge, l'œil est un tissu sensoriel, hautement spécifique, à proximité du cortex cérébral et toujours dépendant de la fragilité de son réseau vasculaire. La sclérose du cristallin (cataracte), les modifications du gel vitré (filaments, mouches volantes, anneaux, phosphorescence) traduisent le vieillissement physique de la substance de base. C'est au cours de la cataracte que le médecin peut se rendre compte de la vocation à l'Homme Total du remède homéopathique, de la finesse de l'infiniment petit face à des obstacles, non plus fonctionnels mais de plus en plus précis et matérialisés. Avec *Naphtalinum* (la naphtaline infinitésimale) on trouve un excellent remède quotidien de la cataracte qui sera épaulé par les modificateurs de la trame vasculaire et minérale (*Natrum mur, Calcarea fluorica, Silicea, Causticum, Sulfur,* frein au mauvais usage des sucres et hydrates de carbone au niveau des tissus). Les menaces vasculaires sont les plus graves. Il faut certes saluer les interventions bénéfiques au rayon laser, mais les statistiques sont précises sur les succès, moins sur les échecs !... La technique est bonne, l'échec s'explique par la mauvaise qualité des tissus du patient : c'est justement le problème posé par le troisième âge : avec *Hamamelis* et *Arnica* ; avec les serpents utilisés en homéopathie : *Bothrops, Crotalus, Lachesis,* on dispose des meilleurs protecteurs de la thrombose, où les veines noirâtres, dilatées en chapelets, en bourrelets, se réparent de façon très encourageante, voire spectaculaire, si l'action est prolongée pendant plusieurs mois.

Le jeune médecin qui s'initie à l'homéopathie est voué à de grandes joies dans sa vie quotidienne, dans l'opération réelle qui a nom guérison, spécialement dans le domaine oculaire, et l'anecdote ci-dessous est pleine de sens sur l'étendue du remède et la formation multidisciplinaire du médecin. Une malade se présente par un hasard singulier : Russe tibétaine de soixante-quinze ans, elle transite à Paris pour rejoindre un de ses descendants outre-Atlantique. Le motif de sa consultation : arthrose des genoux ; le remède identifié de la personne aboutit à un meilleur équilibre articulaire et, me dit-elle : « J'enfile des aiguilles et je fais des travaux de couture qui m'étaient interdits auparavant ! » Vertiges et surdité sont des événements vasculaires et sensoriels durement ressentis au troisième âge. Ils imposent prudence et ralentissement et accroissent l'anxiété (surtout chez Argentum nitricum). *Phosphorus, Cocculus, Conium* sont des correcteurs sécurisants, hélas moins connus que les vaso-dilatateurs à publicité tapageuse.

L'espérance de vie est fondamentalement liée au métabolisme, à l'alimentation trop riche ; l'abondance des corps gras et des sucres rend le bilan excédentaire et précipite vers l'obésité et l'athérome. Les montagnards de la Nouvelle-Guinée avec des rations alimentaires autour de 2 300 calories centrées autour des céréales, avec 3 % de graisses et 25 % de protéines finissent centenaires ; mais leur exemple ne touche pas notre société où dix millions de repas industriels sont servis chaque jour. La sénescence métabolique, c'est la psore et cette intoxication trouve ses remèdes fondamentaux : *Sulfur, Lycopodium, Graphites ;* ses remèdes accessoires : *Berberis* (reins), *Solidago* (foie), *Aesculus* (vessie), *Bryonia, Pulsatilla* (muqueuses), *Aconit, Glonoin* (artères), *Mezereum, Dulcamara* (peau). C'est une courte esquisse d'une stratégie défensive qui, jointe aux règles d'hygiène alimentaire, amènera à reculer les menaces de l'athérosclérose. Les troubles de la fonction intellectuelle, le ralentissement sont la grande préoccupation du troisième âge. Ils sont inscrits dans les plans de la vie, ils vont de pair avec le ralentissement de l'exécution motrice objectivée au cours des tests de psychométrie. L'affaiblissement du raisonnement, la dégradation de la mémoire immédiate sont des signes de la déperdition cellulaire ; mais la situation est infiniment plus nuancée, plus qualitative que matérielle. Les lois du vieillissement dépendent du niveau intellectuel et culturel, de l'entraînement, support réel de l'intelligence. Certes les altérations de perception sensorielle entraînent la restriction qualitative de la pensée ; non seulement il est difficile de s'inventer des intérêts nouveaux à la fin de sa vie, mais l'âge biologique assèche la soif de connaissances. Le Carbonique manuel, lent, atone, diminué dans ses modalités motrices qui sont sa raison d'être, aura des difficultés de concentration, des appréhensions, de la pusillanimité, des régressions, des anxiétés que le froid intérieur et extérieur accroît.

Les agités : Nux vomica, Argentum nitricum, Medorrhinum, Nitric acid, auront des fuites intellectuelles à travers un rythme toujours vif. Silicea, ce mal charpenté du destin par sa minceur, d'aspect souffreteux depuis l'enfance, opposera sa rage de vivre ; obstiné, têtu, il refuse la retraite et s'occupe constamment, comme pour triompher de sa propre image de faiblesse, vaincre sa débilité jusqu'à la mort.

Phosphoric acid, Zincum, Baryta carb sont des accablés dans une sclérose et une rétraction qui peuvent atteindre la compréhension verbale.

A la fatigabilité intellectuelle viennent se superposer les difficultés de concentration et l'affaiblissement de mémoire, limité mais durement ressenti. La recherche du mot juste va précocement concerner les vasculaires hypertendus (Baryta carb, Plumbum) : L'emploi systématisé d'*Arnica* vient renforcer l'action de ces importants remèdes. A l'agacement mental devant les fuites et le déficit, on recherchera soigneusement les attitudes dynamiques (Argentum nitricum est agacé par sa précipitation et son impossibilité de trouver le mot juste). Lycopodium et Staphysagria sont des bilieux offensés, humiliés et vexés parfois d'avoir déjà oublié ce qu'ils viennent de dire. Les lents carboniques (Natrum carb, Calcarea carb) oublient aussitôt ce qu'ils croient avoir bien enregistré. Anacardium, Kali phos se sentent ragaillardis par le passage à table. L'euphorie des moments de table leur donne du moral et meilleur horizon intellectuel. Hyosciamus reste des heures sans rien dire, le regard fixe et emprisonné par des soupçons et des pensées obsessionnelles. Nux vomica, Sulfur sont les représentants de la

301

surcharge métabolique nutritionnelle dont les carences de mémoire sont les prolongements. Le troisième âge bénéficierait d'une prescription non commercialisée, efficace et sans exigence de l'individualisation : *Piper methysticum* (D3 en trituration ; une pincée deux fois par jour). En quelques mois, il permet de regagner glorieusement quelques places fortes dans le domaine de la mémoire.

Les troubles affectifs du troisième âge dépendent beaucoup moins du vieillissement des cellules que des réactions de défense en face du vieillissement mal perçu de son corps. La représentation de la vieillesse est plus claire pour les autres que pour le sujet lui-même. « Non seulement notre inconscient veut ignorer l'âge, mais il entretient l'image d'une éternelle jeunesse ; quand cette illusion est ébranlée, il en résulte chez de nombreux vieillards un traumatisme narcissique qui engendre une psychose dépressive » (S. de Beauvoir).

L'agressivité se retourne contre soi-même, ou s'intériorise, ou devient silencieuse (Ignatia, Natrum mur, Phosphoric acid), ou on voit le pire, on se fait des montagnes de petites choses (Thuya, Arsenic album, Gelsemium, Argentum nitricum).

On devient hypocondriaque parce qu'on vit mal les maux réels, que l'on absorbait mieux quelques années plus tôt. L'hypocondrie est un appel au secours bien naturel ! C'est l'émergence des sensations mal contrôlées. Kali carb est effrayé par la faiblesse et la lourdeur de sa charpente physique, son dos l'oblige à s'étendre et à analyser sa faiblesse et son relâchement. Arsenic album et Phosphorus voient leurs maux s'alourdir, lorsqu'ils se sentent seuls. Le toujours vif Argentum nitricum ressent la hantise de la maladie à travers des muscles ralentis. Causticum, Hyosciamus ruminent des sentiments de préjudice. Les aberrations mentales ne tardent pas à apparaître : Hyosciamus et Anacardium se croient entourés d'ennemis ; Kali brom. se croit poursuivi par la police ; Aurum, Plumbum, Natrum sulf. voient naître à partir de la lourdeur de l'esprit et de leur corps des pulsions à mettre fin à leur existence.

La jalousie du troisième âge est le résultat de déplacements affectifs. L'image de ses propres insuffisances se transforme en agressivité à l'égard du conjoint (Lachesis, Nux vomica) ; Hyosciamus est l'exemple thérapeutique de démonstration courante à l'échelle sociale. L'excitation cérébrale et psychique conduit aux aberrations d'interprétation, à la méfiance, à la querelle, aux reproches continuels contre le conjoint, aux soupçons (peur d'être empoisonné !).

La jalousie ici s'alimente à partir de la puissance du délire d'interprétation et aussi d'une certaine excitation sexuelle qui les amène à fréquenter les salles obscures et les spectacles interdits. Merveilleuse continuité de ce remède qui enjambe le temps puisque Hyosciamus, à l'âge scolaire, est un enfant cruel, agressif et sadique, et cette agressivité saute de l'enfance pour reparaître au troisième âge, à l'heure du désengagement professionnel. Bien entendu, ce rude antagoniste se croit normal, méprise le secours du médecin, qu'il ne fréquente jamais, et c'est souvent l'épouse éplorée qui vient remercier le médecin du secours d'*Hyosciamus* distribué à son insu.

Parmi tous les symptômes qui vont se superposer dans le tableau de la sénescence, le plus important est sans doute l'interrogation sur la FIN prochaine. Il encombre la réalité, les manuels, la littérature, en projetant son caractère irrationnel et subjectif. Entre le sens de l'étape complémentaire à la naissance et celui négatif de la mort, la maladie s'intercale comme voie d'accès à la mort et de ce fait concerne le corps médical. Tout ce que la science nous apporte dans la connaissance du monde et de l'homme, la recherche entre l'effet et la cause deviennent des interprétations négatives dans le problème du maintien de la VIE, et l'homme se retrouve devant l'interrogation du sens qu'il doit donner à sa propre existence.

Incontestablement, un aspect spirituel est lié à la fonction thérapeutique du médecin. Celui-ci peut atténuer subjectivement l'affaiblissement physique ou psychologique du vieillard ; il remplit spontanément le rôle partiel que les autorités religieuses de tous bords assument dans la défense des valeurs spirituelles. Pour accéder à ce rôle, il faut une formation sur le sens de la vie à défendre ; l'enseignement à la faculté d'un grand nombre de sciences ne permet pas de guider le médecin dans cette voie. Il ne peut négocier que ce qui lui a été enseigné. Or ce complément *n'est pas donné*, il doit le trouver.

La médecine homéopathique se sent justement investie par cette formation. Elle sait qu'elle a donné la priorité aux *signes cliniques humains* et en valorisant ceux-ci renoue le vrai dialogue médecin-malade.

La connaissance de l'homme est à chaque pas associée à l'art thérapeutique. L'analyse infinitésimale, pharmacologique, est une éthique qui se complète par le regard de synthèse sur l'homme à chaque pas de son évolution. Ce n'est donc pas le simple *dialogue* qui l'engagerait dans une relation personnelle reconnue indispensable aux yeux de tous, spécialement au troisième âge.

Notre société a élargi l'état civil par le progrès scientifique et surtout par l'hygiène : n'augmente-t-elle pas cruellement l'inquiétude du troisième âge dans les besoins qu'elle ne peut satisfaire, dans une écoute qu'elle ne peut lui donner ? En évaluant ses besoins, en établissant des circuits de distribution, permet-elle au troisième âge, moins pourvu matériellement, de recevoir autre chose qu'une prescription : *l'écoute n'est pas conçue* dans la nomenclature des besoins et c'est ainsi que le troisième âge, si heureusement à l'écart de la consommation médicale dans le passé, s'y est réintroduit, et la relation personnelle avec l'autre, la sympathie, est ramenée à une prescription répétitive et monotone de vaso-dilatateurs dont chacun s'accorde à admettre qu'elle est dangereuse et souvent peu physiologique.

La médecine tend vers un effort constant de la qualité ; la médecine homéopathique se veut qualitative par une certaine différenciation. C'est une médecine de la personne qui englobe la connaissance somatopsychique dans une recherche permanente de la personnalité. Le troisième âge n'aspire pas réellement à une médecine de confort qui consiste à anesthésier toutes ses sensations désagréables sans que son sens de la vie s'en trouve enrichi, alors que celui de la mort le pénètre de plus en plus.

La médecine homéopathique est une écoute large d'un dialogue qu'elle sait *hiérarchiser et valoriser* en vue des actions thérapeutiques partielles qui sont la vraie relance *du sens de la vie*. Lorsqu'on atténue objectivement les effets d'une cataracte, d'un glaucome, lorsqu'on donne du *souffle* à un dyspnéique sans les effets de la réaction médicamenteuse secondaire, lorsqu'on atténue en double aveugle avec *Hyosciamus* et *Nux vomica* l'agressivité psychosomatique, n'est-ce pas une loyale exécution du contrat qui nous est demandée ?

Certes, nous atténuons les résonances émotionnelles des infirmités, mais par la compréhension des maladies chroniques, par des victoires partielles sur elles, nous donnons au troisième âge un plaisir (partiel) à être vieux et à se libérer des mauvaises interprétations sur le sens de la mort. Notre supériorité d'homéopathe est de pouvoir analyser, expliquer les échecs, les aggravations, la reprise de certains troubles, l'apparition de réactions anormales ou paradoxales.

Le vrai dialogue médecin-malade, c'est l'atténuation de la négativité de la fin de la vie par des *opérations thérapeutiques réussies partiellement*; c'est la transformation réelle des revers de santé en incitation à la vie. Elles permettent au troisième âge de ne pas s'enfoncer dans l'angoisse d'un manque d'action réel du corps médical sur la sénilité.

Dans la santé, les lois sont centrifuges, le respect homéopathique se porte toujours sur la périphérie, les frontières qu'il faut s'abstenir de traiter de façon intempestive ou en combat séparé. Un catarrhe nasal deviendra une atteinte pulmonaire plus redoutable, une affection dermatologique, manifestation externe combattue, relancera une hypertension ou un accident vasculaire aigu au niveau de l'œil.

L'abord doctrinal homéopathique donne un contenu à la notion de l'homme total, supérieur à celui d'une seule vision philosophique; les principes qui commandent la prudence thérapeutique découvriront demain dans notre médecine le complément à ce dialogue médecin-malade au troisième âge. Les malades l'ont bien compris, ceux du troisième âge qui, défavorisés par un ridicule niveau de remboursement, continuent de fréquenter la médecine homéopathique : ils sont conscients que nous nous dégageons d'une stéréotypie de prescriptions, des vaso-dilatateurs et des oxygénateurs du cerveau, soumis à la diversité des appellations. L'effet réactif du corps, entrevu par Hahnemann, rend négatif les actions à long cours du quantitatif, la prescription infinitésimale qualitative est un ajustement permanent des possibilités *limitées* du troisième âge : la recherche thérapeutique est permanente; la récupération de mémoire après quinze mois d'un remède de fond stimule le praticien dans la recherche et l'application qui est faite pour *l'autre* et non pas pour une statistique biologique d'animaux de laboratoire (« On n'est pas

vieux tant que l'on cherche et qu'on persévère en homéopathie »).
Les malades encouragent nos efforts, comme s'ils se sentaient
élus d'une recherche qui ne s'épuise qu'avec la fin de l'autre,
c'est-à-dire le médecin lui-même. Toutes les études sur la
sénescence sont commandées par les moyennes mesures des
actes volontaires moteurs.

Bourlière a soutenu que la capacité d'acquisition de l'homme
au troisième âge demande simplement plus de temps sans
atténuer la qualité de la production : seul son rendement est
différent. Comme l'écrit Ajuriaguerra : « Déterminer qu'un sujet
n'atteint pas ou n'atteint plus telle performance est autre chose
que savoir comment il y parvient, pourquoi il n'y parvient plus. »
En définitive, en clinique, il est presque toujours plus important
d'essayer de saisir *la structure d'un comportement que d'en
mesurer les limites !*

Si la médecine homéopathique sait ne pas s'enfermer dans les
notions abstraites d'aphasie [1], d'apraxie [2] et d'agnosie [3], elle reste
attentive dans son observation à la démarche prophylactique dans
l'étude de la sénescence. Quand elle dépeint les tableaux
communs du premier et du troisième âge de Silicea, Causticum,
Lycopodium, l'acné juvénile ou la dermatose sèche du vieillard
justiciable d'un seul remède (*Psorinum*), elle décrit la vie, elle
englobe la connaissance freudienne et l'ontogénèse, elle reste
ainsi respectueuse dans son approche constitutionnelle des
schémas hérités de l'espèce.

---

1. Aphasie : perte de la parole.
2. Apraxie : perte du geste volontaire.
3. Agnosie : perte du sens d'identification des objets.

CINQUIÈME PARTIE

LES ALLIÉS
DE LA VIE QUOTIDIENNE

Bon nombre de symptômes de la vie quotidienne, aigus ou sub-aigus, seraient maîtrisés par les applications judicieuses de l'infinitésimal si une information, une éducation voulaient bien être assurées auprès du public. L'infection tant redoutée des familles, les fléaux de la rhino-pharyngite, les maux aigus de la vie courante seraient traités avec douceur et opportunité, sans recours systématisé aux armes lourdes de la thérapeutique allopathique. Cette pédagogie pratique du secours au premier degré deviendrait une expérience économique et sociale considérable qui élèverait les médecins homéopathiques au rang de partenaires sociaux privilégiés auprès de l'administration de la santé publique.

Pour les incrédules du corps médical, ce serait une invitation passionnante aux réalités de l'art de guérir. Bien vivre sa vie quotidienne, c'est le vœu du public ouvert à tous les espoirs, donc à tous les essais... Mais l'assignation d'un remède à une maladie donnée est une violation du principe de similitude. Tous les homéopathes condamnent la communication d'une reconnaissance rigoureuse à des fins pratiques, celles qui autorisent les gestes audacieux, l'automédication et les ambitions démesurées face à la maladie. La médecine assure depuis des millénaires les combats de la vie avec sa proportion de succès et d'échecs, et la juste appréciation de l'expérience nourrie chaque jour avec humilité.

309

Thérapeutique à usage quotidien

Les lexiques ont le côté dangereux de toutes les ouvertures faites à des non-initiés sur une immense expérience clinique et biologique. Ce n'est donc pas l'enseignement d'une pratique quotidienne, mais l'initiation à quelques réflexes thérapeutiques de base, avec l'évidence d'une médecine à la mesure d'un homme qui s'exprime par son langage et ses symptômes. Ces secours doivent toujours précéder le recours à l'homme de l'art qui saura seul apporter son expérience dans les affections chroniques et aux maladies de terrain au pronostic toujours délicat.

Crise d'acétone

Senna 4 CH (le séné) est une indication classique de l'état nauséeux d'un hépatique encombré avec une haleine caractéristique. *Lycopodium 9 CH* une dose deux fois par mois est son grand complémentaire.

Acné

Les résultats sont de loin supérieurs à l'allopathie dans cette affection désespérante de l'adolescence. Il existe un facteur génétique associant une hyperproduction de sébum et une surinfection. Traitée abusivement par des antibiotiques continus, cette affection reprend instantanément le cours de son évolution à l'arrêt de la thérapeutique. C'est le modèle des affections de terrain où le remède à usage local sans support constitutionnel et diathésique est voué à l'échec le plus net.

Chez un sujet maigre à fort appétit, à séborrhée très partielle siégeant au front : *Sulfur iod, Selenium* sont les satellites d'un grand serviteur constitutionnel : *Natrum mur. Chez le sujet gras*, la séborrhée est plus franche ; il faut traiter l'insuffisance hépatique (*Raphanus, Juglans*), combattre les excès d'assimilation (*Antimonium crudum*).

Mais le médecin homéopathe doit être vigilant aux variations

310

menstruelles, et l'administration d'une dose de *Folliculinum 9 CH* au quinzième jour et d'*Histaminum* au seizième est toujours bénéfique. Il veillera à régulariser les cycles tardifs chez les jeunes filles rondes, timides, rougissant et pleurant facilement (*Pulsatilla*). Chez l'adolescent boutonneux, d'aspect mal lavé, la prescription d'un grand remède de fond, *Sulfur*, doit être envisagée et conduite par l'homme de l'art.

Certaines localisations sont spécifiques : sur le front, *Natrum mur ;* sur le dos, *Kali Brom.* La majoration prémenstruelle appelle la prescription de *Kali bromatum* et d'*Eugenia.* Lorsque la suppuration est lourdement présente avec pustules de mauvaise odeur, on pensera à *Calcarea sulf, Hepar sulf,* complémenté par *Staphylococcinum 9 CH* en doses bimensuelles.

Le médecin devra se livrer à des enquêtes très précises pour éliminer les origines médicamenteuses de plus en plus fréquentes — les contacts avec les produits cosmétiques (*Bovista*) — et écarter l'usage des sucres et du chocolat.

Sans éliminer la notion héréditaire, infectieuse ou hormonale, la médecine homéopathique apporte des touches originales comme l'emploi des *tuberculines* et la prescription adaptée de *Sulfur* ou de *Lycopodium.* C'est une stratégie réconfortante que les dermatologues se refusent à entrevoir en limitant les combats au domaine superficiel de l'épiderme...

Angine

Les angines sont une forme particulière de pharyngite aiguë débordant sur le voile du palais et les piliers adjacents. L'angine est, avant tout, d'origine virale, plus rarement microbienne (staphylocoques, streptocoques).

Elle se traduit par une douleur assez intense, associée à une sensation de constriction pharyngée, de brûlure, de gêne à la déglutition. Ce vif état inflammatoire peut s'accompagner de fièvre, de céphalée, d'empâtement des ganglions cervicaux avec, souvent, de l'hypersalivation. On a l'habitude de distinguer *l'angine rouge ou à points blancs* d'origine virale ou streptococcique : un enduit crémeux recouvre les amygdales ; le problème diagnostique prioritaire est l'attention particulière à apporter au

311

streptocoque responsable du rhumatisme articulaire, de complications cardiaques, voire d'atteintes rénales. Les angines peuvent être ulcéreuses (angine de Vincent), vésiculeuses, pseudo-membraneuses et se compliquer d'inflammation intense du tissu périamygdalien : c'est le phlegmon bombé de l'amygdale avec œdème, douleur intense et difficulté de déglutition.

La taille de l'amygdale n'est pas toujours synonyme d'infection, certaines apparaissent volumineuses, voire obstructives ; elles sont souvent inoffensives alors que l'amygdale petite, enchatonnée, pseudo-scléreuse, est un véritable piège à infection.

Virale ou microbienne, l'angine requiert pour l'homéopathe l'individualisation. Les modalités qualificatives de la gêne fonctionnelle (brûlures, douleurs piquantes), la sensibilité aux facteurs atmosphériques et thermiques, d'ambiance, au froid, au chaud, aux températures extrêmes déterminent des *conditions d'exacerbation* qui révèlent l'identité défensive du sujet atteint ; ce sont des opérations, de fines opérations d'observations cliniques qui conduisent à une précision thérapeutique et écartent l'affection ou le danger d'un streptocoque rebelle.

La gorge peut être rouge et douloureuse :

Avec Apis (l'Abeille), il s'agit d'une rougeur vive, brillante, avec œdème de la muqueuse et grand désir de boire frais. On appréciera qu'associée à l'angine se développe une insuffisance passagère de la fonction urinaire.

Avec Guaiacum (gayac), l'angine est rouge, brûlante, et appelle les mêmes conditions thermiques qu'*Apis :* le désir de combattre la chaleur locale par les boissons et les compresses froides.

Belladona (la belladone) est le remède personnalisé, mais de large indication, dans l'angine rouge, précoce, avec sécheresse, sensations de brûlures et difficultés de déglutition. Mais cet état inflammatoire entraîne de vives réactions générales (douleurs au toucher, abattement, sensibilité à la lumière, au moindre bruit).

Lorsque la rougeur est plus sombre, violacée, elle peut indiquer Phytolacca (Phytolaque) ou Lachesis (serpent Lachesis), apaisés par des boissons froides. Avec Baptisia (indigo sauvage), le phlegmon s'annonce. L'atteinte de l'état général est très marquée et les sécrétions et excrétions sont empreintes de fétidité.

Les modalités d'ambiance sont les révélateurs des capacités réactionnelles de chaque patient qui se trouve précisément identifié. On est aggravé par les boissons chaudes : Apis, Lachesis, Phytolacca. On recherche les boissons chaudes : Arsenicum album, Hepar sulfur, Rhus tox, Spongia. Certains contractent une angine en se refroidissant (Hepar sulfur, Dulcamara, Phosphorus, Silicea, Mercurius). D'autres seront les victimes désignées du temps humide (Dulcamara, Hepar sulfur, Rhus tox), et l'angine à tout changement de temps sera traitée par *Calcarea carb.*

L'homéopathie relie l'information de la gorge à des troubles à distance du corps, à des insuffisances rénales, voire des surcharges qui précèdent les périodes menstruelles. C'est ainsi que l'angine précède régulièrement la période menstruelle chez Lac caninum et Magnesia carb. On recherchera les dépôts caséeux dans les amygdales avec expulsion de caseum fétide caractéristique de Kali mur et de Psorinum.

L'extension de la douleur à l'oreille bénéficiera dans les premières heures de *Belladona* puis de *Mercurius cyanatus*, *Phytolacca* ou de *Nitric acidum.*

Le médecin homéopathe sera toujours en alerte devant les localisations préférentielles de l'inflammation. Les latéralités exclusives indiquent des remèdes précieux d'action générale pouvant conduire à la compréhension de troubles généraux de la personne, c'est-à-dire de l'unité mise en cause, laissant émerger un point de faiblesse défensive, sous la forme de l'amygdalite. Lycopodium a une localisation droite ; Lachesis a une localisation gauche. Bromium et Thuya présentent de fins lacis veineux sur la surface des amygdales. L'homéopathe peut compléter la défense avec une organothérapie tissulaire spécifique, telle l'utilisation opothérapique d'extraits tissulaires amygdaliens, sous la forme dynamisée et infinitésimale. Il s'agit des suppositoire *Biothérapique amygdale 7 CH*, agissant par spécificité sur l'organe affaibli, sans développer de réactions de sensibilisation et capables d'induire une immunité locale favorable.

On peut constater que les stades chronologiques de l'inflammation sont soigneusement couverts par l'instrument homéopathique régi par des indications précises d'observation, d'application et de posologie.

La prescription de la quatrième centésimale renouvelée toutes les heures dans les états aigus de la gorge permet de combattre et de couvrir 80 % des affections de rhino-pharynx sans recourir à l'instrument antibiotique. La qualité du résultat dépend de la finesse et de la précision de l'observateur, et les associations lourdes et confuses de remèdes ponctuels ne garantissent pas l'efficacité d'action. L'homéopathe ne se désintéresse pas du conflit armé et des hôtes microbiens redoutables du rhino-pharynx comme le streptocoque. Mais il faut bien reconnaître que les répétitions et l'aspect chronique de la manifestation amygda-lienne appellent des interrogations d'une autre nature, c'est-à-dire les fléchissements prévisibles d'un terrain, d'un parcours évolutif, obéissant à des dérèglements biologiques prévisibles. C'est cet aspect du réarmement infinitésimal qui met la médecine homéopathique au rang des grands défenseurs de l'immunité individuelle.

Anorexie ou perte d'appétit

Les moyens introduits pour exciter l'appétit sont tout à fait propres à le faire perdre si leur emploi est artificiel ou leur usage excessif. Les habitudes s'installent et ne savent plus réveiller sainement l'appétit.

Les meilleurs moyens d'ouvrir l'appétit dans les conditions de santé équilibrée sont bien entendu le mouvement, les exercices en plein air en évitant les excès de boissons. L'affaiblissement d'appétit qui concerne le médecin pourra connaître différentes causes : l'état de convalescence ou d'anémie (China, Alfa alfa) ; l'inhibition après choc affectif (Ignatia) ; l'asthénie générale qui interrompt l'élan vers tout plaisir (Helonias, Sepia ne connaissent pas les joies de la table) ; enfin le surmenage et l'intoxication des organes de la digestion. A *l'étage gastrique*, la perte d'appétit à la seule vue des graisses peut être totale pour Sepia, Cyclamen, Pulsatilla. Pour Nux vomica, l'appétit et l'humeur s'assombris-sent après une série d'excès qui laisseront amertume et langue chargée. A *l'étage hépatique, Chelidonium, Taraxacum* corrige·

ront l'amertume et la mauvaise haleine. Sulfur commencera à inquiéter son entourage par sa soif et ses transpirations excessives, et ses variations imprévues d'humeur. A un stade plus avancé *Lachesis* concernera les patients excités durant la soirée et qui s'intéressent bien davantage à tenir des verres en main, en se détournant des mets solides.

Chez l'enfant, la perte d'appétit peut être intermittente ou périodique (Ferrum metallicum), une perte d'appétit totale succède à une période favorable. Pour Calcarea phos., l'appétit apparaît à certaines heures de la journée : faible à midi, fort à 16 heures. Enfin, deux remèdes constitutionnels hépatiques dominent l'enfance : *Sepia*, l'enfant triste, solitaire, a un dégoût total pour le lait, et *Lycopodium 4 CH*, le remède fondamental de la reprise de poids chez l'hépatique vite rassasié, intelligent, fatigable, exigeant et sélectif sur le plan alimentaire (il est attiré spécialement par les douceurs).

L'asthénie chez l'enfant

C'est une situation fréquente, de dépistage difficile ; on l'appelle fatigue mais elle est anormale. Elle n'est pas proportionnelle à l'effort et le sommeil n'est plus réparateur. L'enfant traîne avec une fatigue du matin, des maux de tête, des courbatures, un brouillard devant les yeux (Arnica, Gelsemium) ; une irritabilité l'accompagne également, rendant l'enfant difficile et peu sociable. Il paraît mou, paresseux, indolent ; il entre dans les troubles de l'attention et l'échec scolaire le guette. L'enfant a du mal à se lever, ne déjeune pas et paraît éteint. On apprendra du maître que l'insuccès n'a pas toujours existé, que l'enfant plafonne ; il est déconcertant par les alternances de bons et de mauvais résultats. Il échoue après avoir représenté une belle espérance. Le capital disponible de même que les réserves semblent avoir fondu.

L'importance de l'asthénie se dépiste sur le visage : l'atonie du regard peut être lourde de sens chez un longiligne au visage allongé triangulaire ; elle indique une rétraction, une mise à l'abri prématurée, peu perceptible sur les visages aux formes arrondies.

Les apports nutritifs pendant la grossesse peuvent jouer les

315

premiers rôles (vomissements, soucis, grossesse mal supportée ou mal acceptée). Une croissance rapide, un allongement précoce de la forme, le surmenage scolaire (l'entourage familial transforme dès l'âge de huit ans l'enfant en candidat aux hautes écoles...), les rhyno-pharyngites tenaces, les facteurs affectifs (conflits, inquiétude, censure lourde de ses propres instincts), insomnie par le froid, les excitations visuelles ou sensorielles : les facteurs sont en place pour conditionner le ralentissement.

On s'accorde à reconnaître que tous les médicaments sont mauvais ; ils abordent les effets et mobilisent passagèrement les forces. L'homéopathie, orientée vers le sens des comportements, sollicite et stimule la part humaine des réactions :

Fatigue chez un longiligne : Arnica, Calcarea phos, Silicea.

Peur : Gelsemium, Thebaicum.

Soucis : Ignatia ++++ (les programmes et les pressions de l'entourage) ;

   Kali brom (agitation désordonnée des mains, manies de mouvement chez les faibles) ;

   Kali phos (le signe majeur est l'*intolérance au bruit* avec un appétit très bien conservé) ;

   Phosphoric acid (refus de sortir ; réponse par monosyllabes).

Manque de confiance en soi : Anacardium, Lycopodium +++, Silicea ++, Pulsatilla.

Enfant rêveur : Thebaicum, Anacardium or, Kali brom, Zincum.

Oubli des mots, emploi de termes impropres : Kali brom, Lycopodium, Kali phos.

Confusion des syllabes : Causticum, Lycopodium.

Précipitation stérile : Thuya, Medorrhinum.

Lenteur de pensée : Opium, Cocculus, Helleborus, Phosphorus (le longiligne éteint).

Cicatrisation lente

Calendula (le souci des jardins) est l'étonnement permanent des générations médicales devant ses aptitudes à la réparation tissulaire. C'est le remède des blessures et des plaies qui

316

s'infectent, qui tardent à guérir. Il est très utile en application externe sur tous les tissus enflammés, les brûlures et engelures (en teinture mère ou en troisième dilution décimale). On peut l'utiliser en lavage de bouche (vingt gouttes de TM pour un verre d'eau tiède), en injections vaginales (cinquante gouttes par injection). Son action n'est pas seulement locale : c'est un cicatrisant des muqueuses et des tissus fragiles (seins). Il calme les douleurs traumatiques musculaires et dissipe la fatigue musculaire. Une préparation à base de calendula existe dans le commerce : *Homéoplasmine.* Son action antiseptique et cicatrisante est appréciée de tous.

Convalescence

L'arrêt de la maladie n'a pas permis le retour à l'état antérieur de santé.

La température peut se maintenir : *Pulsatilla,* bon draineur traditionnel, est avantageusement remplacé par *Vab 9 CH* (1 dose) et *Sarcolactic acid 15 CH* qui effacent la fièvre et rétablissent le tonus. Les sueurs peuvent persister *(China, Calcarea phos, Silicea).* Une importante asthénie s'installe et nécessite des toniques physiques ou nervins :

— *Alfa alfa 3 X* (nervosité + insomnie) ;

— *Avena sativa 3 X* (épuisement vital accompagné d'insomnie) ;

— *Vanadium 5 CH* (hypotension) ;

— *Scutellaria* (lourdeur frontale et ralentissement cérébral) ;

— *Calcarea phos* (perte d'appétit) ;

— *Gelsemium* (asthénie des membres inférieurs) ;

— *Zincum* (insomnie avec crampes et secousses des membres inférieurs) ;

— *Arnica 9 CH, Kali phos 9 CH* s'inscrivent en fin de parcours pour la restauration des forces et de la mémoire.

Anorexie

C'est un symptôme qui mérite d'être analysé au-delà de son sens fonctionnel. Il peut annoncer l'invasion prochaine d'une maladie ou représenter le stade ultime d'un état. Il faut distinguer cette situation d'un refus conscient ou inconscient de s'alimenter, entretenu par des conflits relationnels pendant l'adolescence (refus symbolique de vivre et de recourir à l'aliment).

Alfa alfa 1 X, Avena sativa 1 X, escorteurs de l'asthénie, deviennent les « stimulants » de l'estomac affaibli escortés de remèdes constitutionnels (*Calcarea phos*) et des soutiens à l'atonie gastrique plus fréquente depuis l'invasion des antibiotiques (*Chelidonium, Nux vomica, Cyclamen*). Le secours de *Lycopodium* en basse dilution devient inappréciable (appétit vite rassasié ou s'améliorant en cours de repas. L'atonie gastrique ou hépatique est mal évaluée dans les prescriptions généreuses au cours des affections quotidiennes. Une anorexie persistante doit s'accompagner d'une interrogation sur une dépression morale (*Conium, Helonias, Natrum mur, Sepia*).

Coryza aigu et rhino-pharyngite

Le nez, porte d'entrée des voies aériennes supérieures, assure un rôle important dans le conditionnement de l'air inspiré, dans le contrôle de l'humidité de la température ; il assure la défense contre les poussières, les germes figurés et les virus. Il est, de ce fait, exposé à la plus banale des affections : rhume ou coryza ; on continue de l'appeler, à tort, rhume de cerveau, en présumant le prolongement du malaise inflammatoire à la cavité crânienne.

A la suite d'un refroidissement, d'un changement brutal de température, le malade éprouve soudainement une sensation de sécheresse du rhino-pharynx, des maux de tête, des courbatures avec frissons. En quelques heures, des éternuements apparaissent avec un écoulement séreux, abondant, puis des picotements nasaux, une obstruction de l'orifice nasal particulièrement désagréable pendant le repos horizontal nocturne.

Les antibiotiques administrés par voie générale sont sans effet sur le virus, et toute thérapeutique n'est que symptomatique ou palliative.

L'explosion des symptômes va imposer au médecin homéopathe une observation individualisée, toujours à la recherche de

318

la réaction personnalisée de chaque patient, dans cette instance aiguë de détresse.

Il est possible *durant les six premières heures* et jamais au-delà de faire avorter le coryza par deux remèdes en posologie forte (toutes les demi-heures) :

— par *Aconit 4 CH* (aconit) : avec la sensation de sécheresse pénible, frissons, grande soif, peau sèche, agitation et surtout vive anxiété devant les phénomènes aigus. Le sujet ne transpire pas encore, il voit exploser son anxiété en réserve face à une agression inattendue ;

— avec *Camphora* (camphre) : on se sent abruti et glacé. L'air inspiré paraît froid. On devient vite prostré, frissonnant, à la recherche de la position horizontale, avec une sensation de froid de marbre ;

— avec *Nux vomica* (noix vomique) : le déclenchement de l'état respiratoire se fait toujours sur un terrain digestif déficient : grosse migraine, importante obstruction nasale la nuit, frisson au moindre mouvement, désir de rester enveloppé et de boire des grogs ayant ces parfums d'alcool qu'on affectionne en toutes circonstances.

Au comble de la *sécheresse olfactive* interviennent quelques précieux remèdes : *Sticta pulmonaria* (lichen pulmonaire), on cherche à se moucher sans résultats. *Arum triphyllum* (gouet à trois feuilles), la sécheresse va écorcher, fissurer les muqueuses jusqu'à les faire saigner, multipliant les efforts pour se gratter ou s'écorcher l'intérieur des narines.

Si la sécheresse se complique d'obstruction, il faudra recourir à *Ammonium carb 4 CH* (alcali volatil) lorsque, en pièce chaude en particulier, la respiration se fera bouche ouverte et pourra même s'accompagner d'asphyxie pendant le sommeil... *Sambucus 4 CH* (le sureau) est un remède héroïque de l'obstruction nasale chez l'enfant à végétations adénoïdes et à reniflements permanents, qui étouffe pendant le sommeil et qui se réveille en sueurs.

A la phase d'état du coryza, l'observation de la qualité de l'écoulement prendra la première place avec *Allium cepa 4 CH* (oignon), le coryza devient très irritant pour les parois, il s'aggrave le soir à la chaleur. Pour *Euphrasia* (Euphraise), l'écoulement nasal sera doux, tandis que s'enflamme toute la

319

muqueuse oculaire avec enflure et agglutination des paupières
C'est le grand remède de l'œil rouge aigu.

L'écoulement s'installe, s'épaissit et devient franchement purulent. La complication microbienne ne détourne pas l'homéopathe
de ses méthodes d'individualisation.

Avec *Pulsatilla* (pulsatille), on a perdu l'odorat, le goût
l'appétit. La langue est chargée mais on n'a pas soif, les yeux sont
larmoyants, on recherche plutôt l'air frais.

Avec *Hydrastis* (hydrastis du Canada), la sécrétion épaisse,
visqueuse, filante, tombe dans les cavités nasales postérieures.
La chaleur est mal supportée.

Avec *Kali bich.* (bichromate de potasse), l'écoulement visqueux, gélatineux, jaunâtre, sera aggravé au frais et aura
tendance à former des croûtes couvrant une muqueuse à la limite
de l'ulcération.

Avec *Mercurius sol.*, *Hepar sulf.*, l'écoulement peut s'accompagner d'enflure, de rougeur érésipélateuse de la muqueuse. Le
revêtement cutané se couvre de sueurs et s'accompagne de plaies
suppurantes. L'écoulement est très purulent, très fétide et
détériore de façon inquiétante l'état général, le malade est inondé
de sueurs avec gonflement de ganglions.

Il apparaît dans la thérapeutique homéopathique une attitude
nuancée, visant à objectiver les symptômes du malade lorsqu'il
résiste à l'agression et qu'il mobilise son autodéfense personnalisée. On peut remarquer aussi que la thérapeutique correspond
aux différentes étapes chronologiques de l'inflammation, développant une action coordonnée et nullement palliative ou standar-
disée. Il est possible au médecin homéopathe avec *Influenzinum*
d'assurer une certaine immunité préventive contre chaque forme
annuelle d'état grippal. Mais l'observateur homéopathique aura
soin d'observer les rythmes, températures et saisons, toutes les
variations de l'environnement qui prédisposent aux refroidissements. Chacun réagit à des facteurs climatiques ou à des rythmes
personnels. Les rhumes par temps humides concernent *Dulcamara, Allium cepa, Pulsatilla*. Par froid sec, *Aconit, Spongia,
Hepar sulfur, Nux vomica*. Les aggravations par courants d'air
sont traitées par *Dulcamara, Rumex* et *Natrum carb*. Les rhumes
de la chaleur de l'été seront traités par *Pulsatilla, Bromium* et
Natrum mur. Enfin, un coryza original, celui du cycle et des

saisons de la vie féminine, le coryza de la ménopause *(Lachesis)* chez la femme privée d'écoulement menstruel. En toutes circonstances, le médecin homéopathe saura observer la relation métabolique, les surcharges digestives, les écarts de régime (abus de farineux et de céréales) qui surchargent l'appareil digestif et font que cette affection n'est jamais une affection tout à fait locale.

Crampes

Ce sont les contractures musculaires involontaires et douloureuses siégeant le plus souvent aux membres inférieurs. L'origine et le mécanisme des crampes sont assez mal connus, et de ce fait les traitements symptomatiques sont seuls valables pour traiter cette asphyxie aiguë de la contraction musculaire.

Cuprum (cuivre) est le remède expérimental des troubles spasmodiques avec crispation en flexion des doigts et des orteils. C'est également l'indication des coliques abdominales saisonnières de l'été (après absorption de raisin largement arrosé de sulfate de cuivre). La prescription est plus sûre lorsqu'on retrouve les modalités d'aggravation (par le toucher, par le froid, à l'approche des règles).

Magnesia phos, ginko biloba sont indiqués dans les crampes des écrivains.

Colocynthis correspond au tempérament spasmodique, bilieux nerveux, agités colériques.

Rhus tox présente une amélioration généreuse par le mouvement dont il abuse pour apaiser ses tensions psychiques. La position assise, le repos nocturne prolongé font apparaître les crampes.

Tarantula est un peu le remède des jambes sans repos. L'anxiété semble se déplacer dans les membres inférieurs sous forme de décharges et contractions involontaires fulgurantes.

Cystite

La cystite est un syndrome manifeste d'inflammation marqué par la douleur, le besoin fréquent d'uriner et la présence d'urines troubles ou purulentes. Si plusieurs causes peuvent toucher l'appareil rénal et urinaire chez l'homme, chez la femme on rencontre souvent des cystites vraies sans lésions urologiques, qui ont la fâcheuse tendance à récidiver dans une chronicité éprouvante ; les agresseurs varient sans jamais être totalement dominés (colibacilles, proteus, entérocoques).

La douleur vésicale a un caractère parfois tellement violent qu'il n'est pas possible de dissocier l'identité de la victime. Sa réalité douloureuse va éclater en révélant son identité, ses aptitudes réactionnelles, et l'homéopathie va s'associer impérativement à ce canal d'information.

Dans l'inflammation aiguë, un remède domine la statistique : *Cantharis* (la cantharide, mouche d'Espagne employée en pharmacopée pour ses propriétés vésicantes.) La douleur sera brûlante et coupante, l'urine passe goutte à goutte, le malade souffrira avant, pendant et après l'émission d'urine, avec parfois le besoin d'expulser quelque selle. Le malade ne peut conserver plus de cinq minutes la moindre quantité d'urine. Pour quelques gouttes d'urine, le malade évoquera la douleur de plomb fondu ou de lames de rasoir.

Apis (l'abeille), remède d'urine rare, rouge, albumineuse, avec œdème des membres inférieurs.

Capsicum (poivre de Cayenne) aura une sensation de brûlure.

Mercurius corrosivus : le tableau est aussi impressionnant que *Cantharis,* les signes généraux seront plus marqués (ganglions, sudations, mauvaise haleine, salivation).

Avec *Terebenthina,* on voit apparaître une urine non seulement trouble, albumineuse, mais chargée de sang, à odeur de violette, franchement rouge ou d'aspect marc de café.

Formica rufa (la fourmi rouge) : l'inflammation est passée à son stade chronique. Fréquemment, des atteintes rhumatismales s'y associent avec des douleurs semblant changer de place, d'une articulation à l'autre.

Benzoic acid : l'urine prend une odeur ammoniacale, tenace, repoussante qui semble imprégner les draps, les vêtements et la chambre.

Les odeurs sont toujours évocatrices : *Ocimum* (le musc), *Murex* (la valériane), *Mercurius* (la souris), *Nitri acid* (l'urine de cheval). Lorsque la situation aiguë a été maîtrisée par des remèdes symptomatiques, la réactivité du patient devra être renforcée ; une véritable thérapeutique immunitaire doit se développer avec l'introduction des isothérapiques urinaires (remèdes de désensibilisation établis à partir de l'urine du patient) associés à une indispensable thérapeutique intestinale (la lutte contre la constipation). Il est étonnant de voir des remèdes comme *Sepia* (encre de seiche) et *Colibacillinum* traiter à la fois l'appareil urinaire et les prolongements psychiques déficitaires ; car l'état de tristesse, de découragement, d'anxiété réalise le tableau d'un ralentissement psychasthénique et doit souvent être rattaché à une cause colibacillaire. On relèvera une asthénie disproportionnée à l'effort, une fatigue, un découragement, une indifférence à l'égard des proches, qui font de la colibacillose le terrain de l'état mélancolique, voire hypocondriaque, et il est étonnant de relever les victoires sur la psychiatrie ou sur la psychothérapie, à partir de ces déséquilibres affectifs déficitaires, qui ont pour lointaine origine la colibacillose.

Diététique homéopathique

L'homéopathie ne se désintéresse pas d'une hygiène alimentaire. Les règles de l'individualisation homéopathique sous-entendent la notion de conseil diététique. Mais il va de soi qu'il n'est pas possible de développer avec précision et rigueur les règles qui soient à la fois celles d'un individu donné et d'une maladie également déterminée. Ce serait individualiser les règles de physiologie, les besoins de la maladie par rapport à un individu donné. L'ordinateur y pourvoirait à grand-peine.

Par contre, l'observation des types humains et l'expérience thérapeutique homéopathique révèlent des grandes lignes de forces. Les aversions ou aggravations alimentaires définissent souvent un individu et la ligne correctrice qu'il doit s'imposer pour le maintien de sa santé.

Sous l'angle constitutionnel

Les Carboniques se nourrissent toujours en excès, leur assimilation généreuse rend redoutable l'absorption d'hydrates de carbone : ce sont des aliments à vocation musculaire, exercice pour lequel ils ne sont pas toujours doués, leur surcharge est inconsciente, par défaut de mesure et de sensibilité à la surcharge. Statistiquement, 65 % de mort subite frappent de plein fouet les Carboniques à assimilation régulière, à humeur joviale qui s'exposent au risque par l'absence d'attitude préventive et insensibilité à la maladie. Certains semblent faire toutes les affections « debout », n'écoutent pas les médecins et sont fauchés entre quarante et cinquante ans par une affection soudaine (vasculaire) et qui trop longtemps silencieuse aura tardivement entraîné des réactions de défense. Leur situation pathologique est d'autant plus grave qu'ils en ont faible conscience. Les hydrates de carbone se transforment rapidement en graisse, en triglycérides et rendent leur sérum lactescent.

Ils ont une grosse capacité digestive (souvent un côlon large ou long) et leur circulation de retour laisse à désirer. Leur surcharge aboutit à la sclérose, à l'infiltration par l'eau qui est leur ennemi naturel.

Le Phosphorique longiligne garde l'avantage de la ligne sans trop contrôler ses entrées ; c'est un bon moteur à combustion dont le rendement est inégal, et la fatigue proportionnelle à la déperdition de ses sels minéraux (en particulier chlorure de sodium). Sa digestion est laborieuse, du fait d'une atonie qui le prédispose à de fréquentes entérogastrites rapides, sévères qui l'émacient souvent ; il maigrit en mangeant bien.

La compréhension des tempéraments est une ouverture vers une alimentation équilibrée.

Le sanguin, au métabolisme actif, bénéficiera d'une nourriture plutôt sèche, pas trop aromatisée, sans gibier, sans graisse. Pour lui une seule loi : apprendre à rester sur sa faim, à faire des jeûnes intermittents, rechercher une activité à dépense métabolique.

Le bilieux ne s'accommode ni des produits de la mer, ni des œufs ou du lait. Il s'accommodera de viandes grillées et de légumes en racines (peu de feuilles).

Le lymphatique a des impératifs alimentaires précis : nourriture sèche très aromatisée, concentrée, car il doit exciter son appétit, tout en évitant les légumes aqueux.

Le nerveux affectionne les nourritures chaudes aromatisées, concentrées mais pas trop sèches. Il aime tout ce qui est frais : légumes, poissons, fruits de mer, gibier frais, fruits mûrs. Ce tiède de l'existence, qui fuit les extrêmes, recherche l'alimentation légère, affectionne tout à petites doses, campagne, bon air, petites doses de soleil, marche dans la nature pour aider sa digestion.

L'homéopathie a fait son entrée dans la vie quotidienne alimentaire en raison des apports répétés, des erreurs et des adaptations imposées par les susceptibilités alimentaires.

Au départ l'infinitésimal avait pour vocation d'atténuer certaines absorptions accidentelles (arsenic, mercure, phosphore). La vie quotidienne, loin de nous offrir une mithridatisation, nous offre des intoxications accidentelles répétées ou provoquées par la qualité des aliments, des abus ou des intolérances, qui modifieront notre comportement alimentaire.

Nourriture excessive : Antimonium crudum (enfant), *Pulsatilla* (graisses), *Nux vomica* (les hommes d'affaires).

Viandes avariées : Arsenicum album et *Pyrogenium* (diarrhées fétides, cholériformes).

Diarrhée par fruits de l'été : China (distention considérable). *Cuprum* (diarrhées par raisins de l'été saupoudrés de sulfate de cuivre).

Intoxications :
— *par coquillages : Urtica urens, Lycopodium 15 CH.*
— *par fraises : Fragaria, Oxalic acid.*
— *par café : Chamomilla, Colocynthis* (tachycardie, névralgie, hyperréflectivité, coup de colère).
— *par bière : Kalibich* (troubles digestifs dans le nord de la France), *Aloe.*
— *par alcool, vin :* (tendance à l'éthylisme) *Nux vomica, Lachesis* et *Phosphorus* si atteinte hépatique grave.
— *par boissons gazeuses : China, Carbo veg, Kali carb,* déjà intolérant aux potages ; voit sa digestion s'alourdir de flatulences irrésistibles.

Intolérances :
— *au pain : Hydrastis, Natrum mur*
— *aux choux : Petroleum, Bryonia.*
— *à la viande de porc : Pulsatilla, Cyclamen, Ricinus.*
— *aux œufs : Ferrum, Sulfur.*
Aggravations cruelles par des aliments recherchés, le sucre par

exemple : *Argentum nitricum, Ignatia, Chamomilla, Sulfur.*
(On est attiré par ce qui nous nuit.)

Enrouement (dysphonies)

L'atteinte des cordes vocales est le résultat d'une affection aiguë par le froid ou le résultat d'un effort vocal trop important. La voix devient altérée dans son timbre et sa hauteur. Sur ce symptôme vont converger les thérapeutiques puissantes de l'urgence médicale (aérosol de corticoïde, antibiotiques majeurs). C'est peut-être la victoire, mais les thérapeutiques lourdes laisseront le malade affaibli. Plus souple et plus individualisée apparaît la thérapeutique homéopathique.

— *Si le début est brusque, douloureux, angoissant,* survenant par coup de froid :

Aconit est indiqué par sa phase congestive, angoissante, accompagnée de toux sèche dans la première partie de la nuit.

— *Le trouble de la voix s'installe* avec :

Arum triphyllum, la voix change souvent de tonalité avec une sensation de brûlure et de sécheresse laryngée. Son alternance avec *Populus candicans 4 CH* résout la plupart des cas de laryngite simple.

— *Lorsque la toux s'étend,* l'enrouement devient plus marqué :

Sticta pulmonaria (vive sensation de sécheresse) est le remède local précédant le stade de suffocation à chaque effort de toux ;

Ammonium, Causticum (brûlure) ;

Chlorum, Spongia (remèdes spectaculaires de spasmes de la glotte et d'asphyxie).

Wyethia est le remède des toux sèches accompagnées d'un fréquent besoin de racler la gorge.

Mentha piper (la menthe poivrée) concerne la trachéité suraiguë avec une toux sèche aggravée par le brouillard, la fumée de tabac, les poussières, l'air frais inspiré. Il sera donné en complément d'*Ignatia,* le grand remède d'intolérance à la fumée de tabac chez les nerveux spasmés. L'enrouement des grands émotifs, impressionnables, est maîtrisé par *Gelsemium* (avec aggravation singulière à la période menstruelle). L'enrouement par fatigue de surmenage vocal bénéficiera d'*Arnica 4 CH* suivi d'*Arum triphyllium.*

Fétidité de l'haleine

Redoutable symptôme qui tient en échec les thérapeutiques de tout bord et conduit au désespoir les laudateurs du progrès médical qui assistent au progrès sur tous les fronts de la médecine sans pouvoir déjouer les misères de la vie quotidienne. On attribue la fétidité de l'haleine à une cause digestive, des altérations des gencives, de l'appareil dentaire ; les affections bronchiques et les causes psychosomatiques peuvent conduire au même résultat.

L'étage bucco-pharyngée appelle l'intervention de *Mercurius sol, Pyrogenium, Kreosotum*, indispensables alliés de l'homme de l'art dentaire lorsque les gencives sont saignantes et infectées.

Les troubles digestifs sont souvent en cause, soit par régurgitation de sécrétion gastrique, soit par résorption gazeuse de putréfactions intestinales. Il est admis que certaines substances volatiles d'origine lipidique peuvent être incomplètement neutralisées par le foie et passer dans la circulation par les alvéoles pulmonaires. Le foie est donc le grand responsable : avec *Antimonium crudum*, l'éructation prend le caractère des aliments absorbés chez un sujet insuffisant digestif par gloutonnerie.

Chelidonium 4 CH et *Taraxacum 4 CH* (pissenlit) sont les alliés sûrs de l'amertume hépatique. Au cours de certains paroxysmes, le malade perçoit sa propre haleine fécaloïde et en est obsédé.

Nux vomica, l'allié précieux de la vie quotidienne, a mauvais goût à la suite d'abus alimentaires, accompagné de très mauvaise humeur au réveil.

Pulsatilla convient aux estomacs délicats rapidement embarrassés par l'usage des corps gras ou de la pâtisserie avec mauvaise haleine et désir de se rincer la bouche.

Graphites convient bien aux dyspepsies atoniques et flatulences avec le goût d' « œufs pourris », le matin chez une personne constipée et qui verra tous les symptômes s'aggraver au moment des règles (aphtes, éruptions sur peau malsaine).

Fragilité capillaire

Cette affection fréquente à la ménopause fait l'objet de soins longtemps répétés en médecine classique. De la plante aux venins de serpents, s'identifient de précieux alliés de la vie quotidienne.

Arnica, remède de fragilité et d'ecchymoses, avec sensation de contusion et de courbature musculaire.

Bellis perennis (pâquerette) concerne les fragilités capillaires de la femme et de tous les tissus mous (jambes, seins).

Aesculus, remède de fines varicosités sur des jambes lourdes.

Hamamelis, remède des futures grosses varices bleuâtres avec nodosités.

Vipera présente une vive sensibilité des trajets veineux et des tissus d'environnement. Les jambes sont douloureuses au toucher et ne s'améliorent qu'en position surélevée.

Crotalus, remède des veines profondes et des phlébites plus marquées à la jambe droite.

Lachesis, remède de la fragilité capillaire gauche lorsque les signes généraux et psychiques de ce remède sont indiqués.

La grippe : un grand fléau

La grippe (ou influenza) est une banale ou redoutable affection contagieuse qui a souvent un caractère épidémique. Très asthéniante chez le sujet jeune et apparemment en bonne santé, elle devient une préoccupation alarmante et une affection à haut risque chez le sujet fragilisé ou âgé, au système immunitaire altéré. Elle compromet les promesses de vie et de longévité dans le parcours du 3e âge, tant par les statistiques d'hospitalisation que de mortalité brutale.

Cette affection est due au Myxovirus influenza dont on connaît trois types, A, B, C, et un grand nombre de sous-types, variant dans le type A (A_1, A_2).

A l'état pur, les grippes virales épidémiques présentent à l'échelon mondial un tableau fébrile intense avec céphalées, courbatures générales et une évolution thermique en V. La fièvre est très élevée pendant deux jours, semble céder pendant douze ou vingt-quatre heures et remonte de plus belle pendant un ou deux jours. Elle disparaît enfin pour faire place à une pesante asthénie.

La grippe peut se compliquer de manifestations organiques diverses : surinfection des voies nasales aériennes supérieures ou bronchiques avec atteinte pulmonaire parfois grave ou troubles digestifs avec coliques et diarrhée : la grippe est baptisée intestinale.

A côté des grands fléaux épidémiques tristement célèbres (la grippe espagnole, grippe de Bangkok, de Singapour), il existe de nombreuses variétés de grippes dites saisonnières qui s'étendent à l'état endémique dans tous les pays durant l'hiver, et la distinction devient difficile dans les pays fortement urbanisés. En dehors des 101 centres nationaux de la grippe, installés dans soixante et onze pays et qui demeurent en communication avec l'OMS, il n'est pas facile de distinguer la grippe saisonnière de celle qui est épidémique. L'identification de l'agent pathogène demande beaucoup de temps, et on s'interroge sur la finalité d'une enquête autour du virus que l'on commence à bien connaître lorsque le malade est déjà guéri, étant admis par ailleurs qu'il n'existe pas de traitement spécifique du virus responsable. Ces considérations ont à juste titre encouragé les vaccinations préventives à partir des différents virus, confiant les combats aigus à des thérapeutiques symptomatiques, à des soutiens de l'état général (antithermiques, gouttes nasales, vitamine C et couverture antibiotique pour prévenir d'éventuelles complications).

La thérapeutique homéopathique accède à une certaine prévention selon deux manières : soit une administration unique perlinguale de *Influenzinum 9 H, Influenzinum 15 H* et *Influenzinum 30 H* à un jour d'intervalle, soit la prescription durant tout l'hiver, à raison de deux fois par mois, d'une dose d'*Influenzinum 9 H* (Vaccin antigrippal infinitésimal à souches actualisées). La complexité des atteintes saisonnières et l'échec relatif des vaccins allopathiques renvoient le praticien un peu à lui-même à travers les différentes formes cliniques que revêt la maladie durant la mauvaise saison. L'efficacité du remède homéopathique est toujours dépendante de la personnalité de chaque cas, si le médecin sait accepter la différence d'un malade à un autre à travers une agression unique. Le malade personnalisera constamment sa grippe : du frisson aux douleurs oculaires, aux courbatures généralisées, aux douleurs osseuses en passant par la somnolence, l'abattement extrême et les caractères de la fièvre et du pouls, la diversité apparaît au médecin par le canal de l'observation vis-à-vis de l'image débilitée du corps et des points faibles propres à chaque individu.

L'inauguration grippale appelle l'administration précoce d'une dose d'*Oscillococcinum 200* ou d'*Influenzinum 9 H.* Sa fidélité aux premières heures est toujours appréciée : elle précède les remèdes d'invasion : *Camphora* (froid glacial), *Justicia* (éternuements), *Nux vomica* avec son nez sec la nuit, et fluent durant le jour, *Sticta pulmonaria* (sécheresse très marquée des muqueuses avec céphalées parce que l'écoulement libérateur tarde à venir). L'état général est rapidement altéré : avec *Eupatorium perfoliatum*, on combat la courbature douloureuse des muscles et la sensibilité des globes oculaires ; avec *Gelsemium*, la lassitude est extrême, les paupières tombent, le corps affaibli s'enfonce dans le lit, les membres tremblent. C'est l'image d'un corps étourdi, écrasé et déserté de tout tonus physique ou intellectuel ; on ne sera pas surpris du fléchissement du pouls tandis qu'avec *Aconit* l'état congestif s'accompagne d'un pouls dur et d'une très vive congestion des muqueuses, et une anxiété intense appelant l'urgence médicale. Avec *Phosphorus*, les joues sont rapidement congestionnées, des sensations de brûlures frappent la trachée et les bronches, accompagnées d'une soif intense pour des boissons glacées.

Dans la période d'état grippal, on observera si l'asthénie s'accompagne d'immobilité absolue (*Bryonia*) ou de besoin de bouger avec des frissons au moindre mouvement (*Rhus tox*), ou de douleurs musculaires qui donnent l'impression de reposer sur un lit trop dur (*Arnica*).

Il est possible de renforcer l'action des remèdes indiqués par une prise d'*Influenzinum* au cours même de la maladie.

Pyrogenium et *Arsenicum album* seront indiqués lors de l'extension gastro-duodénale avec débilité intense.

Dans les formes traînantes de la grippe, on combattra l'asthénie avec *Sarcolactic acid*, fortifiant musculaire, *China*, le remède de ceux qui restent pâles, asthéniques, avec de fréquents saignements de nez et une dose de *Tuberculinum 9 H* si toux et transpiration se maintiennent longtemps après l'état grippal.

La grippe va affecter et modifier les différentes réactivités humaines. Il n'est pas de remède unique ou standardisé. La souplesse des instruments est ponctuelle et régie par l'ensemble des symptômes qui extériorisent l'affaiblissement d'une condition humaine. Cette loi de l'unité humaine privilégie un art fait de différenciations, de nuances, mais aussi de précisions sur le comportement humain. Aussi se voient redressées de façon spectaculaire ces vitalités amoindries, sans avoir à faire les frais de thérapeutiques lourdes.

Hémorroïdes

Ce sont les varices siégeant fâcheusement dans la région anale : la maladie peut être pauvre en symptômes, ou se manifester bruyamment sous la forme d'une poussée inflammatoire, d'une thrombose, ou à l'occasion d'une fissure anale concomitante. Le risque douloureux est encore beaucoup plus grand par la constipation ou le retard volontaire à l'émission des selles, situations impliquant des mesures diététiques pour combattre la sédentarité et faciliter le transit intestinal.

La crise aiguë devra bénéficier d'une posologie répétée, en basses dilutions, soutenues par des préparations locales : *Acer negundo*, teinture mère, cinquante gouttes trois fois par jour, *Aesculus glabra 4 CH, Muriatic acid 4 CH* assureront le traitement symptomatique avec l'appui local d'une vaseline au *Ratanhia TM*, ou *Aesculus TM*.

La présence habituelle des hémorroïdes, leurs caractères, leurs modalités d'aggravation associent toujours l'identité du patient, conférant à cette région particulièrement douloureuse un pôle décisif d'information.

Hémorroïdes brûlantes : Capsicum (la douleur brûlante du poivre de Cayenne) ; *Ratanhia* (l'anus demeure longtemps douloureux après le passage de la selle) ; *Aesculus* (le marron d'Inde — avec sensation de plénitude) ; *Graphites* (avec constipation).

Hémorroïdes à caractères piquants et à douleurs en aiguilles :

Aesculus, Graphites, Collinsonia (remède de la femme enceinte constipée).

Hémorroïdes accompagnées de démangeaisons : Aesculus, Nux vomica, Ratanhia, Sulfur.

Hémorroïdes externes : Aloe, Kali carb, Muriatic acid, Sepia.

Hémorroïdes accompagnées de saignement rouge : Sabina, Erigeron ; noir : Hamamelis, Collinsonia.

Hémorroïdes améliorées par les applications froides : Aloe, Nux vomica, Aesculus, Sulfur ; par les applications chaudes : Collinsonia, Lycopodium, Muriatic acid, Ratanhia.

La posologie en basse dilution *4 CH* est à répéter toutes les heures dans les états aigus.

Il n'existe pas de traitements banalisés des hémorroïdes ; une extrême diversité de symptômes concourt à individualiser chaque cas particulier et à témoigner de l'originalité des sensations et des symptômes propres à chacun.

Hypersensibilité

Les agressions des organes des sens déterminent des troubles spécifiques en endommageant les tissus nobles de la réception sensorielle et des troubles non spécifiques par auto-intoxication et perturbations de la régulation nerveuse et générale.

Les conséquences sont lourdes à distance, car les traumatismes dus à l'environnement dominent la vitalité et entraînent la perte du pouvoir de vigilance et de prémonition. L'agression sensorielle est le symptôme dominant des villes ou des civilisations asphyxiées. La vue et l'ouïe, associées dans le développement harmonieux du langage, en sont les principales victimes.

Hypersensibilité aux bruits :

La fonction de guet, d'alarme de l'audition devient la porte ouverte à la dégradation anxieuse, à l'irritabilité, à la dépression.

Coffea 9 CH : le café agit sur les terminaisons nerveuses, la transmission et la réception cérébrale de la douleur. C'est le remède de l'insomnie initiale par hyperidéation, de l'agitation par la douleur (dentaire). Le café potentialise les autres toxiques (alcool, tabac).

Theridion 15 CH : grand désensibilisateur aux bruits des

grandes villes. Les bruits pénètrent le corps jusqu'aux dents et déclenchent migraines et même des troubles d'équilibre (vertiges).

Avec *Asarum*, les nerfs sont à fleur de peau ; l'intolérance apparaît au moindre bruit, froissement de papier, de la soie, de tout bruit léger.

Nux vomica : son intoxication alimente l'irritabilité et l'hypersensibilité aux bruits.

Kali phos : concerne le déprimé, sursautant au moindre bruit, vite en pleurs, mais amélioré en mangeant.

China (la quinine) : le malade, épuisé, vite en sueur, présentera une sensibilité du cuir chevelu, des migraines, une apathie générale qui contrastera avec sa sensibilité aux bruits. C'est la perte d'énergie vitale (après opération), qui élève la sensibilité au moindre bruit.

Hypersensibilité aux odeurs :

Coffea, Nux vomica sont déjà concernés par leur excitabilité générale ; pour Colchicum, la vue ou la seule pensée de la nourriture donne la nausée. Ignatia présente nausées et spasmes divers à l'odeur du tabac. L'hypersensibilité aux odeurs de fleurs concerne Sanguinaria, Phosphorus.

Hypersensibilité au toucher :

La perturbation sensitive cutanée est le fait des grands agités, des agresseurs ou agressés, prompts aux répliques vives ; *Chamomilla, Nux vomica, Tarantula hisp.* (l'adolescent sursaute et grogne quand on l'approche).

Hypersensibilité à la douleur :

Les faiblesses de société n'alimentent pas le courage devant la douleur, mais certains patients ont un comportement exceptionnel. Aconit (peur immédiate de mourir) ; Chamomilla (plutôt mourir que souffrir) ; Colocynthis (la douleur rend coléreux) ; Hepar sulfur (le lymphatique qui se déchaîne de façon inattendue) ; Nux vomica (il tolère vraiment peu de chose) ; Staphysagria (l'offensé qui voit ses douleurs exaltées).

Hypersensibilité aux courants d'air :

La fragilité respiratoire ne connaît pas de vaccin et cette disposition alimente des troubles persistants. Rumex, Chamomilla, Nux vomica, Rhus tox, Silicea prennent froid au moindre courant d'air. Les tempéraments lymphatiques s'enrhument sur-le-champ (Caleareal carb. Hepar sulfur) ; Psorinum est chaudement vêtu en toute saison.

Hypersensibilité à la chaleur :

Elle frappera les congestifs (Apis, Lachesis), les intolérants à la chaleur d'une pièce (Iodium, Bromium, Pulsatilla), à une source de chaleur (Glonoin), les victimes du soleil (Glonoin, Natrum carb, Natrum mur.), ou de leur propre surcharge alimentaire ou digestive (Aloe).

Hypersensibilité aux mauvaises nouvelles :

Par cette seule qualification, l'instrument homéopathique devrait trouver droit de cité dans les demeures troublées par les secousses sociales ou politiques.

Ignatia enregistrera, soupirera, refoulera dans un repli silencieux de son être. Gelsemium est le remède du trac et des inhibés de l'action. Thébaicum est sidéré par les mauvaises nouvelles et s'enfonce dans le mutisme. Staphysagria concerne les offenses ou humiliations de toute nature, qui n'autorisent aucune réplique pour les victimes.

Indigestion

Il s'agit de l'embarras gastrique traditionnel dans les sociétés à vocations alimentaire qualitative et quantitative. La diète a toutes les vertus : elle est une sanction thérapeutique bénéfique par une juste remise en cause des instincts.

L'indigestion est passagère.

— *Elle frappe les gros mangeurs :*

Antimonium crudum 4 CH, langue blanche, épaisse avec éructations à goût d'aliments.

Nux vomica 4 CH, le champion incontesté de la bonne chère, des stimulants et de l'excitabilité. Les éructations sont acides et la sensation de poids à l'épigastre s'améliore en vomissant.

— *Elle pénalise les estomacs délicats :*

Pulsatilla 4 CH, remède de plénitude après absorption de graisses, pâtisseries ou glaces.

Carbo veg., remède congestif du visage après abus alimentaires.

Ipeca, le malaise passager de Pulsatilla se prolonge bien après la digestion et le patient éprouve de fréquentes nausées.

Taraxacum et Chelidonium 4 CH sont des correcteurs de l'amertume de la bouche.

Arsenic album 4 CH présente une indication particulière : diarrhée fétide, vomissements vont résumer le tableau d'une intoxication alimentaire aiguë à partir de conserves avariées ou d'aliments de mauvaise qualité. *Urtica urens 4 CH* et *Nux vomica 4 CH* seront les complémentaires appréciés à l'apparition des complications cutanées (urticaires, démangeaisons).

Insomnie des jeunes enfants

L'homéopathie sans support toxique résout les problèmes des jeunes enfants et apporte la paix aux parents par rapport aux pratiques, odieusement admises, de faire ingurgiter du gardénal à de jeunes sujets, de façon continue, parfois à l'âge des acquisitions scolaires.

Cypripedium 5 CH (le sabot de Vénus) : l'enfant se réveille en pleine nuit, désire jouer ou parler — deux grains au coucher. *Jalappa* (jalap) *4 CH :* enfant calme le jour, énervé la nuit, s'amuse, parle ou crie — deux grains au coucher. *Chamomilla 5 CH, Cina* surtout pour les enfants agités la nuit, mais aussi le jour ; *Cina* (vers) : grince des dents la nuit, met son lit en grand désordre et se réveille hagard, ne veut pas qu'on l'approche ou qu'on le regarde.

Intoxications diverses

1) Café : *Coffea, Nux vomica 7 CH* et surtout *Chamomilla 7 CH* pour l'hyper-agité qui se sent dopé par le café mais chez qui l'excès de vigilance entraîne une hyperaffectivité agressive ou caractérielle.

2) Tabac : L'apport considérable de l'acupuncture dans ce domaine, avec ses applications pratiques installées dans les consultations hospitalières, mériterait une large campagne d'information officielle, tant sur le plan économique que sur le plan

335

de la non-agression. Il est intéressant toutefois de signaler que les thérapeutiques de l'aiguille seules obtiennent des guérisons dans près de 65 % des cas ; les grandes barrières de motivations inconscientes s'opposent parfois à l'action impérative coercitive de l'aiguille. L'apport de *Tabacum*, *Caladium*, *Ignatia* et surtout *Nux vomica* élève le nombre de bons résultats à 85 %, sans frustration ou prise de poids (en *4 CH*).

3) Aliments avariés : *Arsenicum album 4 CH* + + : *Botulinum*, *Cuprum Arsenicosum*, *Vératrum album 4 CH* en répétition (diarrhées, sueurs froides profuses).

4) Intoxication par coquillages : *Homarus* (homard), *Astacus* (écrevisse), *Urtica urens* (ortie) en *4 CH.*

5) Barbituriques, neuroleptiques : une thérapeutique par *Nux vomica 7 CH*, *Gelsemium 15 CH* est capable d'antidoter l'engourdissement médicamenteux et d'induire une attitude réactionnelle favorable.

Mal des transports

L'inconfort du voyage associe des circonstances et des états assez variés pour donner à l'homéopathie une probation simple et élégante de son action. Les interprétations psychologiques exclusives ont été écartées au profit des troubles concernant l'appareil vestibulaire de l'oreille interne et la mise en relief de dispositions constitutionnelles (sensibilité particulière aux odeurs, à la chaleur, malaises liés à l'état de vide ou de surcharge de l'estomac, participation psychique chez les anxieux nerveux).

Tous les remèdes allopathiques actifs contre le mal des transports appartiennent à la famille des antihistaminiques : substances allopathiques actives, elles provoquent de gênants inconvénients dans la vie quotidienne : ralentissement cérébral ou somnolence. Au-delà des innombrables recettes thérapeutiques ou préventives, l'homéopathie s'attache à individualiser avec précision les symptômes de cet équilibre malmené.

Cocculus 4 CH : concerne les états nauséeux avec vertiges en regardant vers le vide, aggravés par les secousses, l'air froid, avec une sensation d'engourdissement. Lorsque le sujet se trouve sur un bateau, il préfère s'immobiliser en cabine, s'interdit d'abandonner la position horizontale, se refuse tout mouvement, et ne supporte pas la position verticale.

Tabacum 5 CH : concerne les malaises à modalité inverse : le sujet monte sur le pont pour retrouver l'air frais ; l'enfant présente une pâleur extrême, il est rapidement en sueur et réclame l'air frais.

Colchicum et *Symphoricarpus* concernent les aggravations aux odeurs d'essence ou d'huile.

Petroleum présente curieusement des nausées améliorées en mangeant et le malaise s'estompe en remplissant l'estomac.

Borax concerne le malaise ou l'anxiété, aggravés dans les mouvements de descente. L'enfant pleure lorsqu'il quitte les bras pour être allongé sur sa couche. L'enfant ou l'adulte se sentira mal à l'aise dans la descente des escaliers, les virages de montagnes et les amorces de pertes d'altitude dans les voyages en avion. C'est un remède très fidèle et une exceptionnelle démonstration de la loi de similitude.

Ignatia : réunit tous les suffrages pour régulariser les composantes digestives et vertigineuses des anxieux intériorisés neuro-végétatifs.

Les remèdes indiqués sont à prendre en haute dilution, trois grains en *9 CH* ou *15 CH* la veille du départ — en basse dilution (*5 CH*) toutes les heures dans les premiers temps du voyage.

Otite

Affection commune de l'oreille externe ou de l'oreille moyenne, cette affection est l'occasion d'une spectaculaire confrontation thérapeutique entre l'homéopathie et l'allopathie où l'application réflexe antibiotique est de règle. Les signes de l'oreille doivent s'associer à ceux du *comportement réactionnel* du malade toujours significatif.

— *La douleur agite et fait hurler :*
Aconit 9 CH, dix grains ou une demi-dose si le début est brutal, la nuit vers 23 heures, agitant le malade, l'entourage et le médecin.

Chamomilla 4 CH, si la douleur est insupportable, l'humeur devient furieuse, détestable à la moindre douleur L'enfant n'est calme que porté dans les bras ou bercé. C'est l'état inflammatoire survenant au cours de la dentition.

Capsicum 4 CH (le poivre de Cayenne), douleur brûlante de l'oreille avec menace de mastoïdite.

Arsenic alb 4 CH, douleur brûlante avec agitation anxieuse. Le malade est abattu, prostré ou peu agité.

Ferrum phos 4 CH, c'est un remède spécifique de l'état congestif.

Belladona concerne les états aigus, très fébriles, avec douleur battante, pulsatile mais avec abattement, et mise spontanée à l'abri de la lumière, bruit des secousses, soif vive dans un ensemble manifestement congestif et « rayonnant » de chaleur.

— *Lorsque l'otite devient chronique :*

La nature des écoulements orientera le médecin lorsque le tympan est ouvert ; le médecin est plus à l'aise pour introduire les grands agents anti-infectieux dans les sécrétions épaisses, visqueuses et malodorantes (*Aurum, Mercurius dulcis, Hepar sulfur*) et parfois pratiquer un isothérapique, remède, préparé à partir des sécrétions du malade lui-même.

La *prévention* est l'objectif permanent du médecin. Elle ne passe pas par la stérilisation des portes d'entrée microbiennes, elle consolide les structures habituellement prédisposées.

Sujet maigre et fréquemment enrhumé : dose une fois par mois de *Aviaire 9 CH* et *Natrum mur 9 CH.*

Sujet gros mangeur et un peu apathique : Calcarea carb, Hepar sulfur.

Sujet sensible à l'humidité : Natrum sulf, Thuya.

Préparation aux interventions chirurgicales

On n'appréciera jamais à sa juste valeur l'impact préventif de l'infinitésimal dans les heures décisives de la vie d'un opéré. L'art du chirurgien, le progrès des techniques permettent des décisions d'intervention à des âges de plus en plus avancés, malgré des risques non négligeables inhérents à la réparation individuelle tissulaire et à la résorption lointaine des anesthésiques qui a provoqué dans les six mois suivant l'acte chirurgical des troubles de la coordination cérébrale, des troubles de la mémoire, ainsi que de l'appréciation du temps et de l'espace. Deux remèdes dominent : *Arnica 9 CH :* 1 dose la veille de l'intervention pour prévenir le choc cérébral. *Opium 9 CH,* 1 dose avant l'intervention, afin de prévenir la fixation de l'anesthésique avec somnolence post-opératoire. *Phosphorus 9 CH,* 1 dose avant l'intervention, agit en tant que préventif de la vigilance cérébrale et de l'hémorragie. *Bellis perennis 9 CH,* 1 dose avant l'opération, est un préventif des hémorragies viscérales. *Gelsemium 9 CH,* 1 dose avant l'opération, calme l'appréhension profonde. *Ricinus* est administré dans les opérations digestives faisant craindre des nausées épuisantes. *Raphanus 4 CH* plusieurs fois par jour, remède post-opératoire, remarquable lors de l'apparition douloureuse des gaz (les malades soignés par l'homéopathie sont bien souvent sur pied plus rapidement que les autres). *Plumbum 5 CH,* remède des constipations rebelles chez les opérés. *Bothrops, Vipera 9 CH,* 1 dose avant l'intervention, préviennent les accidents emboliques.

Règles douloureuses

Cette situation douloureuse périodique offre une démonstration de l'efficacité d'une thérapeutique infinitésimale. Ce vécu est significatif d'une identité en lutte, réalisant un tableau parfois impressionnant. D'origine hormonale, ou liées à une malformation locale, les douleurs utéro-ovariennes ont de désagréables répercussions sur l'état général. C'est une exaltation de l'hypersensibilité locale qui va entraîner d'éclatantes modifications de l'humeur et une douleur pouvant aller jusqu'à la défaillance. La douleur est un signe d'appel impératif vers l'identité de la personne. La douleur est spasmodique lorsqu'elle commence avec les règles, crises et accalmies se succèdent en brèves intermittences. La douleur est dite congestive lorsqu'elle débute plusieurs jours avant les règles, elle a tendance à s'estomper lorsque le flux est bien installé.

Colocynthis 15 CH (plusieurs fois pendant les règles), la douleur est crampoïde, oblige à se plier en deux, à se mettre à plat ventre et à se soulager par une large pression.

Pour *Magnesia phos*, la douleur apparaît deux jours avant les règles, s'accompagne d'agitation et s'améliore par la chaleur (bouillotte).

Pour *Cocculus,* les douleurs s'accompagnent de vertiges, l'abdomen est distendu.

Pour *Veratrum album,* la douleur précipite vers la défaillance accompagnée de sueurs froides.

Pour *Chamomilla,* la douleur est insupportable et la patiente qui ne sait et ne peut souffrir l'exprime par une humeur désagréable, une véhémence injurieuse et des cris de douleurs significatifs : elle reconnaît sa mauvaise humeur, et toutes les relations sociales vont être influencées par les échos de l'agressivité.

Pour *Caulophyllum* et *Viburnum opulus,* les règles seront peu abondantes et accompagnées de douleurs articulaires.

Pour *Sabina,* la douleur irradie de la région lombo-sacrée vers le pubis.

L'influence de la *Folliculine* (en *9,15 CH*) à administrer en milieu de cycle se révélera un régulateur non hormonal sans danger lorsque les signes de rétention aqueux sont nets : prise de poids qui régresse à l'apparition des règles.

Saignement de nez (Epistaxis)

L'Epistaxis, indice d'état général défectueux, doit d'abord être interprété puis combattu : lorsqu'il est un symptôme d'hypertension, il devient une soupape à ménager et le regard du médecin est toujours important pour savoir associer ce signe à d'autres affections, cardiaques ou hépatiques ; au cours de l'anémie, on voit apparaître des saignements de couleur foncée (*China*) ou rouge pâle (*Ferrum*).

Dans tous les cas, on doit laisser le malade allongé sur le dos au repos, immobile, et donner *Millefolium* (herbe de Saint-Jean), alterné avec *Arnica 4 CH*.

Dans les états fébriles ; la croissance, c'est l'indication de *Ferrum phos*.

Souvent, l'epistaxis vient compenser des règles qui tardent à venir (*Bryonia*) ou atténuer une migraine qui paraissait tenace (*Melilotus*).

Dans les affections graves hépatiques avec saignements noirs, les venins deviennent prépondérants (*Lachesis, Crotalus*). *Phosphorus 9 CH* (une dose deux fois par mois) est le grand remède constitutionnel du terrain hémorragique.

Sinusites

Les inflammations siégeant au sinus sont infiniment désagréables par leur chronicité, des céphalées tenaces et la douloureuse constatation dans les cités industrielles que l'oxygène, monnaie rare des villes, va se refuser à pénétrer dans les cavités nasales obstruées. Cette obstruction respiratoire ralentit l'existence et décourage les ardeurs de vivre. Survenant après un coryza, la sinusite aiguë comporte trois symptômes : douleurs permanentes paroxystiques (avec sensation de lourdeur ou de viscosité cérébrale), mucus purulent et obstruction nasale tenace.

Les sinusites allergiques ont pris un essor considérable. On retrouve des éternuements en salve, suivis d'un écoulement aqueux abondant et une obstruction nasale évoluant par crises de courte durée avec des intervalles libres sans gêne respiratoire ; lorsque le sujet part en vacances, tout rentre dans l'ordre pour reparaître à la mi-octobre à la mise en route des chauffages domestiques, laissant apparaître le redoutable support de l'allergie moderne : la poussière de maison.

Certaines sinusites chroniques maxillaires avec pus très fétide et aberration olfactive doivent faire rechercher les foyers infectieux paradentaires.

Actifs à l'état aigu, les antibiotiques associés à des corticoïdes sont impuissants à résoudre les affections chroniques et le nez ne retrouvera jamais sa liberté.

1) *Les douleurs apparaissent au froid de la rue et souvent l'air inspiré paraît froid.*

Corallium rubrum 4 CH (le corail) est le remède de simple infection post-grippale. La céphalée devient présente dans un contexte de coryza. La gorge, les narines sont encombrées par une sécrétion muqueuse jaunâtre coulant surtout dans la partie postérieure des fosses nasales.

Kali bich 4 CH est le plus caractéristique des catarrhes à

341

réaction *froide.* La sécrétion est jaune, visqueuse, épaisse, *collante.* Elle a tendance à devenir élastique, épaisse, puis se transforme en croûtes dures, verdâtres, avec obstruction nasale et perte d'odorat.

Menthol, classiquement, intervient dans les inflammations des muqueuses nasales ou oculaires avec vive sensation de froid aux narines.

Hepar sulfur 4 CH est le champion absolu du coryza purulent avec extrême sensibilité au froid, en buvant froid, en se découvrant (tous maux étant développés par le froid); les sécrétions sont nettement purulentes, de mauvaise odeur, avec tendance à la chronicité alimentée par la saison d'hiver.

Scolopendra est le remède des vives douleurs sinusales avec sensation de lourdeur au moindre mouvement de la tête. Le cerveau semble comprimé par une masse visqueuse et douloureuse au moindre mouvement.

2) *Les douleurs apparaissent à la chaleur d'une pièce (elles s'atténuent à l'air libre).*

Allium cepa 4 CH (l'oignon classique), champion du rhume des foins, c'est le remède des coryzas à éternuements violents survenant le matin ou le soir à la chambre, avec écoulement brûlant et excoriant le pourtour des narines.

Hydrastis ; la sécrétion est jaune, épaisse, excoriante, mais la douleur s'aggrave en chambre chaude et près de toute source de chaleur ou de spot lumineux.

Kali iod - Mezereum sont également aggravés par toute source de chaleur, mais aussi par le séjour nocturne au lit, de même que la douleur apparaît nettement au toucher du doigt.

Le regard vers le baromètre (l'écosystème) est la première préoccupation du médecin homéopathe. Combien d'affections respiratoires, sournoises, impitoyables sont alimentées par la diversité des conditions atmosphériques. Certaines affections sont constamment soutenues par l'atmosphère humide : *Dulcamara, Allium cepa, Pulsatilla ;* d'autres sont alimentées par le froid sec : *Aconit, Spongia, Hepar sulfur ;* les courants d'air : *Dulcamara, Rumex, Natrum carb ;* la vivacité du soleil : *Natrum mur, Bromium ;* la chaleur d'une pièce : *Allium cepa, Pulsatilla ;* le froid de la rue : *Sabadilla, Rumex.*

Cette association au milieu ambiant révèle certaines dispositions constitutionnelles et certaines formes d'infection que le patient contractera invariablement (quelle que soit la protection vaccinale).

Le microbe maîtrisé par l'antibiotique n'autorise ni la guérison, ni la suspension des écoulements, et le recours bienfaisant au spécialiste ORL (dans les affections aiguës) s'avère inefficace dans l'aspect chronique. Les remèdes de terrain homéopathique (*Thuya, Medorrhinum, Pyrogenium, Tuberculinum*) deviennent des modificateurs de la réceptivité microbienne, voire la désensibilisation infinitésimale par le procédé d'isothérapie (utilisation infinitésimale des sécrétions propres du patient).

La thérapeutique n'est jamais totalement dirigée contre l'agent infectieux : elle entend respecter les réactions associées des tissus du patient, dans sa manière propre d'expression. Il en est de même dans l'indispensable thérapeutique de désensibilisation. Les différents allergènes exploités homéopathiquement sont prélevés dans le milieu propre à chaque patient (non pas les allergènes standards livrés par les instituts, mais ceux recueillis au domicile du malade), et la prise hebdomadaire en haute dilution *9* ou *15 CH* de l'allergène a l'avantage d'éviter les exacerbations allergiques par les thérapeutiques allopathiques sous-cutanées et elles n'entraînent pas d'aggravation ou de susceptibilité grave.

« L'unique tâche du médecin est de guérir les maladies d'une manière prompte, douce et durable », écrivait Samuel Hahnemann ; si la science médicale établit de puissants et rassurants systèmes avec d'incontestables progrès d'approche et d'analyse, elle se trouve confrontée à des instances de plus en plus chroniques et la sinusite, par sa banalité apparente, installe une imperméabilité rebelle avec laquelle on tente de vivre sans joie, ayant toujours à l'esprit que les conquêtes de l'espace ou de la science n'ont pas encore résolu les petites misères de la vie quotidienne.

Soins dentaires

Sans doute, peu de sciences ont fait plus de progrès que la stomatologie et la chirurgie dentaire. Mais dans une époque où la responsabilité dicte les conduites, impose la générosité des thérapeutiques dites de couverture (antibiotiques, anti-inflammatoires), le risque thérapeutique à moyen terme est toujours mal évalué en art dentaire. Douleurs post-opératoires après extractions, obturations mobilisent des thérapeutiques lourdes et disproportionnées. L'exemple de quelques courageux praticiens homéopathes apporte la preuve d'une thérapeutique efficace, sans danger, étonnante dans ses applications, si l'on sait se pencher vers un homme et non sur son seul appareil dentaire. Une certaine audace intellectuelle accéderait à d'étonnantes constatations à travers la joie de soigner.

L'appréhension instrumentale plébiscite *Gelsemium 9 CH* (la veille de l'intervention, ou même 15 minutes avant) ; *Ipeca 4 CH* épargne les vomissements à la pose du papier radiographique dentaire.

Troubles de la dentition : *Chamomilla* (*5 CH* ou *9 CH*) partage avec *Coffea* la vedette de la douleur dentaire. C'est l'aspirine d'une fidélité remarquable lorsque la douleur est améliorée par le froid. Troubles de la dentition s'accompagnant fréquemment de diarrhée aiguë : *Magnesia carb.* ; ou verte : *Aethusa, Chamomilla.*

Belladona, Apis, Pyrogenium sont spécifiques de la *fluxion* dentaire. *Arsenicum album 4 CH, Kreosotum* sont indiqués dans la pulpite, *Cheiranthus* est spécifique de la dent de sagesse douloureuse.

Plantago concerne les *douleurs névralgiques* à partir de gencives rouges saignantes, améliorées en mangeant (car la mastication favorise la circulation). Les bains de bouche avec

$$\left.\begin{array}{l} Plantago \\ Calendula \\ Phytolacca \end{array}\right\} \quad aa \quad TM$$

— vingt gouttes pour un verre d'eau tiède — sont à la fois sédatifs et cicatrisants.

Les caries dentaires appellent les sels minéraux propres aux constitutions homéopathiques (*Silicea, Calcarea fluorica, Calcarea phosphorica 6 X*).

Les caries précoces bénéficieront de *Calcarea phosphorica, Kreosotum, Staphysagria* et de *Thuya* (caries du collet).

Les déchaussements dentaires avec gingivite et pyorrhée alvéolaire seront toujours en évolution favorable avec

Hekla lava }
Siegesbecka } aa 6 X trituration, une pincée 2 fois par jour

Le saignement des gencives après extraction dentaire bénéficiera d'*Arnica*, *Lachesis* et *Phosphorus*. La gingivite subaiguë appelle *Kreosotum*, *Mercurius*, et le saignement des gencives en brossant les dents sera toujours amélioré par *Carbo veg.* et *Staphysagria*.

Toutes les indications dentaires méritent l'application homéopathique, mais personne ne saurait se substituer à l'homme de l'art. Il faut savoir découvrir l'homéopathie, son efficacité et ses possibilités infinies face aux anti-inflammatoires de haute volée qui déclenchent des ulcères d'estomac six mois plus tard. Toutes situations dentaires mal négociées ou mal cicatrisées perturbent à distance l'équilibre (la neuralthérapie du docteur Pelz et du docteur Richand a mis en évidence les champs perturbateurs dentaires dans les affections à long cours) et la défense des muqueuses dentaires est assurée par un système immunitaire qui concerne l'ensemble du corps ; il faut savoir tout redouter du déséquilibre de la flore buccale qui entretient les hypersensibilités et compromet la défense immunitaire générale. On découvre à partir de la dent la médiation humorale, la perturbation des terrains et les mauvaises résistances aux infections : autant de questions qui doivent élever le débat à de plus hauts niveaux.

Tendinites

Ce sont des altérations, des déchirures ou ruptures partielles de tendons, entraînant des douleurs sourdes exacerbées à tout mouvement qui sollicite l'amplitude articulaire. Si les facteurs traumatiques sont faciles à interpréter, il n'en est pas de même pour les *terrains dits arthritiques* qui voient le vieillissement tissulaire s'installer à partir de surcharges de toutes sortes (surtout l'acide urique), qui déterminent la dégénérescence tendineuse. Les formes jeunes (allongement douloureux du tendon avec le corps) bénéficient de *Calcarea phos.* Les atteintes traumatiques bénéficient d'abord de *Bryonia*, remède électif des synoviales articulaires ; au poignet, l'association de *Bryonia* et de *Ruta* est régulièrement efficace. Au tendon d'Achille s'établit l'association de *Bryonia* et d'*Hedeoma* ; secondairement dans son aspect de surcharge et de dégénérescence, l'altération tendineuse se traduit par une raideur constante, à l'image de la sécheresse qui s'installe, et l'on voit de fidèles auxiliaires apparaître : *Rhododendron* et surtout *Rhus tox*, remède des enraidis par le froid humide. Enfin la raideur tendineuse perd son caractère local pour se généraliser sournoisement à tous les tissus de soutien, les supports de sustension et les tissus nobles confirmant cette tendance à la rigidité : c'est le tableau très fidèle de Causticum, affaibli, enraidi et rigide sur le plan moral ; c'est l'illustration renouvelée de l'unité humaine.

Timidité

Ce comportement qui interdit l'audace, la décision et paralyse l'assurance dans les rapports avec autrui va trouver dans l'homéopathie de précieux stimulants.

Ambra grisea est le remède neurovégétatif des impressionnables qui perdent le fil des idées par la crainte d'avoir à parler. Une mauvaise nouvelle, un spectacle triste, une décision à prendre compromettront le sommeil, occasionneront des battements et des spasmes du tube digestif. C'est le remède de l'étourdi, des personnes généreuses, altruistes, offrant le meilleur d'eux-mêmes au point de limiter leur propre identité. Ils perdent le sommeil à la vue de la violence au spectacle d'enfant ou d'animal maltraités.

Chez les enfants, le manque de hardiesse, d'assurance, bloque considérablement l'évolution de l'intelligence ; cette situation sans correspondance thérapeutique allopathique trouve des remèdes de choix.

Baryta carb, le manque de confiance en soi ralentit les facultés intellectuelles. L'enfant paraît timide, honteux, préférant fuir ou s'isoler que d'affronter les rencontres.

Coca présente une timidité maladive et une inhibition complète en société. Il recherche la solitude et l'ombre. Il est curieux de trouver à ce remède les vertus de corriger les troubles en altitude (analogiquement, la peur de s'élever ?...)

Pulsatilla est le remède bien connu de la timidité chez une personne douce, rougissante, rapidement en larmes.

Gelsemium couvre le trac d'anticipation avec tremblement émotif, difficulté de parole en public

Colibacillinum 9 CH, la toxine du microbe, enflamme les voies respiratoires et inhibe la volonté. On trouve une asthénie générale, avec baisse de mémoire, irrésolution, refus de sortir et de prendre des décisions. Ce remède est la porte ouverte à différentes études sur les modifications apportées au psychisme par le canal des toxines microbiennes intestinales.

Torticolis

C'est le résultat douloureux et figé d'une poussée d'arthrose ou d'un déplacement vertébral dans une région cervicale particulièrement sensible au froid, aux courants d'air.

Toute tentative de mobilisation entraîne de vives douleurs : un remède domine tous les autres : *Bryonia 4 CH*. Il est caractérisé par une modalité exclusive : l'aggravation par tout mouvement.

Dulcamara 4 CH (douce-amère) est le correcteur de la douleur cervicale par temps humide.

Lachnantes 4 CH (la racine rouge d'Amérique) : c'est le remède des contractures des muscles latéraux du cou avec inclinaison latérale de la tête.

Magnesia phos. : complète l'élément névralgique.

Actea racemosa : c'est le remède des sujets féminins dont la contracture et tout phénomène spasmodique douloureux s'amplifient avant les règles.

Ranonculus bulbosus 4 CH accompagne bien, en alternance, *Bryonia* ; ce remède des douleurs intercostales se qualifie par des douleurs d'élancement aigu au moindre mouvement.

Agaricus 4 CH : la raideur domine ici dans un contexte d'arthrose déjà connu avec céphalée matinale et sensation de froid glacial autour de l'occiput.

Enfin *Cephyl* est une spécialité qui a l'avantage de contenir cinq fois moins d'aspirine et d'offrir un résultat aussi efficace (2 à 3 comprimés par jour).

347

Troubles de la concentration : affaiblissement intellectuel

L'attention est une disposition active de la conscience sur un objet ou sur sa propre vie intérieure. Bon nombre de tensions de la vie affective vont influencer cette disponibilité mentale, tant dans la fidélité de la mémoire que dans la profondeur du raisonnement. L'attention peut se mettre en fuite, se fractionner, se disperser, perdre son pouvoir de synthèse en donnant la pénible sensation d'un affaiblissement intellectuel. Voir, entendre, écrire, coordonner : à partir de ces pôles d'observation, le médecin homéopathe s'aperçoit qu'à l'origine des dépressions intellectuelles, on peut rechercher des causes précises : perturbations biologiques, déminéralisation, défaillance de structure, lymphatisme, cause affective ou traumatique. A cette autodépréciation, le sujet opposera ses modalités dynamiques réactionnelles. Certains seront améliorés en mangeant : *Anacardium,* d'autres seront améliorés par une occupation fébrile et seront justiciables d'*Helonias.*

L'homéopathie n'est pas faite de tiroirs à recettes : pour apprécier les atteintes sélectives de la mémoire, le médecin observera la précipitation de la pensée (dispersion), l'irritabilité (anxiété), la tristesse (dépression) ; il mesurera la lenteur des pensées par les réponses aux questions.

Il s'intéressera à l'oubli ou l'erreur des mots dans la conversation : pour Arnica ou Phosphoric acid, c'est la fatigue globale ou morale ; pour Kali bromatum, Thuya, Medorrhinum, c'est la précipitation ou le désordre de l'esprit qui ne sait pas atteindre l'expression juste ; pour Lycopodium, un manque résolu de confiance en soi s'installe chez un sujet intelligent, mais fatigable et l'intransigeance devant ses faiblesses l'oblige à fuir devant les responsabilités, le contact social. En dépit d'une brillante intelligence, il aura peur de paraître ou de parler en public.

Calcarea phos 15 CH concernera cet adolescent qui grandit trop vite et devient nerveux, irritable, agité, ne sachant pas où porter son activité. Fatigué par le travail intellectuel, il abandonne vite ce qu'il veut entreprendre. Ce sujet sera lent intellectuellement en raison des multiples excitations sensorielles qui envahissent sa psyché (spectacles, lectures, pensées lascives, rêves éveillés ou sommeil agité). Il souffrira de migraine réelle des études et les déceptions sentimentales auront une lourde influence sur son intellect.

L'erreur dans l'écriture offre des ouvertures thérapeutiques précises en dehors de toute analyse graphologique. Pour Thuya, Lachesis, Kali bromatum, la précipitation mentale encourage les erreurs. Pour Lycopodium, les erreurs de langage écrit seront l'impitoyable témoignage de la perte de confiance en soi. Omission ou transposition de lettres : un malade se présente un jour pour un symptôme désagréable : l'emploi de mots exactement contraires dans l'écriture. Une intervention chirurgicale récente, avec affaiblissement et hypersensibilité aux bruits, permit d'identifier China qui corrigea l'inversion.

La perte de la mémoire des noms propres affectera Anacardium orientalis, Lycopodium, Medorrhinum et Sulfur, au verbe longtemps généreux et qui commencera à chercher ses mots.

Baryta carb, Plumbum seront les auxiliaires vasculaires dans les défaillances de la mémoire. Certains oublieront les propos qu'ils viennent de tenir, d'autres les événements de la journée. Le remède infinitésimal est un outil passionnant de réhabilitation pour les trahisons de la mémoire.

Kali phos est le remède de l'épuisement nerveux, caractérisé par une hypersensibilité au bruit, un découragement larmoyant, un tressaillement au moindre contact : il convient bien au surmenage intellectuel, aux conséquences des soucis ou aux chagrins prolongés.

Pour Caladium (*Arum* des Antilles) l'affaiblissement intellectuel est l'aboutissement d'usure et de défaillance d'appareils, influencées par un tabagisme excessif.

Les défaillances génitales apparaissent à travers des excitations sexuelles conservées : pour Agnus cactus (le gatillier), la démission intellectuelle et morale est l'image du refroidissement général qui frappe le corps (glas sexuel) et l'esprit. L'absence complète de désirs mène à la perspective mélancolique « d'une fin prochaine »

Troubles trophiques des ongles

Anantherum (chiendent des Indes) : ce minuscule remède, par la grâce de la similitude, est offert à une authentique exploitation commerciale de laboratoire.

Calcarea fluorica 6 X, Anantherum 3 X, aa 120 gr., une pincée deux fois par jour à laisser fondre. Cette préparation a raison des ongles friables et cassants associés à des chutes de cheveux et même des troubles trophiques de la gencive.

Urticaire

C'est une affection aiguë, éruptive, faite de plaques rouges saillantes, très prurigineuses, parfois accompagnées d'œdème, pouvant disparaître en quelques minutes ou en quelques heures. Les démangeaisons peuvent faire apparaître de nouveaux éléments. L'urticaire peut être géante : on l'appelle « œdème de Quincke », œdème et éléments papulaires ont tendance à se répandre sur la peau. Ils peuvent siéger désagréablement à la face ou aux organes génitaux. Il peut y avoir des troubles graves lorsque les muqueuses digestives ou respiratoires sont concernées ou associées.

De nombreuses substances d'origine végétale ou animale peuvent être responsables de la poussée urticarienne : ortie, lierres, rhododendron, méduses, araignées, insectes, guêpes.

Les rayons solaires ont tendance à développer des allergies cutanées tenaces, mais il ne faut pas oublier les intoxications alimentaires, coquillages, moules, huîtres, crustacés, œufs, fraises et chocolat. Enfin l'élément médicamenteux a tendance à étendre ses effets secondaires cutanés. La plupart des urticaires sont dues à des phénomènes de sensibilisation ou d'intolérance à certains antigènes qui rencontrent en surface de la peau certains anticorps préexistants.

Au moindre soupçon d'intoxication alimentaire ou médicamenteuse, la prescription d'une dose de *Nux vomica 9 CH* s'impose, suivie d'*Urtica urens 4 CH* en posologie répétée.

Lorsque les facteurs externes ne sont pas identifiés, il faut interroger les symptômes et leurs modalités d'aggravation :

Certaines peaux ne supportent pas la chaleur : Apis, Bovista, Heliantes ont une vive rougeur et sensibilité au toucher.

Certaines peaux redoutent le froid : Urtica urens 4 CH et surtout *Rhus tox 4 CH* sont indiqués. *Arsenic album,* si des réactions digestives ou des modifications de l'état général appellent l'indication de ce remède.

Dans l'urticaire géante : Astacus (écrevisse), Homarus 4 CH sont qualifiés par l'importance de la réaction cutanée qui est très rouge et très pruriante.

Lorsque l'urticaire a tendance à se répéter, il faut identifier la substance agressive et l'administrer par voie infinitésimale un jour sur deux, en alternance avec *Poumon histamine 15 CH.*

Dans l'œdème de la face, du contact de produits capillaires, l'indication de *Bovista* et de *Medusa* (la méduse) est régulièrement bénéfique.

Contrairement aux intentions allopathiques qui vont jusqu'à l'emploi dangereux des corticoïdes, les prescriptions symptomatiques ne sont jamais décevantes en homéopathie et l'image d'Apis qui reproduit l'image congestive inflammatoire initiale de tout œdème est une indication riche d'enseignement.

Piqûres d'insecte

L'application locale de *Calendula,* teinture mère, est le premier geste. Le *Calendula* est l'auxiliaire le plus précieux de la vie domestique. Pour toute piqûre d'insecte, *Apis 4 CH* peut être indiqué par l'aspect rosacé de l'inflammation et l'aggravation à la chaleur. Mais on peut utiliser spécifiquement *Culex* (moustique), *Pulex* (puce) et *Ledum pallustre.* Les complications à distance (lymphangite) appellent *Pyrogenium, Anthracinum* et avant tout l'avis du médecin.

La désensibilisation des grands allergiques, ceux voués aux accidents dramatiques appelant les corticoïdes et l'hospitalisation, sera orientée sur l'emploi de *Caladium 15 CH* alterné avec *Culex* en doses bimensuelles.

CONCLUSION

Être homéopathe constitue une expérience de l'âge mûr qui s'étend de plus en plus aux nouvelles générations, aux étudiants avant l'attribution du diplôme médical. La permanence de ses lois a placé l'homéopathie au-dessus des techniques et des méthodes de santé. La compréhension totale du malade restitue au médecin la foi de sa mission, la morale de ses engagements. Hahnemann écrivait : « Je n'échangerais pas contre tous les biens de la Terre les plus vantés la satisfaction que cette manière de procéder m'a procurée. » Le premier impératif est de s'intéresser et d'aimer l'homme. Le cours magistral au lit du malade, dans le tourbillon des techniques, ne doit pas écarter l'œil sensible du sens humain. Certains étudiants se délectent du cancer de la chambre 23, de la caverne pulmonaire du 19, avec la même indécence que certains spectateurs de films interdits.

L'homéopathie est un art difficile qui implique courage et enthousiasme. Il faut surmonter l'adversité des oppositions administratives et les exigences des mécontents de la médecine qui se confient avec méfiance à de nouveaux soins, sans pourtant perdre la foi et l'intelligibilité du cœur.

A toute discipline existent des limites. Dans certains cas d'urgence, l'infarctus du myocarde par exemple, un traitement anticoagulant doit être entrepris. Dans un choc hémorragique. une transfusion est logiquement appliquée, de même qu'une trachéotomie dans une asphyxie de la gorge. Un geste du chirurgien est souverain, mais les indications chirurgicales sont infiniment moins importantes de la part du médecin homéopathe.

Chez un vieillard affaibli, dans un déclin irréversible, l'homéo-pathie agira en fonction des possibilités réactionnelles. L'homéo-pathie ne guérit pas toutes les maladies, mais elle possède un champ d'action immense et nous sommes loin d'avoir soumis à l'expérimentation approfondie certaines substances pharmacolo-giques. Les difficultés apparaissent à partir des surcharges médicamenteuses qui limitent naturellement le délicat pouvoir réactionnel d'un remède homéopathique. On ruine sa santé par surconsommation et mauvaise hygiène personnelle : il y a des excès ruineux pour la santé, et de flagrantes influences nuisibles dans notre environnement immédiat, mais tous les symptômes ne doivent pas être combattus et si la neutralisation microbienne est vitale pour les maladies aiguës, les symptômes cutanés dans les affections chroniques ne doivent pas être l'occasion de telles ardeurs combatives. Détruire un symptôme périphérique par des remèdes extérieurs, c'est remplacer ce « symptôme en donnant l'éveil aux souffrances intérieures et aux autres symptômes qui, bien qu'existant déjà, semblaient n'avoir fait que sommeiller jusqu'alors, c'est-à-dire en exaspérant la maladie interne » (Hahnemann, *Organon* 202). Médecine de l'individu, l'homéo-pathie a placé la loi de similitude dans le champ de l'expérience humaine, supérieure à celle de l'animal.

Selye pensait que nos conceptions pourraient s'élargir si on cherchait à imiter l'organisme dans les processus naturels de défense vis-à-vis de l'agression. C'est le propre de l'expérimenta-tion de Hahnemann sur l'homme sain et sur la planète aux environs de l'an 2000, qui verra la population doubler ses effectifs. On cherchera à mieux connaître l'homme sain, à mieux corriger ses perturbations fonctionnelles initiales plutôt que de combattre la maladie par des moyens sophistiqués. Le rêve de l'industrie pharmaceutique multinationale — couvrir les énormes besoins du tiers monde — se révélera inaccessible et la porte aux médecines douces sera ouverte bien avant que les plaintes de la faim, de la soif et de la survie ne soient couvertes par le cliquetis des armes. Le maintien en santé sera enfin réclamé par les média, qui ne lieront plus le progrès à la novation technologique. Le fonctionnel, mieux compris dans sa réaction physiologique et psychique, sera mieux traité et les maladies chroniques commen-ceront à régresser, même si la société de consommation conduit ses exigences avec excès. La haute technicité renforcera le rôle du médecin, du guide de l'homme, qui saura, selon la définition de Hering, « écouter, écrire, observer et coordonner, celui qui saura sonder les équilibres, bâtir son hygiène et lui fournir une aide sur mesure pour interdire la maladie ».

Notre époque est passionnante par ses dimensions. Elle enjambe le gigantesque et les espaces interplanétaires. Elle découvre aussi l'infiniment petit, elle se passionne pour tout ce qui se rétrécit au niveau dimensionnel. La fission atomique a révélé douloureusement à l'humanité les notions de puissances liées à l'infiniment petit. Elle cherche maintenant l'énergie thérapeutique qui peut sortir du substrat infinitésimal.

Tout s'élargit, tout se rétrécit. L'homéopathie, inchangée, se présente comme un mode de compréhension :

— de la pharmacologie infinitésimale ;
— de l'identité de l'être humain ;
— de l'identité qu'il partage avec la maladie ;
— du parcours de la maladie, fait d'évolution, d'adaptation, d'imprégnations successives — l'étude d'un modèle de base qui fait appel à l'information de la psyché et du soma — de la dégradation prévisible de la santé.

La pratique de l'homéopathie a atteint un degré de fiabilité et de crédibilité qui habilite la réflexion scientifique. Les reproches de petits remèdes dilués dans l'eau de Seine s'effacent devant les expérimentations en série sur les végétaux, les animaux et les humains. Toute science a l'exigence de la rigueur logique et du poids de la théorie. Le point de départ homéopathique a été empirique et expérimental. Le poids de l'expérience la renvoie aux règles de la connaissance rationnelle.

L'art thérapeutique est d'une immense complexité et l'inframoléculaire est riche en promesses. Des expériences sont faites par des chercheurs américains sur des états cancéreux provoqués et sur l'action protectrice des doses infinitésimales de l'agent cancérigène.

Il reste beaucoup à faire pour connaître le mode d'action du remède, son pouvoir physiologique et la force qu'il représente. Mais lorsqu'on entend les restrictions médicales autorisées, les méfaits médicamenteux quotidiens, on peut partager le point de

355

vue de Jean Rostand qui craignait la banqueroute humaine. Non seulement il dénonça le danger génétique des radiations, mais il pensait que nos descendants seraient de plus en plus tarés. La marche irréversible dans le sens de la dégradation a commencé avec les progrès de la médecine. Le nombre des maladies héréditaires ne fait qu'augmenter et Jean Rostand recommandait au médecin de ne pas précipiter les malades dans une orgie pharmaceutique ou une débauche d'intoxication en croyant que le mal n'est pas grand. Rien ne prouve que les produits chimiques nouveaux ne lèsent pas les cellules reproductrices de notre malade, et rien ne dit que nos descendants n'en seront pas amoindris.

A travers tous les échos de toxicité médicamenteuse et les appels à la limitation des thérapeutiques lourdes, ne peut-on pas penser que derrière l'art subtil d'interroger le corps, la sensibilité de l'âme, il y a en homéopathie le monde de cet infinitésimal, voué à l'autorégulation de la cellule, à l'autopharmacologie non nocive de l'homme.

L'expérience de l'homéopathie est un canal de pensée difficile pour l'abord rationaliste. Sa singulière anticipation scientifique a été la connaissance de l'homme dans l'interpénétration du monde de la chimie, de la physique, de la matière vers l'énergie et vers le mental. A travers le maquis de la technologie, Pasteur Vallery-Radot recommande : « Pensez organe, pensez homme. Jonglez avec les ions et les milli-équivalents mais voyez derrière eux l'homme et non pas le robot ! »

Le mérite de Hahnemann a été la réhabilitation de l'homme. On s'émerveille à propos des calculatrices, des ordinateurs, des machines qui comptent à des vitesses prodigieuses, qui commandent des usines, qui mémorisent des programmes gigantesques. Le corps humain est une machine bien plus complexe, plus mystérieuse que les plus modernes machines électroniques Constamment, il a été fait état de la personne et non de *l'organe* On a évoqué l'articulation de la connaissance *objective* et de la connaissance *subjective* autour d'une réalité VIVANTE. On est parti de SYMPTÔMES hautement hiérarchisés pour rejoindre l'expression puissante d'un ensemble symptomatique et découvrir que chaque cas morbide est original en soi. Cette connaissance à double niveau porte haut les pouvoirs de l'homme quand on veut bien considérer la vie au-delà des réactions chimiques d'une cellule : oxydation et combustion.

L'homéopathie nous oblige à réfléchir, à considérer un aspect du réel beaucoup plus enrichissant pour les médecins. Les efforts qu'elle impose dans la laborieuse connaissance de la matière deviennent brusquement récompensés par le zèle que chacun applique dans l'approche de l'homme. Cette fatigue est moins éprouvante qu'une connaissance sans âme. Il faut des livres, mais il faut des maîtres, car l'initiation, injustement, ne passe pas par les bancs de la Faculté. Si l'homéopathie, branche de la clinique et de la thérapeutique, était inscrite au plan normal de l'enseignement (comme en pharmacie à la faculté de Lille, Lyon, Montpellier), un contact serait établi sur le plan des consciences vers la recherche théorique en laboratoire. Il resterait ensuite la lourde voie pleine d'embûches, un enseignement sans amputation, sans fragmentation de l'esprit homéopathique, sans céder à la tentation d'armement accéléré d'un prescripteur qui individualiserait sa signature bien plus que les devoirs au malade.

Homéopathie et allopathie ne peuvent ni *s'ignorer* ni *se combattre*. La science apporte des bienfaits quotidiens qu'on ne rejette pas. La médecine allopathique est devenue un outil terriblement efficace. Elle doit permettre au malade de reprendre souffle par des séquences de paix physiologique et de réarmement non nocif de l'homme.

L'école de la vie nous élève vis-à-vis des malades à des niveaux d'exigence qu'il faut remplir et nous remercions humblement les maîtres anciens et contemporains qui, depuis Hahnemann, ont porté la foi de leur message et la richesse de leur expérience.

Dans une époque où le risque thérapeutique est aussi important que les maladies à traiter, l'homéopathie apporte les preuves quotidiennes de son respect biologique de l'être, avec un aspect économique qui est un criant appel à la révision des politiques de santé des États. Des budgets exorbitants de société, il serait possible d'extraire les moyens de combattre la faim et d'écarter les indécents et insupportables spectacles de famine en Angola et dans les pays déshérités.

Aujourd'hui, plutôt que le marteau sur le microbe, les politiques de santé s'orientent vers le réveil général des forces, l'excitation favorable à la santé et non pas le seul combat contre la maladie. C'est ce que fait l'homéopathie, médecine qui détecte la différence entre les hommes et introduit la vie dans la vie, en donnant ce désir de reparticiper avec elle, ce qui est la marque du retour à la santé.

La médecine est une, à travers ces deux faces : une qui lutte contre la mort (la chirurgie, l'allopathie y contribuent avec application), l'autre qui sert la vie. Elle édifie, elle se libère du tribunal des appareils en interprétant le langage du corps et la profondeur de l'esprit.

TABLE DES MATIÈRES

PREMIÈRE PARTIE

Homéopathie et langage du corps   11

Le problème des médecines différentes/12
Relations médecin-malade/15
Une médecine à l'exigence de notre temps/16
Les effets secondaires/17
Une médecine humaniste/18
Un novateur pourchassé et inflexible/21
La médecine au temps de Hahnemann/23
La France : terre de consécration (1835)/26

La loi de similitude   29

Les conséquences de la loi de similitude/34
Un exemple de la loi de similitude : *Natrum muriaticum/36*

Le remède homéopathique   39

Mode d'action du remède homéopathique : un accord entre le
    malade et son remède/48
La théorie enzymatique/50
Relation entre la dose et l'effet/51
Étude d'élimination de l'arsenic/53
Analyse et synthèse autour du remède homéopathique/54

Questions discrètes et indiscrètes sur l'homéopathie . . .   59

Le remède homéopathique n'est-il pas un placebo inté-
    gral ?/60

Existe-t-il autant de variétés de prescriptions que de médecins ?/63

Les remèdes sont mystérieux et ne comportent aucune indication utilisable/66

L'homéopathie est-elle lente à agir ?/68

Existe-t-il intolérance, résistance, hypersensibilité à un traitement homéopathique ?/71

Relations avec les autres médecines/75

L'homéopathie suit-elle l'évolution ?/77

La prévention/78

Les compléments thérapeutiques dans la maladie chronique/82

Nosodes ou biothérapique/82

Isothérapie : désensibilisation/86

L'organothérapie/87

DEUXIÈME PARTIE

La médecine de la personne 93

Voyage à travers le corps : la découverte de soi/93

La voie royale du diagnostic, les secrets de votre psychisme/115

Pulsatilla : un exemple de psychisme à l'image de sa physiologie/118

Nux vomica : l'agité des temps modernes/134

Chamomilla : l'intolérance à la souffrance/137

Lycopodium : Le grand seigneur distant/141

Lachesis : une puissante nature/145

Les conceptions du terrain et les maladies chroniques 148

Les sources de la maladie/149

Le malade et sa constitution/151

La constitution carbonique/153

La constitution phosphorique/156

La constitution fluorique/158

Le terrain : parcours prévisible de la santé vers la maladie/159

Les rythmes biologiques 177

Lecture du corps à travers les horloges cosmiques/*194*
Écologie et homéopathie/*205*

TROISIÈME PARTIE

Problèmes actuels........................... 215

Les troubles du sommeil/*215*
L'angoisse/*222*
L'agressivité/*233*
La dépression/*238*
La spasmophilie/*241*

QUATRIÈME PARTIE

Les âges de la vie 255

Petite enfance/*255*
Adolescence/*261*
Équilibre hormonal et endocrinologie/*283*
Ménopause : le délicat carrefour/*287*
Le troisième âge/*291*

CINQUIÈME PARTIE

Les alliés de la vie quotidienne................. 309

Conclusion 353

Achevé d'imprimer en décembre 1992
sur presse CAMERON
dans les ateliers de la S.E.P.C.
à Saint-Amand-Montrond (Cher)
pour
les éditions Robert Laffont

Dépôt légal : octobre 1982.
N° d'Édition : 34510. N° d'Impression : 2511.